A ditadura que mudou o Brasil

1964, CINQUENTA ANOS DEPOIS:

A ditadura que mudou o Brasil
50 anos do golpe de 1964
Daniel Aarão Reis, Marcelo Ridenti e Rodrigo Patto Sá Motta (orgs.)

Ditadura e democracia no Brasil
Do golpe de 1964 à Constituição de 1988
Daniel Aarão Reis

As universidades e o regime militar
Cultura política brasileira e modernização autoritária
Rodrigo Patto Sá Motta

Daniel Aarão Reis
Marcelo Ridenti
Rodrigo Patto Sá Motta
(organizadores)

A ditadura que mudou o Brasil

50 anos do golpe de 1964

ZAHAR

Jorge Zahar Editor Ltda.
rua Marquês de S. Vicente 99 – 1º | 22451-041 Rio de Janeiro, RJ
tel (21) 2529-4750 | fax (21) 2529-4787
editora@zahar.com.br | www.zahar.com.br

Grafia atualizada respeitando o novo Acordo Ortográfico da Língua Portuguesa

Preparação: Angela Ramalho Vianna | Revisão: Eduardo Monteiro, Vania Santiago | Capa: Estúdio Insólito

CIP-Brasil. Catalogação na publicação
Sindicato Nacional dos Editores de Livros, RJ

D642 A ditadura que mudou o Brasil: 50 anos do golpe de 1964/organização Daniel Aarão Reis Filho, Marcelo Ridenti, Rodrigo Patto Sá Motta. – 1.ed. – Rio de Janeiro: Zahar, 2014.

Inclui bibliografia
ISBN 978-85-378-1173-3

1. Ditadura – Brasil – História. 2. Brasil – Política e governo – 1964-1985. I. Reis Filho, Daniel Aarão. II. Ridenti, Marcelo, 1959-. III. Motta, Rodrigo P. Sá (Rodrigo Patto Sá).

CDD: 981.063
13-06609 CDU: 94(81)

Sumário

Apresentação 7

1. A ditadura faz cinquenta anos: história e cultura política nacional-estatista 11
Daniel Aarão Reis

2. As oposições à ditadura: resistência e integração 30
Marcelo Ridenti

3. A modernização autoritário-conservadora nas universidades e a influência da cultura política 48
Rodrigo Patto Sá Motta

4. Mudanças sociais no período militar (1964-1985) 66
Francisco Vidal Luna e Herbert S. Klein

5. Transformações econômicas no período militar (1964-1985) 92
Francisco Vidal Luna e Herbert S. Klein

6. Revisitando o tempo dos militares 112
Renato Ortiz

7. Para onde foi o "novo sindicalismo"? Caminhos e descaminhos de uma prática sindical 128
Ricardo Antunes e Marco Aurélio Santana

8. A grande rebelião: os marinheiros de 1964 por outros faróis 142
Anderson da Silva Almeida

9. O aparato repressivo: da arquitetura ao desmantelamento 158
Mariana Joffily

10. A Anistia de 1979 e seus significados, ontem e hoje 172
Carla Simone Rodeghero

11. Por que lembrar? A memória coletiva sobre o governo Médici e a ditadura em Bagé 186
Janaína Martins Cordeiro

12. O engajamento, entre a intenção e o gesto: o campo teatral brasileiro durante a ditadura militar 203
Miriam Hermeto

13. Política externa do Brasil: continuidade em meio à descontinuidade, de 1961 a 2011 216
Miriam Gomes Saraiva e Tullo Vigevani

Notas 235

Referências bibliográficas 249

Sobre os autores 265

Apresentação

No momento em que se completa o cinquentenário do golpe de 1964, as condições são propícias para análises menos afetadas pelo calor dos acontecimentos. A distância no tempo favorece um olhar mais analítico e menos passional, ainda que interessado politicamente e compromissado com o repúdio à violência e ao autoritarismo.

Em que pese essa constatação sobre o distanciamento temporal, os temas relacionados ao golpe e à ditadura continuam plenos de atualidade, de vez que alguns aspectos de seu legado seguem nos interpelando e permanecem à espera de soluções satisfatórias: o autoritarismo que continua a impregnar certas relações sociais; a democratização incompleta do Estado e da sociedade, parte dela ainda incapaz de exercer a cidadania plena; os níveis elevados de violência social e policial que nos assolam; as desigualdades sociais (de renda, educação, acesso à Justiça) extremas que ainda caracterizam a paisagem brasileira. Seria um equívoco atribuir à ditadura a responsabilidade pelo surgimento de tais problemas. Eles fazem parte das estruturas da nossa sociedade há muito tempo. No entanto, o golpe interrompeu um processo político que poderia ter levado ao enfrentamento de algumas dessas questões, já que segmentos populares estavam se organizando e demandavam sua inclusão política e social. Mais ainda, as políticas implantadas pela ditadura contribuíram para agravar sobremodo as desigualdades estruturais da sociedade brasileira.

A atualidade da ditadura deve-se também ao impacto duradouro, portanto, ainda visível entre nós, das políticas de modernização implantadas naqueles anos, que, até certo ponto, distinguem o caso brasileiro dos regimes políticos semelhantes, vigentes nos países vizinhos na mesma época. Os militares brasileiros e seus aliados civis lograram deslanchar um processo de modernização que implicou mudanças importantes na infraestrutura do país, com repercussões principalmente na economia, nas comunicações, no aparato tecnológico e científico, na indústria cultural, entre outros. No entanto, tal projeto modernizador teve como par inseparável a conservação e a consolidação dos pilares tradicionais da ordem social, cuja base é a exclusão de parte das classes subordinadas e a incorporação subalterna dos segmentos populares mais afortunados. Uma modernização conservadora, portanto, e acima de tudo autoritária, pois os projetos de desenvolvimento foram comandados pela tecnocracia civil e militar, e as dissensões não passíveis de incorporação foram entregues à máquina repressiva (também ela modernizada naqueles anos).

O título do livro, *A ditadura que mudou o Brasil*, refere-se a essa modernização implantada autoritariamente. Mudança é usada aqui no sentido da conhecida frase do romance de Lampedusa, *O leopardo*: "Tudo deve mudar para que fique como está", isto é, mantendo-se os pilares da ordem estabelecida. Em suma, a mudança garantiu a continuidade, em novos termos, da velha combinação entre "moderno" e "arcaico" que marca a sociedade brasileira.

Exatamente por sua atualidade e relevância, a temática da ditadura tem sido objeto de inúmeras investigações (acadêmicas e jornalísticas), atraindo cada vez mais os jovens pesquisadores formados nas universidades. O incremento nas pesquisas com enfoque na ditadura salta aos olhos se compararmos o quadro atual com a última efeméride relevante, os quarenta anos do golpe, em 2004, quando, a propósito, organizamos uma coletânea sobre o mesmo tema. Nos últimos tempos, muitos trabalhos têm aparecido no cenário acadêmico, por vezes explorando sendas originais a partir de novos enfoques, em outros casos baseando-se nos acervos documentais há pouco abertos à pesquisa.

Este livro tem como proposta oferecer ao leitor uma coletânea de textos e reflexões produzidos recentemente, em uma mescla que buscou reunir pesquisadores mais jovens ao lado de autores mais maduros. Na mesma linha, os textos reúnem abordagens sobre temas já clássicos na pesquisa sobre a ditadura, assim como análises que apontam novas abordagens e outros caminhos historiográficos. Desse modo, procuramos fazer uma síntese da produção acadêmica atual que, ademais, teve o cuidado de preservar a pluralidade de opiniões e evitar quaisquer dogmatismos. O resultado dessa combinação propicia ao público (acadêmico ou leigo) uma porta de entrada para a história da última ditadura brasileira, aquela que o golpe de 1964 inaugurou. A coletânea significa um balanço do estado da arte, do quadro do conhecimento disponível sobre o tema, e apresenta novas possibilidades para se pensar e pesquisar a história da ditadura.

Entretanto, tema como este não mobiliza apenas o dever (e a paixão) do conhecimento, que tem certas regras e padrões ético-científicos a serem observados. Ele implica também responsabilidade cívica da parte de quem escreve, pois as representações construídas e divulgadas sobre o passado recente podem influenciar as escolhas atuais dos cidadãos. Por isso é tão importante pesquisar a ditadura, assim como divulgar o conhecimento produzido e enfrentar as polêmicas que ele inexoravelmente provoca. Além das disputas inerentes à lógica do conhecimento acadêmico, está em jogo a formação política dos cidadãos brasileiros. Tal aspecto da questão é em particular significativo entre nós porque, no Brasil, é muito numeroso o grupo de pessoas que desconhece o passado recente.

Dessa maneira, ao contrário do que muitos têm apregoado, o melhor não é "virar a página" no que se refere ao período da ditadura. Escolha mais adequada é empreender uma apropriação crítica desse passado político recente, tanto para consolidar nossa frágil cidadania quanto para entender a realidade em que vivemos. Para tanto, é fundamental estudar a ditadura que começou há cinquenta anos, a fim de compreender a atualidade do seu legado e, assim, criar condições de superá-lo.

Rodrigo Patto Sá Motta
Daniel Aarão Reis
Marcelo Ridenti

1. A ditadura faz cinquenta anos: história e cultura política nacional-estatista

Daniel Aarão Reis

O caráter da ditadura: memória e história

A ditadura mudou o Brasil entre 1964 e 1979.* Economia, política, cultura e sociedade.[1] No fim dos anos 1970, quando se anunciava o "amanhã", nada mais era igual ao que havia quando "se fez escuro", em 1964.**

Os custos foram muito altos. Para além dos perseguidos, presos, torturados, exilados ou mortos, é indizível a dor e a angústia de toda uma população empurrada em ritmos inéditos de mobilidade – social e geográfica –, revolvida nos alicerces culturais por um vendaval de modernização que, de forma autoritária, conduziu a sociedade para um novo patamar de desenvolvimento do capitalismo.

Um projeto de República perdeu-se em 1964. Nacionalista, baseado no protagonismo do Estado em aliança com as classes populares das cidades e dos campos, o programa das chamadas "reformas de base" experimentou estranha derrota, saindo de cena sem travar nenhum combate.*** A fuga de

---

* Já há alguns anos sustento que a ditadura, como estado de exceção, encerrou-se em 1979, com a revogação dos Atos Institucionais, tendo início, a partir de então, um processo de "transição democrática". Cf. Aarão Reis, 2000. A expressão, com acepções próprias, já fora empregada por Emir Sader, 1986 e 1990; Brasilio Salum, 1996; Maria José Resende, 1996. Elio Gaspari (2002) também datou o fim da ditadura em 1979.

** Alusão, em forma de homenagem, ao verso de Thiago de Mello, escrito pouco depois da instauração da ditadura: "Faz escuro, mas eu canto, porque o amanhã vai chegar."

*** A expressão "estranha derrota" foi empregada por Marc Bloch (1990) ao referir-se à queda desmoralizante da França diante da invasão nazista em maio de 1940. A derrota de 1964, considerada "inevitável" por certa história "retrospectiva", merece profunda revisão.

João Goulart, aos soluços, é muito menos causa do que síntese e expressão de uma derrota desmoralizante.*

Portas que se fecham, portas que se abrem.

Ganhou a parada o projeto de modernização autoritária, surpreendendo a todos que apostavam na "utopia do impasse".** Sob a ditadura, construiu-se um modelo cujo legado ainda persiste.

Quinze anos. Foi o tempo que "fez escuro".

Depois, revogados os Atos Institucionais, ainda houve cerca de dez anos de transição, até que fosse possível ver chegar o "amanhã", com a aprovação de uma nova Constituição.

Restava delimitar o tempo em que "fez escuro" e os responsáveis pela escuridão. Quando a chamada "Constituição cidadã" foi publicada, em 1988, a memória social, salvo ruídos, estava consolidada.

O marco inicial, 1964, não suscita dúvidas. A ditadura instaurou-se, como se disse, contra um determinado programa – nacionalista e popular. A ruptura aí é clara, embora as continuidades sejam também evidentes, como se verá. Perdeu-se um tipo de República na qual havia uma democracia limitada, mas em processo de ampliação. Ganhou-se uma ditadura que se radicalizaria com o tempo.

Em relação ao fim do período, os marcos são mais fluidos. Seria 1979, com a revogação dos Atos Institucionais? Ou 1985, com a eleição indireta de Tancredo Neves e José Sarney? Ou, ainda, 1988, com a aprovação de uma nova Constituição?

A rigor, seria mais correto falar em discurso hegemônico: para a grande maioria, a ditadura acabou em 1985, por mais que isso seja incongruente com o fato de o novo presidente, José Sarney, ter sido um "homem da di-

---

* Não se trata de absolver ou condenar, mas de compreender. A fuga do presidente, até pelos poderes que ele concentrava e pelo prestígio que ainda detinha, deu importante contribuição para a derrota. Daí a considerá-lo um bode expiatório vai uma grande distância.

** Assim me referi à tese, acolhida por muitos pensadores de esquerda, de que o Brasil, sem as reformas preconizadas, entraria num impasse catastrófico, caracterizado pela estagnação econômica e pela repressão política. A tese vertebrou os programas de luta armada contra a ditadura. Cf. Aarão Reis, 1990.

tadura". Mas a memória é assim: substitui evidências pela vontade e pelo interesse, que, no caso, se articularam para responsabilizar unicamente os militares pelo "fato ditatorial". No mesmo movimento, obscureceu-se a participação dos civis na construção do regime, esvaziando-se de quebra o estudo e a compreensão das complexas relações que sempre vigoraram entre o poder ditatorial e a sociedade.

Afirmaram-se, portanto, duas delimitações. Os militares como únicos responsáveis pela ditadura, e o período ditatorial, enquadrado entre 1964 e 1985, com rupturas sublinhadas na gênese e no encerramento do espetáculo. E a ruptura de 1985, mais problemática, sobretudo depois da morte de Tancredo Neves.* Foi então que se reforçou o personagem não convincente de José Sarney com uma expressão sedutora: a Nova República. A atmosfera de liberdades democráticas reconquistadas, em contraste com o sufoco ditatorial, contribuiu para o sucesso dos termos.

A dupla delimitação convenceu e se consolidou. O período ditatorial foi confinado no tempo. Anos de chumbo. Um parêntese. Trágico, mas superado. Cabe ao historiador, no entanto, romper as amarras da "história vigiada",[2] do senso comum e das memórias estabelecidas.

Já questionei em outros textos a feição exclusivamente militar da ditadura. Ao longo da última década, pesquisas diversas têm confirmado a participação civil e a "responsabilidade ampliada" na construção da ditadura brasileira.[3] O que importa agora é questionar o caráter "excepcional" da ditadura, discutir se não há aspectos comuns entre os governos pré-ditadura, ditatoriais e pós-ditatoriais, ou, ainda, como compreender melhor a inserção da ditadura numa história mais ampla.

Com essa perspectiva, proponho à reflexão uma análise, no tempo longo, da cultura política nacional-estatista.** A grande questão é a seguinte: até que ponto e em que medida essa cultura política, amplamente compartilhada, não se terá construído antes da ditadura, continuado com

---

* Embora político moderado, Tancredo Neves sempre se situou em oposição aos vários governos ditatoriais.

** Tenho defendido essa ideia em palestras e encontros; a pesquisa ainda é preliminar e a ela me dedicarei no futuro.

ela, embora sofrendo metamorfoses, e perdurado, modificando-se, depois dela? Se houver um grão de verdade na resposta afirmativa, a ilusão corrente de que a ditadura significou um parêntese radical na história do país poderia ser questionada.[4]

A cultura política nacional-estatista

Por cultura política entendo "um conjunto de representações portadoras de normas e valores que constituem a identidade das grandes famílias políticas".[5] "Uma espécie de código" ou um "conjunto de referências", amplamente disseminadas "no seio de uma família ou de uma tradição política,[6] formando "um sistema coerente de visão de mundo", constituído por um "substrato filosófico", por uma série de "referências históricas, … dados-chave, textos seminais, fatos simbólicos e galerias de grandes personagens", além de "rituais", "sentimentos", "uma psicologia coletiva", uma "política de memória"[7] e uma representação da "sociedade ideal" na qual um grupo ou uma corrente política aspira a viver.[8] Quando surge e se afirma, uma cultura política responde a condições e demandas econômicas, políticas e culturais. Mas não é apenas "reflexiva". Ao se desenvolver, e se consolidar, uma cultura política contribui para modelar as sociedades em que vigora.

Em cada sociedade, é comum o embate de diferentes culturas políticas, assim como a eventual hegemonia de uma delas, que coexistirá com outras, conjunturalmente subordinadas. Contudo, não se pode ter das culturas políticas uma concepção estática. Segundo as circunstâncias e as opções, no contexto das lutas políticas e sociais, uma cultura política pode pedir empréstimos e sofrer metamorfoses sem que, no entanto, seu "substrato filosófico" e muitas de suas "questões-chave" sofram alterações substanciais.

A cultura política nacional-estatista tem uma arraigada história neste país e no conjunto da América Latina. Aproveitando-se do enfraquecimento da capacidade de controle das grandes potências, desde os anos 1930 ela estruturou-se com notável sucesso em diferentes variantes, empolgando sociedades e fundamentando políticas de Estado.

Este artigo examina, em grandes linhas, o nacional-estatismo no tempo longo. Selecionaram-se quatro grandes "momentos": a ditadura do Estado Novo (1937-1945); os anos democráticos e "dourados" de Juscelino Kubitschek (1955-1960); os "anos de ouro e de chumbo"* do governo Médici (1969-1974); e, finalmente, os dois governos de Luiz Inácio Lula da Silva (2003-2010). Trata-se de conjunturas e personagens muito distintos entre si, e por isso mesmo foram escolhidos. A questão é saber como se construiu, como se transformou e como sobreviveu a cultura política nacional-estatista em conjunturas tão diferentes e ao longo de tantas décadas decisivas para a formação de um país chamado Brasil.

O nacional-estatismo em sua gênese: a ditadura do Estado Novo (1937-1945)

Sabe-se que não é de bom-tom chamar o Estado Novo de ditadura. No limite, admite-se a denominação "regime autoritário".** O que predomina mesmo, porém, é a expressão neutra: "Estado Novo." Triunfo da memória sobre a história, mas é assim que tem sido nomeado – e conhecido – o período entre 1937 e 1945. Entretanto, o Estado Novo foi uma ditadura, um "estado de exceção", no sentido próprio da palavra, ou seja, lugar onde, ou período em que as leis existentes são subordinadas à vontade – arbitrária – dos homens do poder. Pois foi nas entranhas dessa ditadura – que adotou a tortura como política de Estado – que se gerou a cultura política nacional-estatista no Brasil. Vale a pena sublinhar o fato porque a marca – e a lógica – autoritária nunca se descolaria dessa cultura política.

---

* A memória social caracteriza-os apenas como "anos de chumbo". Mas as evidências revelam situações bem mais complexas: se, para alguns, foram anos de chumbo, para muitos outros foram anos de ascensão, enriquecimento e felicidade. Cf., entre outros, Aarão Reis, 2000.

** Ressalve-se a concepção, minoritária, mas presente, que ainda o conceitua como "fascista". Entretanto, por lhe faltarem base empírica e substância teórica, ela tende a perder importância.

Desde a primeira proclamação de Getúlio Vargas, irradiada para todo o país em 10 de novembro de 1937, o enaltecimento da centralização estatal tornou-se um mantra, em contraste com a ineficiência das assembleias e dos partidos políticos, considerados particularistas e fragmentários, um "aparelho inadequado e dispendioso". Tornara-se "desaconselhável" mantê-lo.* De mais a mais, as exigências de "aparelhamento eficiente" para as Forças Armadas exigiam "ordem, tranquilidade e unidade", um regime forte, de paz, justiça e trabalho. Mesmo porque era "necessário e urgente optar pela continuação do Brasil".[9] Tais referências eram defendidas desde 1930, mas foi preciso o golpe de novembro e a nova Constituição de 1937 para que tomasse corpo uma nova cultura política.

Em 11 de junho de 1940, a bordo do *Minas Gerais*, couraçado capitânia da Marinha de Guerra, numa associação novamente nada casual com os militares, Getúlio Vargas iria se referir ao "limiar de uma nova era", caracterizada pelo declínio do "individualismo e do liberalismo" e pela prevalência de um "Estado regulamentador". No exato momento em que a França capitulava à invasão nazista, gerando apreensão pela sobrevivência dos valores democráticos, Getúlio Vargas não se mostrava nem um pouco inquieto. Ao contrário, jubilava: "Não marchamos para o fim da civilização, mas para o início tumultuoso e fecundo de uma nova era, marcada por uma economia equilibrada e a riqueza da nova ordem social." Os "liberalismos imprevidentes" é que estavam sendo derrotados, assim como as "demagogias estéreis e os personalismos semeadores de desordens". Haveria agora uma ordem "criada pelas circunstâncias novas, incompatível com o individualismo", mas favorável à "disciplina política", baseada na "justiça social" e no amparo ao trabalhador, porque o "proletário" era um "elemento indispensável à colaboração social".[10]

A centralização ditatorial também era legitimada pelo imperativo da "integração nacional", outro mote do nacional-estatismo. Assegurar a unidade do "mercado nacional" era "medida inadiável", condição para a

* A Constituição outorgada em novembro de 1937 revogou a de 1934 e dissolveu os partidos e as assembleias eleitas em todos os níveis.

"solidificação da federação política": "A grande tarefa do momento ... é a mobilização dos capitais nacionais ... na conquista econômica das regiões retardadas. No território vasto e rico ... encontrarão atividades altamente remuneradoras, realizando, ao mesmo tempo, obra patriótica de unificação." As críticas ao caráter ditatorial do Estado eram caracterizadas como "impostura de ... fundo demoliberal", um regime baseado na "ficção eleitoral, ... anacrônico e demagógico, caldo de cultura onde se desenvolviam o regionalismo, o caciquismo, o caudilhismo e os extremismos da esquerda e da direita". Ao contrário, o Estado Novo era a expressão da "vontade nacional" e da "unificação nacional".[11]

A ideia da integração nacional, sustentada pela mídia governamental, ganharia outra roupagem com o lançamento da "Marcha para o Oeste" e com o resgate do mito dos "bandeirantes" e a exaltação da obra do marechal Rondon.[12] Não seria apenas uma integração espacial, mas principalmente social. As ideias de colaboração de classes e do trabalho como ato patriótico constituiriam as bases da política trabalhista do governo ditatorial, sintetizada e formalizada em 1943, com a Consolidação das Leis do Trabalho (CLT), resgatando-se uma "dívida de quatrocentos anos".[13]

No plano das relações internacionais, a ditadura do Estado Novo fez o possível para afirmar a soberania e os interesses nacionais mantendo o país fora da guerra que se desdobrava em escala mundial. Segundo Vargas, nada "prenderia" o Brasil às potências beligerantes, nem sequer a "justificativa de interesses econômicos". De resto, as alianças se faziam e desfaziam muito mais "pelo cálculo e ajustamento dos interesses em equação" que por "afinidades ideológicas". Embora entristecidos pelo "espetáculo de ruínas" promovido pela guerra, os brasileiros não deveriam "apurar culpas e aferir responsabilidades relativamente a acontecimentos complexos", que só com o tempo poderiam ser analisados com "isenção e justeza".[14]

Como se sabe, a ditadura do Estado Novo foi constrangida a abandonar a política de neutralidade por pressão dos Estados Unidos e também em decorrência do afundamento de navios brasileiros por submarinos alemães. Esse processo foi "soluçante", enfrentando resistências de todo tipo, resultando no envio de uma Força Expedicionária – mais simbólica que efetiva –

aos campos de batalha da Itália apenas em meados do segundo semestre de 1944, a menos de um ano do fim da Segunda Guerra Mundial. Ele não foi convincente, como se demonstrou nas pressões norte-americanas pela deposição de Vargas em 1945, atestado de quanto o ditador era considerado um adversário, apesar da aparente aliança na guerra, firmada desde 1942.

A análise da cultura nacional-estatista em sua gênese, por meio dos discursos de seu líder, Getúlio Vargas, evidencia alguns dispositivos estratégicos, entre os quais são relevantes: a) um Estado centralizado e integrador, ao qual se subordinam todas as "particularidades egoísticas" – a ideia é assinalada como marca registrada de uma "nova era"; b) um ideário nacionalista, unificador; c) o esteio das Forças Armadas – Getúlio é um líder civil, mas o poder é exercido com base no e sob supervisão do Exército (coadjuvado pela Marinha); d) amplas alianças sociais, incluindo-se os trabalhadores urbanos e rurais, sempre sob vigilância e tutela; e) concepções de modernização e industrialização em nome das quais todos os sacrifícios são demandados; f) uma política externa de afirmação nacional.

Esses aspectos, conjugando-se, serão apresentados como um "modelo civilizatório", original e orgulhoso de si mesmo, perante a história e o mundo. Tendências subservientes e marcadas por complexos de inferioridade, usuais nas tradições das elites brasileiras, serão substituídas por um credo afirmativo, valorizando especificidades antes omitidas (o país mestiço, cadinho das "três raças"). Nesse quadro, o Brasil já não será o país do "futuro", mas uma realidade presente.

Vejamos agora o destino que teve essa cultura política.

A cultura nacional-estatista nos anos de Juscelino Kubitschek (1956-1961)

A escolha, aqui, do período juscelinista não foi casual. A memória nacional dos "anos dourados" o tem representado como o "melhor" momento democrático da República fundada pela Constituição de 1946. Trata-se de conferir de que modo a cultura política nacional-estatista sobreviveu "aos ventos que hão de vir".* Ela, que fora gerada no ventre de uma ditadura, como se terá havido com as luzes da democracia?

Cabe assinalar que tais luzes não eram lá muito fortes. O regime democrático-liberal fundado pela Constituição de 1946, graças à singular mescla entre as heranças do Estado Novo e a doutrina liberal, tinha um marcado caráter elitista e antipopular, era uma democracia autoritária.[15]

Em estudo clássico, Leôncio Martins Rodrigues mostrou como as estruturas corporativistas criadas no Estado Novo, com fôlego felino, ultrapassaram várias e distintas conjunturas, para chegar, embora transformadas, aos dias atuais.[16] Processo semelhante ocorreu com a cultura política nacional-estatista. Ela amoldou-se aos jogos institucionais, à liberdade de imprensa, às disputas político-partidárias, em suma, à vigência do registro liberal das liberdades democráticas. Mas conservou o que tinha de essencial.

Embora respeitando os parlamentos e os tribunais, Juscelino Kubitschek (JK) articulou uma aliança entre o Partido Social Democrático (PSD) e o Partido Trabalhista Brasileiro (PTB),** bases sociais do varguismo reunidas para impulsionar o desenvolvimento do país. Quando, ainda assim, enfrentava problemas, JK habilmente os contornava com os Grupos Executivos, unidades de poder e de gestão que, "suavemente", curto-circuitavam o Parlamento. Agigantou-se assim o Estado e sua centralização, reproduzindo tendências construídas no Estado Novo.

As concepções modernizantes/industrializantes do Estado Novo também foram retomadas e se extremaram, com seus ritmos delirantes. Tratava-se de fazer "cinquenta anos em cinco", e o slogan era todo um programa. Tocado pelo Estado, o desenvolvimentismo juscelinista mobilizou os espíritos e empolgou a nação. A "terra enigmática" estava "à espera da energia humana que a subjugue, discipline e dela faça um fator de enri-

* *Venturis ventis*, "Aos ventos que hão de vir", lema símbolo de Brasília.

** O vice-presidente de JK, João Goulart, ungido principal herdeiro político de Getúlio Vargas, presidente do PTB, virtual "dono" da legenda, cumpria o papel de avalista do getulismo no governo. Registre-se que, na época, o vice-presidente não era apenas uma figura simbólica, mas exercia, por atribuição constitucional, a presidência do Senado Federal.

quecimento do país e da consolidação de sua independência econômica".[17] A natureza a ser "subjugada", "disciplinada" e explorada. Haveria melhor síntese do "produtivismo" formulado nos anos do Estado Novo? Em todo caso, "nenhuma influência maléfica será capaz de impedir o surto do nosso desenvolvimento".[18] Mesmo porque não havia outra opção: "Ou a América Latina se industrializa ou renuncia à sua sobrevivência. … Todos os brasileiros devem estar unidos nesta batalha comum pelo nosso desenvolvimento, … sob qualquer governo ou sob qualquer partido."[19] Caso contrário, "estaremos em perigo como nação".[20]

Apesar de criticado pela abertura aos investimentos estrangeiros, o governo brasileiro da época não se furtou, em determinado momento, a romper com o receituário antidesenvolvimentista do Fundo Monetário Internacional (FMI). Foi quando JK lançou a Operação Pan-Americana (OPA), que chegou a estremecer as relações com os Estados Unidos. Segundo o presidente, estavam em jogo a emancipação e o futuro do país. Nessa hora aparecia a faceta nacionalista de JK, contrariando o lugar-comum, entre esquerdas mais radicais, de que ele não era nada além de um líder político "vendido ao imperialismo". Com a OPA, o Brasil tentava projetar-se no cenário interamericano: "Devemos imprimir novos rumos à vida da família continental, tendo em vista a aceleração do nosso desenvolvimento, a plena mobilização de nossos recursos."[21] O Brasil e os demais países do continente haviam amadurecido a consciência de que "não convém formarmos um mero conjunto coral, uma retaguarda incaracterística, um simples fundo de quadro".[22] E ainda mais enfático: "Vamos iniciar uma batalha conjunta para solucionar neste hemisfério o grave problema da estagnação, que é o reino da miséria, … e o atraso que nos degrada."[23]

Getúlio Vargas assinaria embaixo.

Também não faltou esteio militar a JK. Salvou-o, já eleito e antes de tomar posse, um general legalista, Henrique Teixeira Lott, liderando um movimento constitucionalista em 11 de novembro de 1955 e abortando o golpe em gestação por forças de direita, inconformadas com a vitória eleitoral da coligação formada por JK e João Goulart. Elas asseguraram a posse de JK e, em todo o mandato, o cargo de Lott no então Ministério da Guerra, como a sublinhar o caráter relativo daquela democracia e a recordar que, mesmo consagrado pelas urnas, os presidentes precisavam ser "garantidos" e, de certo modo, tutelados pelos chefes militares.

A inauguração de Brasília, em 21 de abril de 1960, foi a síntese e a glória do mandato presidencial de JK. Ao mesmo tempo, foi um momento importante para que outra vez mais fossem celebradas as virtudes nacionais e a singularidade construtiva do povo brasileiro, um exemplo para o mundo, pois "somos um país que caminha sozinho. Um país que não se deixa ficar no atraso e marcha avante, corajosamente ... em direção a um destino de grandeza".[24]

A cultura política nacional-estatista, adaptando-se, passara pela prova democrática e pela abertura aos capitais estrangeiros. No entanto, suscitaria, e cada vez mais, inquietação e desassossego entre as elites e as forças sociais conservadoras, o que se tornaria claro na conjuntura mais quente que a história republicana conheceu, entre 1961 e 1964. Nesse período, aquecido igualmente por ameaças revolucionárias que se sucediam em todo o mundo, segmentos importantes das classes populares tentaram seduzir a sociedade com um programa reformista revolucionário (as chamadas "reformas de base") que, caso vitorioso, iria redistribuir a riqueza e o poder numa escala inédita nos anais da história brasileira.

Entretanto, no fim de março e começo de abril de 1964, as forças conservadoras triunfaram com um golpe de Estado. Na composição heterogênea que então empalmou o poder, eram muitos os que anunciavam o fim da "República e das tradições varguistas". A destruição de uma e de outras efetuaria uma "revolução" no país. O alvo era claro: destruir pela raiz a cultura política nacional-estatista.

A ditadura civil-militar e o renascimento da cultura nacional-estatista

O primeiro governo ditatorial, chefiado pelo general Humberto de Alencar Castello Branco, assumiu o poder com esse programa: destruir o "legado varguista". Em tempos de Guerra Fria intensamente polarizada, no quadro das chamadas "fronteiras ideológicas", o Brasil alinhava-se no "campo democrático", subordinado aos Estados Unidos, na América Latina. O envio de uma força expedicionária em apoio à intervenção norte-americana na República Dominicana, em 1965, era o dobre de finados da política externa independente.

A repressão aos movimentos populares, concretizada na intervenção em centenas de sindicatos e na perseguição e prisão de lideranças populares, ao lado de uma política econômica antipopular, baseada no chamado "arrocho salarial", marcava também o rompimento com outro pilar do nacional-estatismo: as alianças com os trabalhadores das cidades e dos campos.*

Na economia, acordos favoráveis e estimulantes ao ingresso de capitais estrangeiros rompiam com as reservas e os controles anteriormente definidos. Era o triunfo do "internacionalismo" liberal. Prognósticos sombrios: a ditadura radicalizaria as tendências esboçadas no período de JK – o país seria "vendido" ao "imperialismo", perdendo-se qualquer sombra de autonomia. Desmoronavam-se as tradições nacional-estatistas. O chamado "populismo" entrara em "colapso" definitivo.**

Restara o esteio militar, mas as centenas de cassações de oficiais e graduados das Forças Armadas, identificados real ou supostamente com as esquerdas, indicavam que, aí também, eram solapadas as bases de sustentação do nacional-estatismo. Os militares vencedores, da ala "entreguista" das Forças Armadas, notória desde os anos 1950,*** não seriam obstáculo ao avassalamento do país pelos interesses estrangeiros.****

---

* Veremos como o caráter radical desse rompimento pode ser questionado.

** Embora em retirada, ainda predominam na academia e na política brasileiras as teses "populistas", formuladas por sociólogos paulistas que, sob essa denominação, estudam as tradições nacional-estatistas; cf. Jorge Ferreira, 2001.

*** Referência às disputas pela diretoria do Clube Militar, onde rivalizavam as correntes "nacionalista" e "entreguista". Fazia-se aí, por cegueira militante, abstração de que grande parte dos "entreguistas", quando não todos, participara ativamente do (e dera sustentação ao) Estado Novo, integrando a gênese do nacional-estatismo.

**** Nessa perspectiva, o Brasil estaria ameaçado de um processo de "recolonização", referência muito usada por comunistas de diversas tendências em diferentes conjunturas no passado.

Segundo os mais importantes pensadores de esquerda, o país entrara num beco sem saída. A vitória da ditadura significara o triunfo das forças mais conservadoras e retrógradas – o latifúndio e o imperialismo norte-americano –, bloqueadoras de qualquer perspectiva desenvolvimentista. Não havia jeito, o futuro seria marcado por estagnação econômica e repressão política.* Mas não foi o que aconteceu.

Já a partir do próprio governo Castello Branco o fervor antiestatista foi silenciosamente abandonado. O Estado não definhou, como esperavam os liberais ortodoxos. Ao contrário, criaram-se novas agências e modernizaram-se outras. Foi conservada a estrutura sindical corporativista urbana, "cavalo de batalha" das denúncias que faziam oposição à "herança varguista", devidamente depurada, o mesmo se podendo dizer dos sindicatos rurais, que continuaram vivos e em franca expansão. Tanto uns quanto outros constituíram nichos nos quais foi possível manter, embora em posição subordinada e sob estrita vigilância, milhares de lideranças populares.

A partir do segundo governo ditatorial, chefiado pelo general Arthur da Costa e Silva e com apoio das lideranças industriais, sob o comando de Delfim Netto, novo czar da economia, a "ortodoxia monetarista" seria superada. O Estado não podia ser apenas guardião dos equilíbrios macroeconômicos, mas deveria também ativar-se como agente fundamental do desenvolvimento.

A tendência seria consolidada e exacerbada no governo seguinte, presidido pelo general Emílio Garrastazu Médici. Esses foram os tempos mais repressivos do período ditatorial, "os anos de chumbo". No entanto, também foram os mais gloriosos da ditadura e os de maior desenvolvimento econômico, "os anos de ouro".

Em março de 1970, alguns meses depois de ser ungido presidente-ditador do Brasil, Médici, na aula inaugural da Escola Superior de Guerra, no Rio de Janeiro, reencontraria acentos desenvolvimentistas-industrialistas: "Como a grande meta é o desenvolvimento, começarei pelo campo eco-

* Cf. alusão à "utopia do impasse", nota **, p.12.

nômico. ... Justo é que se recorde o extraordinário salto que a Revolução logrou dar."[25] Em seguida enumerava os êxitos realizados:

> Aceleramos a exploração industrial, ... a produção de aço, de navios, de veículos, de cimento, ... iniciamos a exploração do xisto, ao mesmo tempo que intensificamos a extração do petróleo, diversificamos nossos esforços no campo da petroquímica e começamos a batalha das pesquisas minerais, ... a produção energética muito se ampliou.

Ele constatava ainda "o quadro de reorganização e reaparelhamento de nossos portos e de nossa Marinha Mercante".[26]

Essas palavras reverberavam discursos proferidos por Vargas em pleno Estado Novo: "Graças à estabilidade interna, ao planejamento econômico, à austeridade de ação administrativa, ... à fixação de prioridades, ... ao esforço no sentido de maior produtividade, ... restauramos a nossa economia e estamos em condições de acelerar o processo de desenvolvimento econômico."[27]

O futuro era promissor: "Esperamos acelerar a marcha do desenvolvimento em ritmo de crescimento da ordem de 10%, aumentando a taxa de investimento; ... e reduzindo a inflação, ... teremos um patrimônio econômico na dimensão mesma de nossos patrimônios moral, geográfico e humano."[28]

Como na época de JK, o desenvolvimento dominaria e subjugaria a natureza: "Pelo domínio exercido sobre a natureza, cujas energias submete ao serviço do seu interesse, experimenta, em verdade, o homem moderno sensação de poder que o leva a ter-se como capaz de eliminar obstáculos."[29]

Subsistiam referências ao capital privado – nacional e estrangeiro –, ao "estímulo ao privatismo", mas não parecia haver dúvida em relação à liderança estatal do processo. Entre 1968 e 1973 configurou-se o "milagre brasileiro", com as taxas de desenvolvimento alcançando, de fato, padrão invejável: 9,8% em 1968, 9,5% em 1969, 10,4% em 1970, 11,3% em 1971, 12,1% em 1972, 14,0% em 1973. Parecia uma reencarnação dos melhores anos do Estado Novo ou do período JK, a mesma triangulação formada por

Estado, empresas privadas nacionais e internacionais, sob indução e controle estatal.

A resultante disso, no plano simbólico, seria a produção de um mesmo sentimento de euforia e autoexaltação: "Num mundo marcado por angústias, egoísmo, … faz-se certeza a esperança no grande destino do Brasil. … A Nação encontra confiança em si mesma, a convergência da vontade coletiva, a consciência do próprio valor, … as energias e o entusiasmo de um legítimo orgulho nacional."[30]

Nos festejos do Sesquicentenário da Independência, unindo-se conquistas esportivas e econômicas, atingiu-se o auge de orgulho patriótico e de união nacional. Os slogans da época são conhecidos: "Ninguém segura este país", "Pra frente, Brasil", "Brasil, ame-o ou deixe-o". O general Médici, radinho de pilha ao ouvido, era ovacionado em pleno Maracanã.[31]

A efervescência não tardaria a se projetar nas relações internacionais. Ao contrário de certas expectativas, o país não foi "recolonizado". Numa análise de longo prazo, tornou-se evidente, sobretudo depois do quarto governo ditatorial, chefiado pelo general Ernesto Geisel, que se recuperaram, por meio do "pragmatismo responsável", características da chamada "política externa independente", de tradição estadonovista e muito presente nos anos anteriores ao golpe.*

É certo que as lideranças sindicais viviam sob vigilância, eventualmente eram reprimidas. Mas não tinha acontecido o mesmo no tempo do Estado Novo, quando tudo fora gerado? O fato é que as estruturas sindicais urbanas e sobretudo rurais não haviam deixado de se expandir e se consolidar.** Por outro lado, o crescimento econômico, embora profundamente concentrado e desigual – do ponto de vista social e regional – havia bene-

---

* Recordem-se, entre outras medidas: a demarcação das 200 milhas marítimas como território nacional (Médici); a política nuclear, o reconhecimento da independência de Angola e o desmanche da Comissão Militar Mista Brasil-Estados Unidos (Geisel).

** Dados do IBGE mostram que, entre 1968 e 1978, o total de sindicatos na área urbana aumentou de 2.616 para 4.009. A área rural não ficou atrás: de 625 sindicatos para 1.669. Os dados, utilizados por Marcelo Ridenti, em "As oposições à ditadura: resistência e integração", neste livro, e que gentilmente os transmitiu a mim, foram colhidos por Armando Boito (1991), que tem, naturalmente, sua própria interpretação do fenômeno.

ficiado setores consideráveis da população, em escala ainda não medida e avaliada.* Assim como se adaptara aos tempos democráticos, a cultura política nacional-estatista reemergia, redefinida, em tempos de ditadura, com uma catadura modernizante e autoritária.

O nacional-estatismo em tempos de Lula (2003-2010)

Esvaneceu-se a ditadura em processo complexo e negociado, restaurando-se, depois de longa transição, um regime democrático no país, em 1988. A nova Constituição, apesar das vociferações das direitas liberais e da maioria no Congresso de que dispunham as forças conservadoras, consagrava preceitos e valores do ideário nacional-estatista, mais uma evidência de que nem todas as direitas brasileiras têm formação ou cultivam ideais liberais.

O país suportou bem os ventos liberais que sopraram ao longo dos anos 1980 e 1990. As privatizações determinadas por Fernando Collor de Mello (1990-1992) e Fernando Henrique Cardoso (1994-2002) não diminuíram a capacidade de controle e de regulação do Estado brasileiro, nem seu potencial intervencionista. Nem muito menos o chamado "neoliberalismo" enfraqueceu decisivamente as tradições nacional-estatistas. Ao contrário.

A cultura política nacional-estatista continuou muito viva, devidamente redefinida, sobretudo entre as esquerdas moderadas e radicais. E voltaria a assumir papel hegemônico nos dois governos liderados por Luiz Inácio Lula da Silva.

Quando assumiu a Presidência, em 2003, Lula enfatizou a "mudança" como marca registrada do que seria seu governo:

---

* Gustavo Alonso (2011), avaliando a música popular sertaneja, encontrou variados exemplos de exaltação dos governos militares em discos muito mais vendidos que as canções de protesto. Também Janaína M. Cordeiro (2012) flagrou pesquisas de opinião pública dando a Médici índices muito altos de popularidade.

> Mudança – esta foi a palavra-chave, a grande mensagem da sociedade brasileira nas eleições de 3 de outubro, ... diante do esgotamento de um modelo ... que produziu estagnação, desemprego e fome, ... do fracasso de uma cultura do individualismo, do egoísmo, ... da desintegração das famílias e das comunidades, ... o povo brasileiro me elegeu – para mudar.[32]

Mas não para mudar a cultura política nacional-estatista. Ao contrário, para consolidá-la.

Em sua primeira mensagem ao Congresso como presidente eleito, em fevereiro de 2003, Lula enfatizou que a perspectiva do crescimento econômico a qualquer custo voltaria para não mais ser abandonada. Os padrões haviam sido formulados entre 1950 e 1980: "As taxas médias de crescimento do PIB e do PIB per capita foram, respectivamente, de 7,37% e 4,37%."[33] Era preciso recuperar esses índices, sem perder de vista a "preocupação com os pobres, a distribuição de renda e a inclusão social".

Para a consecução do programa, o Estado, apoiado em ampla aliança de classes, voltaria a ocupar um lugar central, em contraste com as concepções e políticas anteriores, dos governos de Fernando Collor e de Fernando Henrique Cardoso. A crise internacional do capitalismo liberal, iniciada em meados de 2008, só contribuiria para acentuar essa ênfase.

A perspectiva policlassista liderada pelo Estado governado por Lula assemelha-se, nas linhas essenciais, mas com características próprias, às adotadas por Getúlio Vargas e por JK. Foram chamadas a colaborar e participar ativamente as lideranças empresariais – urbanas e rurais – e de trabalhadores, com as quais o diálogo, não desprovido de eventuais tensões, tornou-se permanente. O prestígio do Estado agigantou-se como nunca à medida que as políticas de distribuição de renda (Bolsa-Família, crédito consignado, subsídios à cesta básica) e de alocação de recursos (linhas de financiamento oferecidas por instituições estatais) eram assumidas por ele, fazendo com que para o Estado convergissem, cada vez mais, as demandas e as negociações.

O grande emudecido – ou os grandes ausentes – nesse cenário são as Forças Armadas, o Exército em particular, sem prejuízo de intervenções de emergência, consideradas indispensáveis e valiosas, mas sempre específicas.* Às vezes parece que o país não tem Forças Armadas.** Outras vezes, elas parecem um Estado dentro do Estado, como, por exemplo, no processo de formação de quadros, no qual continuam a prevalecer as referências dos anos 1960 e 1970.*** A rigor, depois da restauração democrática, e em particular na situação de pós-Guerra Fria, ainda não se formulou uma nova doutrina para orientar o papel das Forças Armadas. Em contrapartida, todas as tentativas de esclarecer fatos e episódios do período ditatorial têm enfrentado resistência por parte de autoridades militares, que se negam a entregar os arquivos ou a colaborar. De sorte que, pela primeira vez na história da cultura política do nacional-estatismo, os militares perderam o papel de protagonista explícito.

O crescimento econômico com inclusão social empreendido nos governos Lula teve imenso sucesso, fazendo do ex-presidente a figura mais popular do país, com índices inéditos de aprovação depois dos dois mandatos. No fim do segundo mandato, haviam sido gerados, em oito anos, 11,8 milhões de empregos novos – formalizados –, e mais de 20 milhões de brasileiros haviam saído da pobreza extrema.[34]

O resultado disso foi a renovação entusiasmada da celebração do país e do Estado, com projeções na política externa, inclusive porque a situação brasileira, assim como a de outros países "emergentes", contrasta fortemente com a profunda crise em que ainda se enredam as sociedades capitalistas mais avançadas (Estados Unidos, União Europeia e Japão).

Desde que assumiu o governo, em 2003, Lula sancionou um tom otimista: "Devemos exigir muito de nós mesmos, ... porque ainda não nos

---

* Operações para organizar e reforçar a segurança urbana; para auxiliar em situações de emergência (catástrofes naturais); para proteção e viabilização de atividades essenciais; para acompanhar decisões de política externa (intervenção no Haiti).

** Talvez seja possível fazer uma comparação entre a situação das Forças Armadas sob o governo Lula e a das estruturas sindicais sob as ditaduras instauradas em 1937 e 1964. Elas conservam-se como nichos ativos, mas relativamente marginalizados, embora com uma grande diferença, aliás decisiva: a Constituição de 1988 consagrou, ainda uma vez, a tutela das Forças Armadas.

*** Nas escolas e colégios militares, o golpe de 1964 continua a ser referido como "revolução democrática". As autoridades civis, de Fernando Collor a Dilma Rousseff, passando por Lula, fingem ignorar esse fato.

expressamos por inteiro na nossa história, porque ainda não cumprimos a grande missão planetária que nos espera. ... E todos vamos ter de aprender a amar com intensidade ainda maior nosso país, a amar nossa bandeira, ... a amar nosso povo."[35]

Com o sucesso da política de Lula, a "missão planetária" do país tem sido martelada com insistência cada vez maior, criando ondas de elevação da autoestima e do orgulho próprio, confirmadas e potencializadas pela escolha do país como sede da Copa do Mundo e das Olimpíadas, a serem realizadas em 2014 e 2016, respectivamente. A autocelebração atual só encontra paralelo nos melhores momentos do Estado Novo ou dos períodos de JK e do general Médici.

Não à toa, e de modo muito sintomático e expressivo, por mais de uma vez Lula se referiu de forma elogiosa a alguns de seus antecessores mais ilustres no quadro da cultura política nacional-estatista. Ainda em campanha eleitoral, disputando seu primeiro mandato, afirmou: "O Brasil em três momentos foi pensado a longo prazo e planejado estrategicamente. No governo de Getúlio, no governo Juscelino e com os militares."*

A ARGUMENTAÇÃO FAVORÁVEL à perenidade da cultura política nacional-estatista, ao longo de conjunturas diversas, não exclui, antes pressupõe, redefinições e metamorfoses. Espero que elas tenham sido explicitadas. Na história de qualquer cultura política, dinâmica por natureza, as circunstâncias e as opções deixam marcados os selos próprios. Procurou-se neste artigo, de forma preliminar, evidenciar as permanências. Se houver aqui um grão de verdade, será possível questionar o senso comum de que o período ditatorial mais recente, inaugurado em 1964, foi uma "exceção à regra", um parêntese sinistro e felizmente superado.

---

* Lula, em entrevista à imprensa, 30 ago 2002. Na mesma entrevista, Lula ressaltou que os militares pensavam o Brasil "com planos decenais" (*sic*): "Os militares, com todos os defeitos de visão política que tiveram, pensaram o Brasil estrategicamente, ... construíram o Proálcool, o polo petroquímico, um sistema de telecomunicações." As referências elogiosas a Médici, Geisel, Vargas e JK se repetiriam outras vezes, ao longo dos dois mandatos.

2. As oposições à ditadura: resistência e integração

Marcelo Ridenti

Força e legitimação

As oposições à ditadura instaurada no Brasil em 1964 só podem ser compreendidas em conexão com o devir do próprio regime, em seus vários momentos, que combinaram diferenciadamente o uso da força e as tentativas de legitimação.

Sabe-se, para usar formulações de Max Weber,[1] que a dominação alcança alguma estabilidade apenas se não se restringir ao uso da força. Qualquer regime só pode durar ao longo do tempo se construir alguma base de legitimidade. Nos termos de Antonio Gramsci,[2] a política envolve aspectos de força e de convencimento. A relação entre dominantes e dominados, mesmo em regimes autoritários, deve ser compreendida não só com base no confronto, mas também na negociação, ou ao menos em concessões aos adversários, sem as quais não se constrói uma base de legitimidade. Negociar e conceder implicam reconhecimento do outro, levando em conta a oposição, que assim precisa ser entendida em seu encadeamento com a situação. Em suma, as oposições e a ditadura na sociedade brasileira devem ser compreendidas de modo relacional, envolvendo zonas intermediárias entre colaborar e resistir.[3]

Sem hesitar em usar a força, os golpistas de 1964 preocuparam-se também com sua legitimidade. O golpe foi dado em nome da democracia, supostamente ameaçada. O regime instaurado jamais se assumiu como ditadura, no máximo como "democracia relativa". Sempre se preocupou em manter uma fachada democrática. O Congresso funcionou durante quase todo o período, apesar das cassações de mandatos parlamentares em momentos de crise, da imposição do bipartidarismo, no final de 1965, e de ser fechado de tempos em tempos, além de outros constrangimentos. Havia julgamento legal de prisioneiros políticos, embora na Justiça Militar e sob leis duras, sem contar perseguições a oposicionistas, torturas e mortes à margem da lei do próprio regime. Os militares governaram sob a vigência de uma Constituição, mesmo com os limites daquela de 1967, reformada estruturalmente em 1969, em sentido ainda mais autoritário.

Num primeiro momento, em plena Guerra Fria, o golpe buscou legitimar-se junto a segmentos expressivos de uma parte da sociedade que se sentia ameaçada por um suposto avanço do comunismo, do sindicalismo e da corrupção. O suporte civil vinha do empresariado nacional e multinacional, oligarquias rurais, setores das classes médias, grande imprensa, instituições religiosas e profissionais liberais, e até de alguns trabalhadores. Sem contar o apoio expresso ou velado da maior parte dos integrantes de partidos legais, que por isso mesmo continuaram em atividade até outubro de 1965, uma vez afastados seus integrantes acusados de subversão da ordem: foram cassados mais de cinquenta deputados federais, cuja maioria vinha da ala esquerda do Partido Trabalhista Brasileiro (PTB) e de outras agremiações menores.

Apesar das divergências históricas entre eles, o Partido Social Democrático (PSD), a União Democrática Nacional (UDN) e uma parte significativa do PTB eram predominantemente conservadores. A UDN participou de modo ostensivo do golpe, assim como outras agremiações, caso do Partido Social Progressista (PSP), do governador de São Paulo, Adhemar de Barros, sem contar lideranças expressivas do PSD, algumas das quais, posteriormente, fariam história na oposição, como o deputado Ulysses Guimarães.

Derrubou-se um governo constitucional respaldado por outros setores sociais significativos, englobando trabalhadores organizados em sindicatos, partidos e movimentos no campo e na cidade, segmentos das classes médias intelectualizadas e parte das elites, sobretudo as vinculadas ao aparelho de Estado. Foram realizadas prisões, intervenções em sindicatos e movimentos populares, cassações, expulsão de funcionários civis e militares de seus cargos, abertura de inquéritos policial-militares e toda sorte de violência e humilhação contra os adeptos do governo deposto, e até alguns assassinatos.

Os trabalhadores organizados em sindicatos e partidos foram os mais atingidos pela repressão golpista. Em 1964 e 1965, diretorias de mais de trezentas entidades sindicais foram destituídas, confederações de empregados sofreram intervenção, revogaram-se conquistas trabalhistas, praticamente se extinguiu o direito de greve, além das prisões e dos processos contra trabalhadores acusados de subverter a ordem democrática. Comunistas e reformistas em geral foram especialmente visados, como os lavradores que lutavam pela reforma agrária, os integrantes de movimentos de marinheiros e de sargentos que contestavam a hierarquia militar, líderes do movimento estudantil e outros.

Reprimidos e atarantados pelo golpe, a que praticamente não opuseram resistência imediata, os apoiadores do regime deposto e seus críticos de esquerda tentaram articular uma oposição à ditadura ao longo de 1964 e 1965, combinando aspectos legais e clandestinos, de dentro do Brasil e também do exílio. No meio intelectualizado surgiram algumas das primeiras manifestações públicas de oposição: matérias no jornal carioca *Correio da Manhã* (que de início apoiara o golpe), a manifestação dos "oito do Glória", que levou para a cadeia oito intelectuais e artistas que protestavam contra o regime, o show *Opinião* no Rio de Janeiro, a criação da *Revista Civilização Brasileira*, e assim por diante.

A oposição clandestina

O Partido Comunista Brasileiro (PCB) e outros de inspiração marxista, já proibidos antes de 1964 – com funcionamento tolerado na conjuntura anterior ao golpe –, foram duramente perseguidos desde então.[4] Eles tiveram seu momento de maior influência política no início dos anos 1960, quando na sociedade como um todo ganhava destaque o tema da "revolução brasileira", fosse nacional-democrática ou socialista. Conquistaram mais terreno aqueles que, a exemplo do PCB, associaram-se a trabalhistas e outras forças num projeto de reformas de base que acabou derrotado com o golpe.

Instalada a ditadura, o eixo da política de esquerda estabeleceu-se em torno dela, a ser "derrubada" ou "derrotada": havia grupos e movimentos que pretendiam derrubá-la pela luta armada e os que procuravam outros meios para vencê-la politicamente. Todos propunham a necessidade de opor-se à ditadura, independentemente dos projetos políticos diferenciados que davam base a cada grupo político ou movimento, desde os projetos revolucionários nacionalistas, como o comandado por Leonel Brizola, passando pela proposta do PCB de revolução pacífica, nacional e democrática, até os que propunham uma revolução socialista.

O golpe gerou várias dissidências no PCB, críticas em relação à suposta moderação ou passividade da maioria de sua direção. Carlos Marighella liderou os que criaram a Ação Libertadora Nacional (ALN), organização guerrilheira mais destacada, que se inspirava na revolução cubana. Outra cisão importante redundou na criação do Partido Comunista Brasileiro Revolucionário (PCBR). Houve ainda muitas dissidências, sobretudo estudantis, organizadas em todo o país.

Grupos de esquerda atuantes antes de 1964, como o Partido Comunista do Brasil (PCdoB), a Ação Popular (AP), a Organização Revolucionária Marxista Política Operária (Polop) e a esquerda nacionalista continuaram em ação após o golpe, todos suscetíveis a cisões, que geraram grupos como a Vanguarda Popular Revolucionária (VPR), os Comandos de Libertação Nacional (Colina), a Vanguarda Armada Revolucionária Palmares (VAR-Palmares), a Ala Vermelha do PCdoB e o Partido Revolucionário dos Trabalhadores (PRT).

A esquerda brasileira converteu-se, em pouco tempo, num mosaico de dezenas de pequenas organizações políticas. Elas divergiam quanto ao caráter da revolução brasileira (nacional-democrática ou socialista), sobre as formas que a luta revolucionária deveria assumir (pacífica ou armada; se armada, guerrilheira ou insurrecional; centrada no campo ou na cidade), sobre o tipo de organização política necessária para conduzir a revolução (partido leninista ou organização guerrilheira). Entretanto, havia em comum a proposta de fazer frente à ditadura. O PCB buscava alianças com a oposição legal e moderada, procurando "derrotar" politicamente o regime militar. Já a maioria dos demais grupos de esquerda, apesar das diferentes propostas, convergia na necessidade de "derrubar" a ditadura pelas armas.

Houve várias tentativas de organizar uma oposição armada. A começar pelas iniciativas nacionalistas, logo depois do golpe, comandadas por Leonel Brizola, no exílio no Uruguai, e frustradas em 1967, após a prisão de militantes que treinavam para uma eventual guerrilha na serra de Caparaó. Depois vieram as ações de guerrilha urbana da ALN, da VPR e de muitos outros pequenos grupos. Finalmente, houve a Guerrilha do Araguaia, promovida pelo PCdoB e derrotada militarmente no começo de 1974. Todas foram aniquiladas. O governo não hesitou em prender, torturar, matar e exilar seus adversários, especialmente aqueles ligados a organizações clandestinas, armadas ou não.

A oposição institucional

Num primeiro momento, antes do surgimento da esquerda armada, o regime sentiu-se mais ameaçado pela oposição moderada, que, em outubro de 1965, demonstrou força política nas eleições diretas para o governo de onze unidades da federação. A aliança entre PSD e PTB triunfou nos dois estados mais importantes em que houve eleição, Guanabara e Minas Gerais, até então governados, respectivamente, pelos udenistas Carlos Lacerda e Magalhães Pinto, dois dos principais líderes civis do golpe de 1964. Apesar da moderação dos governadores eleitos, a vitória foi vista pelo governo federal e pelas Forças Armadas como ameaça à continuidade da nova ordem.

Diante desse quadro, o presidente Castello Branco decretou o Ato Institucional n.2 (AI-2), em 27 de outubro de 1965.* Ele dava ao presidente

* O primeiro Ato Institucional, de abril de 1964, continha medidas de perseguição aos considerados subversivos, entre outras que fortaleciam o poder central. Mas manteve a Constituição de 1946 e o calendário eleitoral. O Ato inicialmente não tinha número e estabelecia seu prazo de validade até janeiro de 1966.

liberdade para governar por decreto, fechar o Congresso, suspender direitos políticos e cassar mandatos. Determinava ainda eleições indiretas para a Presidência da República. O regime passou a ganhar contornos ditatoriais mais nítidos, frustrando a expectativa de políticos civis que apoiaram o golpe mas esperavam que os militares logo voltassem aos quartéis. Carlos Lacerda, que postulava sua candidatura às eleições diretas presidenciais previstas para 1966, desentendeu-se com os antigos aliados e acabou cassado. Na oposição, tentou articular uma Frente Ampla com os ex-presidentes, também já cassados, João Goulart e Juscelino Kubitschek. A iniciativa foi proibida pelos militares e não seguiu adiante.

O AI-2 também extinguiu os partidos políticos existentes. Em seguida, o Ato Complementar n.4 instituiu o bipartidarismo como solução para garantir ao governo maioria estável no Congresso Nacional. Assim surgiam a Aliança Renovadora Nacional (Arena), partido do governo, e o Movimento Democrático Brasileiro (MDB), órgão da oposição majoritariamente moderada e construtiva. O bipartidarismo consolidou-se e continuou vigente por catorze anos.[5]

Alguns setores da sociedade civil, sobretudo das classes médias que de início haviam dado apoio ao golpe, foram se desencantando com o progressivo fechamento político, associado à recessão econômica entre 1964 e 1968. Essa situação, somada às denúncias de desrespeito aos direitos humanos de oposicionistas presos, levou a maior parte da Igreja católica a retirar seu apoio ao regime, passando a constituir, nos anos seguintes, um dos principais focos de oposição, que entretanto sempre se abriu ao diálogo com os donos do poder, como apontou, por exemplo, Ken Serbin.[6]

Apesar da repressão a suas lideranças e entidades após o golpe, paulatinamente o movimento estudantil recuperou forças, reorganizou-se e passou a expressar o crescente descontentamento social, que não encontrava vazão nos marcos institucionais do regime. Os estudantes foram se tornando os agentes sociais mais visíveis da oposição, como indicam as obras de João Roberto Martins e Victoria Langland,[7] entre outras. Em 1968, eles organizaram grandes manifestações de rua em todo o país, especialmente no Rio de Janeiro e em São Paulo. No mesmo ano, em articulação com os estudantes, despontou um setor radical no movimento operário que deflagrou greves expressivas em Contagem (MG) e Osasco (SP) contra a política econômica que impunha contenção salarial.

O governo do marechal Arthur da Costa e Silva, sucessor de Castello Branco em 1967, oscilou entre o diálogo e a repressão aos movimentos de 1968, que se inseriam numa conjuntura internacional de revolta, por exemplo, contra a guerra do Vietnã, promovida pelos Estados Unidos. No Brasil, o descontentamento com a ditadura evidenciava-se em peças teatrais, canções, filmes, romances, poemas, quadros e outras obras de arte, nos protestos de rua, nas páginas dos jornais.[8]

No interior do MDB organizou-se um setor mais aguerrido, que procurou representar as ruas no Congresso, em apoio ao movimento estudantil. Foi um discurso do deputado Márcio Moreira Alves – considerado uma ofensa pelos quartéis – que deu pretexto para a edição do Ato Institucional n.5 (AI-5), após a recusa dos parlamentares de conceder licença para o governo processar o deputado, que gozava de imunidade parlamentar garantida pela Constituição de 1967.

O AI-5 significou a quebra da legalidade imposta pelo próprio regime; dava poderes quase ilimitados ao presidente da República, por exemplo, para legislar por decreto, suspender direitos políticos dos cidadãos, cassar mandatos eletivos, suspender o habeas corpus em crimes contra a segurança nacional, julgar crimes políticos em tribunais militares, demitir ou aposentar juízes e outros funcionários públicos.

A arquitetura política do regime, entre força e convencimento, pendeu fortemente em favor da primeira após a edição do AI-5. O Congresso ficou fechado por quase um ano, muitos parlamentares foram cassados, oposicionistas foram detidos, consolidou-se uma censura rígida a meios de comunicação, artes e espetáculos. O aparelho da polícia política foi incrementado e reorganizado.

Legitimação da ordem e oposição

A força não bastava, contudo, para garantir a estabilidade da dominação. Seria preciso encontrar algum mecanismo de aceitação pacífica da ordem estabelecida. A partir de 1969, ficou clara a busca de legitimidade na retomada a todo vapor do desenvolvimento econômico, que vinha em alta desde 1967, concomitante à repressão contra os opositores e às medidas de reorganização da sociedade. Difundia-se a ideia de que só com os governos militares fora possível retomar o progresso nacional com manutenção da ordem pública. A legitimação do regime passou a ancorar-se em seu êxito modernizador, que envolvia ainda medidas de assistência social.

Fosse fruto de um plano arquitetado, pelo menos desde o começo dos anos 1960, por uma aliança de militares com o empresariado nacional e multinacional, como propôs Dreifuss;[9] fosse resultado quase aleatório de um jogo pragmático dos donos do poder, como parece considerar Gaspari[10] – o fato é que desde 1964 foi se constituindo um projeto de modernização da sociedade brasileira a partir de medidas econômicas e políticas do Estado autoritário, associadas à iniciativa privada, o que se convencionou chamar de modernização conservadora, tomando emprestado o termo de Barrington Moore Jr.[11] Assim, os governos militares promoveram o desenvolvimento, embora à custa do cerceamento das liberdades democráticas e com grande concentração de riquezas, não pelo viés do capitalismo de massas, sonhado por Celso Furtado e outros nacional-desenvolvimentistas antes do golpe. Ao contrário do que inicialmente pensaram seus adversários, a ditadura impôs um projeto de modernização da sociedade que ficou evidenciado a partir de 1970 com o chamado "milagre brasileiro" na economia.

O regime, entretanto, não apostou todas as suas fichas de legitimação apenas no desenvolvimento. No fim de 1969, tratou de reabrir o Congresso, devidamente expurgado, para "eleger" o general Emílio Garrastazu Médici como novo presidente da República. A oposição, organizada no MDB, absteve-se de votar. Em descrédito, o partido sofreu sua maior derrota política em 1970, quando parte dos descontentes com a ordem estabelecida votou nulo ou em branco nas eleições parlamentares. Apesar do recorde de votos brancos e nulos, a Arena venceu folgadamente as eleições, baseando sua campanha no sucesso do "milagre".

A repressão e o desenvolvimento desarticularam as oposições por algum tempo, até porque boa parte delas compartilhava as iniciativas modernizadoras do governo. Mas o "milagre" não duraria muito, e em 1973 e 1974 já surgiam sinais de crise econômica, levando o regime a buscar novas âncoras para manter a estabilidade. A repressão, o êxito econômico, medidas modernizadoras e de assistência social não bastavam para assegurar a ordem. Ademais, montou-se uma máquina repressiva dentro das Forças Armadas, que passou a agir com relativa autonomia, pondo em risco a hierarquia da instituição.

A tese de uma "transição lenta, gradual e segura" para a democracia começou a ganhar força entre os militares e seus aliados civis, mas eles consideravam também que os críticos mais radicais da ordem estabelecida deviam ficar sob controle ou até ser eliminados. Em 1974, o general Ernesto Geisel assumiu a Presidência da República. Ele promoveu uma "política de distensão", também denominada "abertura política", iniciando a transição democrática, que ainda duraria, com avanços e recuos, até a eleição indireta de um civil para a Presidência, em 1984.

Após a derrota eleitoral de 1970, setores do MDB convenceram-se da necessidade de construir uma atuação oposicionista mais consistente, indispensável à sobrevivência do partido, presidido desde 1971 por Ulysses Guimarães, antigo político do PSD. A oportunidade veio com a distensão iniciada no governo Geisel. Candidatos do MDB usaram o horário eleitoral gratuito na televisão para fazer críticas ao governo durante a campanha eleitoral parlamentar de 1974. Buscavam representar certo descontentamento com a ditadura, que ficara indicado pelo número elevado de votos nulos e brancos em 1970, e que vinha aumentando com os problemas do "milagre econômico". Os resultados eleitorais mostraram que o descontentamento era maior do que se supunha: com apoio concentrado nos grandes centros urbanos, o MDB teve mais votos que a Arena para o Senado, embora perdesse por pequena margem no sufrágio para a Câmara Federal. Apesar de manter a maioria no Congresso, o governo ficou assustado, mesmo considerando que os eleitos pelo MDB em geral eram moderados e até aderiam às diretrizes governamentais.

Setores das Forças Armadas tramaram contra a distensão de Geisel, que teve força política para derrotá-los, como no caso da demissão do ministro do Exército, Sílvio Frota, em outubro de 1977. Por outro lado, o regime não poupou esforços para reprimir os partidos clandestinos de esquerda. Foi em seu governo que se exterminou a guerrilha do Araguaia, com toda a sorte de desrespeito aos direitos humanos, até o desaparecimento dos corpos dos guerrilheiros executados, que se tornariam, assim, desaparecidos políticos. Eliminada a oposição em armas, a repressão voltou-se para outros grupos. Em 1975, por exemplo, o PCB – que sempre apoiou o MDB – teve dirigentes presos ou mortos. Em dezembro de 1976, líderes do PCdoB foram executados pelo Exército enquanto se reuniam numa casa do bairro paulistano da Lapa. A direção dos dois partidos ficou praticamente desarticulada.

Aos trancos e barrancos, seguia a política de distensão que levou ao fim o AI-5, com base em emenda constitucional de outubro de 1978. A política era de vaivéns, com recuos notáveis, como o chamado "Pacote de Abril", em 1977, que impôs medidas para assegurar o controle do governo sobre o processo político e econômico, após recesso temporário do Congresso Nacional, por este ter se recusado a aprovar o projeto governamental de reforma do Poder Judiciário. Adotaram-se medidas como a continuidade de eleições indiretas para os governos estaduais e federal, eleição indireta de um terço dos senadores – o que garantia colégios eleitorais com maioria da Arena –, restrições às campanhas eleitorais no rádio e na televisão, e algumas cassações de parlamentares. O Congresso foi logo reaberto, e o governo seguiu com o projeto de distensão, mas ficou evidente para a oposição que o regime pretendia ditar a forma, o conteúdo e o ritmo da abertura política.

Com as restrições impostas, nas eleições parlamentares de 1978, o MDB só conseguiu manter a votação que obtivera quatro anos antes. A oposição seguiu minoritária no Congresso, mas o sistema bipartidário deixara de ser funcional para o regime. Ao agregar num único partido todas as forças de contestação, agora muito mais fortes que antes, o governo nada tinha a ganhar. Àquela altura, o MDB era mais uma frente política, com várias facções internas, que um partido.

A oposição institucional também foi ativa em órgãos da sociedade civil, como a Ordem dos Advogados do Brasil (OAB) e a Associação Brasileira de Imprensa (ABI), que, entretanto, defendiam posições variadas ao longo dos anos, entre colaboração e resistência, como demonstrou, por exemplo, Denise Rollemberg.[12] A atuação da imprensa também era repleta de ambiguidades, entre opor-se e colaborar com a ditadura.[13]

A ambiguidade explica-se, em parte, porque a modernização exigia profissionais capacitados, muitos deles de oposição. A indústria cultural, por exemplo, amadureceu sob uma ditadura que de um lado incentivava a cultura e de outro a censurava seletivamente. Alguns professores incômodos eram afastados, mas a pesquisa e a tecnologia foram financiadas até no meio universitário mais avesso ao regime.

Na segunda metade dos anos 1970, surgiram movimentos sociais em busca de expressão na cena política, revelando a insatisfação e o desejo de participação de organizações de bairro, favela, donas de casa, negros, mães e mulheres contra a carestia, por creches, moradia, comissões de saúde, e assim por diante. Muitas vezes os movimentos se articulavam com as comunidades eclesiais de base da Igreja católica, com o "novo sindicalismo" e com remanescentes da esquerda clandestina, conforme apontaram pesquisadores como Eder Sader e Marco Perruso.[14]

Em 1977, o movimento estudantil ressurgiu em manifestações de rua, reivindicando liberdades democráticas. O movimento vinha se reorganizando lentamente nos anos anteriores, num processo que culminou em 1979, com a refundação da União Nacional dos Estudantes (UNE), extinta dez anos antes, em consequência de dura repressão.[15] Apesar de terem a dianteira na retomada das manifestações públicas, os estudantes passaram a ser coadjuvantes na cena política de oposição após as greves operárias que ganharam corpo a partir de 1978.

Tornou-se emblemática a figura do líder dos trabalhadores de São Bernardo do Campo (SP), Luiz Inácio da Silva, o Lula. Quando eclodiram as grandes greves de 1978, 1979 e 1980, ele ocupava a presidência do Sindicato dos Metalúrgicos. Lula era originário da estrutura sindical oficial e ligada ao Estado, que foi mantida pelo regime militar, uma vez expurgada das lideranças consideradas subversivas, depois de 1964. Inicialmente despolitizado, apesar de ter um irmão mais velho comunista, Lula fez carreira no sindicato a partir de 1969. A princípio, em meados dos anos 1970, o discurso e a prática dele e de seus companheiros caminhavam na direção de um sindicalismo sem ambições políticas, voltado para obter melhorias trabalhistas, mais interessado em acordos que em luta de classes. Por isso, Lula chegou a ser elogiado pelos donos do poder econômico e político, que viam nele um líder operário confiável, parecido com certos sindicalistas norte-americanos.

Nos piores anos da repressão, entre 1968 e 1978, o total de sindicatos oficiais na área urbana aumentou 53,3%, foi de 2.616 para 4.009. Nas regiões rurais houve crescimento ainda mais expressivo, ligado à iniciativa da ditadura militar, que atrelava os sindicatos ao sistema previdenciário e a convênios assistenciais: de 625 sindicatos em 1968, o total chegou a 1.669 em 1975, conforme dados do IBGE organizados por Armando Boito.[16] Esses números, bem como a trajetória inicial de Lula, são indicativos das relações também complexas dos trabalhadores do campo e da cidade com a ditadura, que reprimia os líderes dos sindicatos mais combativos, porém incentivava os que se integravam à nova ordem e a seu sistema assistencial, buscando assim legitimar-se.

A organização social, política e econômica estabelecida, contudo, impunha limites às concessões aos trabalhadores. A crise do milagre econômico, o arrocho salarial, a crescente concentração de riquezas, a insatisfação com as medidas repressivas, as mudanças na conjuntura política, entre outros fatores, levaram à politização de parte da classe trabalhadora. A partir de 1978, a dinâmica das greves ganhou todo o território nacional, como expressão do "novo sindicalismo", que constituiu um dos principais movimentos de oposição à ditadura, embora organizado no interior de sua estrutura institucional.[17] As greves levaram a ganhos materiais relativamente modestos e geraram repressão governamental, com intervenção em sindicatos e várias prisões, inclusive a de Lula, em 1980. Então, foi amadurecendo a proposta de um setor da classe trabalhadora, que passou a defender a construção de um novo partido de oposição, com base na experiência de luta nos sindicatos e nos movimentos populares que cresciam paralelamente, sobretudo na periferia das grandes cidades. A oportunidade institucional veio em 1980, com o fim do bipartidarismo, que propiciou o nascimento do Partido dos Trabalhadores (PT).[18]

A oposição nos momentos finais da ditadura

O general João Batista Figueiredo, sucessor de Geisel na Presidência, deu continuidade ao processo de distensão. Promoveu a anistia em agosto de 1979, dando uma resposta institucional para as mobilizações da oposição, que envolveram várias entidades, do pioneiro Movimento Feminino pela Anistia, criado em 1975, aos Comitês Brasileiros pela Anistia, a partir de 1978, tema que vem sendo estudado por pesquisadores como Janaína Teles.[19]

Figueiredo conduziu a reforma política que buscava preservar um partido de sustentação do governo enquanto dividia a oposição. No final de 1979 encaminhou ao Congresso um projeto de reforma partidária que foi aprovado contra a vontade do MDB, embora desse vazão a desejos de setores oposicionistas de assumir sua particularidade. O projeto impôs o fim das legendas Arena e MDB e definiu normas para a constituição de novos partidos, mas excluindo a possibilidade de legalização dos comunistas.

A Arena converteu-se no Partido Democrático Social (PDS), que manteve maioria na Câmara Federal. O antigo MDB passou a denominar-se Partido do Movimento Democrático Brasileiro (PMDB). Surgiram mais quatro partidos institucionais de oposição. O Partido Popular (PP), liderado por Tancredo Neves, fazia oposição bem moderada. O Partido Democrático Trabalhista (PDT) e o Partido Trabalhista Brasileiro (PTB) rivalizavam pela herança do trabalhismo. Os dois últimos contaram de início com poucos deputados, assim como o PT, que ocupou uma faixa mais à esquerda. O PCB, o PCdoB e várias outras pequenas agremiações continuavam clandestinas, sem possibilidade de legalizar-se. Entretanto, a maioria atuava institucionalmente, sobretudo dentro do PMDB e do PT. A proposta de protestar com a anulação do voto nas eleições, que vinha minguando pleito após pleito, desde 1974, já não tinha praticamente adeptos.

Com a proibição de alianças partidárias nas eleições diretas para governador, em 1982, a maioria do PP integrou-se ao PMDB para melhorar as oportunidades eleitorais de seus candidatos. O PMDB elegeu governadores, com destaque para São Paulo e Minas Gerais. No Rio de Janeiro venceu o PDT de Leonel Brizola, cabendo ao PDS a maioria em estados menores, sobretudo do Nordeste. As oposições, porém, não obtiveram a maioria das cadeiras no Congresso Nacional nem no colégio eleitoral que elegeria indiretamente o novo presidente da República.

Apesar das manifestações de rua que reuniram milhões de pessoas em todas as principais cidades do país em favor da aprovação da emenda constitucional que previa a realização de eleições diretas para a Presidência da República, em 1984 – que ficaram conhecidas como Movimento pelas Diretas Já –, a oposição não conseguiu maioria para garantir sua aprovação no Congresso.

Favorito para ganhar as eleições indiretas, o PDS dividiu-se entre dois candidatos nas suas prévias internas à sucessão presidencial: o militar Mário Andreazza e o ex-governador civil de São Paulo, Paulo Maluf, que acabou triunfando. Sem aceitar a candidatura de Maluf, os dissidentes formaram a Frente Liberal, que mais tarde deu origem ao Partido da Frente Liberal (PFL). Eles negociaram com o PMDB e acabaram apoiando Tancredo Neves nas eleições indiretas. Obtiveram a vice-presidência na chapa, para a qual foi indicado José Sarney, antigo líder do PDS.

Com a nova correlação de forças no colégio eleitoral, os oposicionistas foram eleitos. A morte súbita de Tancredo resultou na posse de José Sarney. O primeiro governo após o ciclo dos generais, geralmente considerado o marco do fim da ditadura, foi chefiado pelo antigo líder do partido do governo Figueiredo, fato que mostra bem a intrincada simbiose política entre oposição e situação no período da transição democrática.

Um episódio envolvendo intelectuais e o MDB ilustra as ambiguidades da oposição que acabaria triunfando com a eleição de Tancredo Neves. Em 1973, Ulysses Guimarães procurou os cientistas sociais – muitos deles afastados à força da universidade – que haviam criado em São Paulo o Centro Brasileiro de Análise e Planejamento (Cebrap). O principal dirigente do

MDB buscava ajuda para sua campanha como candidato às eleições indiretas para a Presidência da República. Ele sabia não ter chance no colégio eleitoral contra Geisel, candidato do regime, mas lançou-se para ocupar o espaço institucional, tentando reerguer seu partido, que andava em baixa.

Alguns membros do Cebrap – como Fernando Henrique Cardoso, Francisco Weffort e Francisco de Oliveira – aceitaram participar como grupo de apoio, que era remunerado. Segundo Francisco de Oliveira, seis pesquisadores originários do Cebrap foram a Brasília para debater o programa elaborado, a pedido de Ulysses Guimarães, reunindo a alta cúpula do MDB, quase toda vinda do antigo PSD: Ulysses, Amaral Peixoto, Thales Ramalho, Tancredo Neves e Nelson Carneiro. E ainda André Franco Montoro, que tinha origem na democracia cristã e teria sido o único a comentar algo na ocasião. Os outros ouviram impassíveis, silenciosos e formais, sem se comover com os dados apresentados, como a distribuição de renda concentradora de riquezas. Oliveira concluiu que o problema deles era a ditadura, não o regime econômico.[20]

O episódio revela vários aspectos, como a heterogeneidade da oposição à ditadura, o predomínio dos setores mais moderados dentro do MDB e ainda a existência de uma oposição no meio intelectual, que tinha aspectos radicais mas também se profissionalizava dentro da ordem do regime.

A oposição aos atos de força da ditadura nem sempre significou contestar seus esforços de institucionalização, que acompanharam o processo de modernização conservadora da ordem estabelecida. Ademais, a política econômica de crescimento era apoiada pelas classes dirigentes e por vários setores da sociedade civil, que não raro fechavam os olhos para as arbitrariedades do regime, ou até as apoiavam expressamente.

Resistência e integração

Modernização, desenvolvimento capitalista, autoritarismo e lutas sociais pela constituição de uma esfera pública, ou até mesmo de um outro tipo de sociedade, entrelaçaram-se de tal maneira, sobretudo a partir dos anos

1970, que qualquer desses aspectos só pode ser compreendido levando-se em conta os demais. Isso talvez ajude a explicar a atualidade da discussão sobre os tempos da ditadura, cinquenta anos após o golpe e quase trinta anos depois da volta do governo a um presidente civil. Em 1987, o debate sobre o Estado Novo de 1937 não tinha nem de longe a mesma repercussão que hoje ainda tem o golpe de 1964. Afinal, as bases da sociedade em que vivemos foram construídas a partir dali.[21]

A organização da ordem produtiva, do Poder Judiciário, do sistema partidário, da Previdência e dos mecanismos de assistência social, da indústria cultural, do complexo de telecomunicações, das polícias, dos bancos e finanças, do sistema de ensino, inclusive nas universidades e na pós-graduação, tudo isso tem raízes naquele período decisivo da modernização conservadora da sociedade brasileira. Ela não pode ser atribuída só aos militares, mas também a seus aliados civis, que levaram em conta a ação das oposições, cujas demandas procuraram contemplar a seu modo, quer com medidas impostas, quer negociadas, o que significa que elas também participaram desse processo.

Eis um exemplo de como o uso da força não significava necessariamente ignorar a oposição, antes procurando resolver suas reivindicações de modo palatável para a consolidação de uma nova ordem, modernizada autoritariamente. Em pleno governo Médici, o ex-coronel Jarbas Passarinho ocupou o Ministério da Educação e Cultura, sob vigência de uma forte legislação repressiva (especialmente o Decreto n.477), que durante alguns anos conseguiu calar o movimento estudantil. Ao mesmo tempo, levou adiante a reforma universitária e do ensino médio, que procurava dar resposta – nos termos do governo – às reivindicações de estudantes nas ruas em 1968, como o fim da cátedra e a ampliação de vagas no ensino superior. Ele escreveu em suas memórias que o plano inicial era implantar o ensino superior público pago. Isso só não teria ocorrido pela resistência interna no governo, "receoso da agitação estudantil", segundo Passarinho.[22] Certamente também deve ter sido considerada a correlação de forças nas instâncias dirigentes das universidades, onde havia forte enraizamento das propostas de ensino público e gratuito, que só foram parcialmente contornadas com a crescente abertura para o ensino superior privado.

Assim, as lutas da oposição estudantil não foram em vão. Apesar da derrota do movimento, a ação dos estudantes ajudou a moldar as reformas do governo, que pautava suas ações levando em conta possíveis respostas dos opositores. O mesmo se deu em tantos outros casos. Para citar apenas mais um, envolvendo o mesmo ministro, ele implantou o Movimento Brasileiro de Alfabetização (Mobral), em 1971, como resposta ao método politizado de alfabetização de adultos levado adiante por Paulo Freire antes de 1964.

Usando termos gramscianos, sob a ditadura, contraditoriamente, estabeleceram-se as bases para a consolidação da hegemonia burguesa no Brasil. Isto é, a sociedade organizou-se em moldes capitalistas contemporâneos, tendendo a fundamentar-se mais no convencimento que na força, que entretanto segue presente. A organização capitalista da sociedade nos moldes em que se estabeleceu no Brasil tornou-se algo naturalizado, como se fosse o caminho necessário da modernidade, aceito até pelos partidos identificados com os trabalhadores, que no entanto buscariam atuar no sentido de mitigar os efeitos socialmente perversos do sistema.

É possível que, quanto mais a ordem capitalista se consolidar no Brasil, mais as revisões historiográficas avançarão no sentido de matizar o uso da força durante o regime militar, ressaltando seu aspecto modernizador, considerado positivo em si mesmo. Veja-se o debate sobre a "ditabranda", a partir de um polêmico editorial da *Folha de S.Paulo*, de 17 de fevereiro de 2009, que usava essa expressão.

O regime implantado em 1964 foi o coroamento de um longo processo de revolução burguesa no Brasil, sob bases autoritárias, como propôs Florestan Fernandes.[23] Indo além: a complexidade da modernização, com o tempo, tornou anacrônicos os moldes ditatoriais. Lentamente, em oposição – mas também em interação com as políticas governamentais –, foi se consolidando, de maneira contraditória, uma esfera pública com regras para arbitrar as condutas e os embates entre os agentes sociais a fim de estabelecer direitos e deveres legalmente reconhecidos, inclusive de competição eleitoral. Isso ocorria em paralelo à tradicional troca de favores, prática herdada de uma sociabilidade de características pré-capitalistas, sem contar a violência institucionalizada em órgãos como as Polícias Militares. Em outros termos, avançaram as lutas pelos direitos sociais e pela democracia, num sentido civilizador, mas no interior do capitalismo, que segue sem ameaças em sua peculiar caracterização na sociedade brasileira, na qual – apesar de eventuais melhorias para os mais pobres – o "moderno" é indissociável do "atrasado", e as desigualdades sociais eternizam-se como se fossem naturais.

3. A modernização autoritário-conservadora nas universidades e a influência da cultura política

Rodrigo Patto Sá Motta

O regime militar é fenômeno próximo de nós. Ele faz parte do espaço de experiência de muitos brasileiros, e o seu legado marca mesmo quem não viveu aqueles anos ou ignora completamente esse passado recente. Entretanto, com o transcurso de cinquenta anos, os eventos de 1964 começam a ganhar certa distância temporal, sobretudo para os mais jovens, o que pode trazer alguns ganhos para as tarefas do conhecimento. O envolvimento emocional com o objeto de pesquisa está sempre presente no trabalho do historiador, e ele implica aportes positivos. A paixão em excesso, porém, tolda a visão, além de ser fraca conselheira política.

O momento é propício para produzir conhecimento mais refinado sobre 1964 e o regime autoritário, superando esquemas simplistas e explicações deterministas que fizeram sucesso décadas atrás. Há muito a investigar sobre a ditadura brasileira, que, a propósito, entre as congêneres da América do Sul, legou o maior acervo documental, fontes cada vez mais acessíveis graças às conquistas democráticas dos últimos anos. As pesquisas e reflexões recentes têm questionado esquemas interpretativos criados no calor dos acontecimentos e sob a influência das modas teóricas dos anos 1970 e 1980. Conceitos como Estados burocrático-autoritários, Doutrina (ou ideologia) de segurança nacional, Estados terroristas, entre outros, ainda que ofereçam insights interessantes para a aproximação ao tema, podem se tornar camisas de força teóricas, principalmente quando utilizados para igualar todas as ditaduras da América Latina sob os mesmos rótulos, ou para impor uma lógica férrea aos acontecimentos.

Se o eixo do conflito era a oposição nacionalismo versus internacionalismo, com os golpistas perfilando-se na última posição, como explicar a intensificação do desenvolvimentismo sob o regime militar, que aumentou a intervenção estatal na economia? Se o golpe foi essencialmente fruto de maquinações dos Estados Unidos, como encaixar nesse esquema o afastamento em relação a Washington a partir do segundo governo militar? Se os militares seguiram um script desenhado pelo capitalismo multinacional, por que os capitais privados internacionais não vieram em avalanche quando da vitória dos golpistas, e só intensificaram de fato seus investimentos no quadro do "milagre econômico", anos depois? Se o movimento de 1964 foi estruturado à base da rejeição total do programa reformista, por que a ditadura se apropriou de alguns projetos defendidos no contexto do governo João Goulart, como a reforma universitária, e por que o primeiro presidente militar, Castello Branco, propôs ao Congresso mudanças na Constituição para viabilizar a distribuição de terras?

Claro, o capital multinacional e o governo dos Estados Unidos ajudaram a derrubar Goulart e aplaudiram com entusiasmo a ascensão dos militares, e muitos dos apoiadores do novo regime (sobretudo proprietários rurais) eram conservadores na estrita acepção da palavra, queriam manter tudo como antes. Mas o ponto é que a "coalizão" golpista era ampla e heterogênea, difícil de enquadrar em uma análise simples. Além disso, nem todos os grupos tinham projetos claros para o futuro, apenas a certeza de remover o governo Goulart para interromper o processo de esquerdização (ou comunização, como se dizia) então em curso, que afetaria os interesses de todos. E tais interesses não eram apenas de natureza política, econômica ou social, mas também cultural, como a defesa de valores religiosos, por exemplo. Esse conjunto de interesses ameaçados expressou-se em linguagem política com base na lógica binária de "nós contra eles", ou "democratas" contra "comunistas", segundo as representações dos apoiadores do golpe.

O consenso anticomunista entre os vitoriosos foi fundamental para uni-los, sobretudo as corporações militares, porém, como disse certa vez o general Carlos Meira Matos, isso era insuficiente como programa de governo.[1] Para compreender as políticas implantadas pela ditadura é preciso considerar que não havia um projeto perfeitamente desenhado antes do golpe: muitas das escolhas foram tomadas ao sabor dos eventos, das pressões e das lutas travadas ao longo dos anos, às vezes de maneira improvisada. Os programas do regime militar resultaram das negociações e dos conflitos entre os grupos apoiadores do regime, que foram influenciados por pressões internacionais, pelo contexto econômico, pelas ações dos opositores e também pelas tradições do país, sem esquecer que as preferências pessoais dos detentores do poder igualmente entram em conta.

Não é o caso de retornar à narrativa da historiografia tradicional, que se ocupava apenas dos grandes personagens e das intrigas palacianas, porém, os esquemas generalizantes igualmente oferecem explicações insuficientes. Melhor abordagem é combinar na análise a atuação dos líderes e a influência exercida sobre eles por fatores estruturais que, simultaneamente, oferecem aos agentes políticos um leque de escolhas e limitam suas opções.

O cuidado com a problematização teórica se justifica em vista da dimensão dos desafios a enfrentar nesse campo. Há muito ainda a analisar e explicar sobre o regime militar brasileiro, cuja história é eivada de ambiguidades e paradoxos, algumas vezes raiando a contradição. O Estado autoritário foi marcado por indefinições ideológicas, dividido entre assumir-se como ditadura ou conciliar com os princípios liberais, ao passo que oscilava entre o nacionalismo desenvolvimentista e os princípios do livre mercado. Ao mesmo tempo que demonizou o "populismo" de seus antecessores, a ditadura não só manteve intactas, como também ampliou as estruturas corporativas herdadas, além de ter criado um sistema previdenciário universal, sob controle do Estado.

Considerando as ações repressivas, que produziram centenas de mortos e um número ainda maior de torturados, em certas ocasiões as perseguições aos esquerdistas foram contornadas com base em interesses pragmáticos ou em arranjos pessoais, resultando em cooptação de quadros para o aparelho estatal e em certa tolerância com elementos da esquerda intelectual e artística. O regime era convictamente anticomunista, porém, manteve relações corretas com Moscou e o bloco socialista (exceto Cuba), e, enquanto a leitura de Mao e Guevara era proibida, Marx podia circular nos bancos universitários e mesmo nas bancas de revistas.* Além disso, os vitoriosos de 1964 atacaram as promessas do governo deposto, mas se apropriaram de alguns de seus projetos e ideias, como a reforma universitária, que implantaram de modo autoritário e elitista.

Nessa direção, o conceito de modernização conservadora pode servir como síntese dos paradoxos e contradições do regime militar. O grande paradoxo da ditadura era expressar, simultaneamente, impulsos conservadores e modernizadores que, por vezes, geraram ações contraditórias. O desejo modernizador implicava desenvolvimento econômico e tecnológico e, portanto, aumento dos contatos com o exterior e da mobilidade das pessoas, além de expansão industrial e mecanização agrícola. Com isso, levava-se ao aumento da urbanização e do operariado fabril, gerando potenciais tensões e instabilidade nas relações sociais e de trabalho. Já o impulso conservador estava ligado à vontade de preservar a ordem social e os valores tradicionais, o que insuflava o combate às utopias revolucionárias e outras formas de subversão e "desvio", aí incluídos questionamentos à moral e aos comportamentos convencionais.

O resultado das políticas modernizadoras colocava em xeque as utopias conservadoras, pois solapava as bases da sociedade tradicional ao promover a mobilidade social e urbana em ritmo acelerado: o sucesso econômico da ditadura abalava a ordem social defendida por alguns de seus apoiadores. Por outro lado, se levado às últimas consequências, o programa conservador oporia obstáculos à modernização, pois o expurgo de todos os "suspeitos" e "indesejáveis", grupo bem-representado na elite universitária e intelectual do país, significaria a perda de quadros fundamentais para o projeto modernizante. Por isso, em certos momentos, as demandas conservadoras foram contornadas, enquanto o autoritarismo sempre esteve presente nas políticas do regime militar. Além de útil para reprimir os inimigos ideológicos do regime, o aparato autoritário tornou-se instrumental, também, para a implantação da pauta modernizadora.

* A Editora Abril, por exemplo, editou volume dedicado a Marx na coleção Os Pensadores, em 1974.

Paradoxalmente, o poder autoritário construído para expurgar as esquerdas e manter a ordem social foi usado também para alavancar os projetos modernizadores, removendo obstáculos e impondo os caminhos escolhidos pelos tecnocratas. Daí haver motivos para oscilar na escolha da melhor adjetivação para o regime militar brasileiro: modernização conservadora ou autoritária? A resposta é que ele foi simultaneamente autoritário e conservador, e a melhor maneira de mostrar os impasses entre os dois impulsos é analisar as situações em que eles se fizeram presentes.

Importa perceber que esses paradoxos e contradições derivavam da própria ossatura política do regime, resultado da aproximação de grupos ideologicamente distintos, unidos apenas por pauta negativa comum. O regime militar tinha três fontes ideológicas principais: nacionalismo autoritário, liberalismo e conservadorismo (e mais a tradição anticomunista, servindo como elo entre elas), cada uma com nuanças e peculiaridades que apontavam para políticas diferentes. O caráter paradoxal do regime militar, em grande medida, devia-se às pressões diferentes exercidas por tais grupos, que por vezes eram conciliadas, enquanto, por outras, eram atendidas umas em detrimento das outras. Em certas circunstâncias, já que diferentes grupos ocupavam lugares distintos no aparelho do Estado, políticas contraditórias foram adotadas ao mesmo tempo. Por exemplo, enquanto certos líderes batalhavam pelo sucesso da reforma universitária, criando melhores condições de trabalho para os professores, os comandantes da máquina repressiva intensificavam os expurgos, lançando insegurança e desânimo nos meios acadêmicos.

Tratava-se de regime político em cujos discursos se afirmavam, ao mesmo tempo, os valores democráticos e liberais, a defesa da autoridade e da pátria "una e indivisa" e a exaltação da família e da ordem social tradicional. Para explicar a indecisão do regime militar entre ditadura e respeito a certas instituições liberais há que levar em conta, também, o fato do seu evento originário (o "31 de março") ser considerado um movimento em defesa das instituições democráticas, supostamente ameaçadas pela esquerda e por Goulart. Assim, no imaginário da "Revolução de 1964", os temas da liberdade e da democracia ocupavam lugar importante, opondo obstáculos aos que desejavam estabelecer um regime ditatorial puro.

Evidentemente, isso não impediu a violência repressiva, tampouco que o conceito de democracia se prestasse às mais diversas apropriações. Ainda assim, as representações associando "1964" a significados liberais não se restringiram a efeitos retóricos, pois serviram de arma aos setores moderados do regime para conter sua ala radical.* Não que houvesse entre eles, efetivamente, democratas. Tais setores preferiam um tipo de autoritarismo liberal capaz de garantir estabilidade, afastar os riscos de mudança social e, ao mesmo tempo, evitar que a repressão muito intensa tornasse a luta armada a única opção dos oposicionistas.

O máximo a que o regime chegou como afirmação ideológica foi o lema "Desenvolvimento com segurança", uma síntese dos impulsos modernizadores e conservadores autoritários. Mas há razões para duvidar se tais ideias davam coesão a todos os segmentos do aparato estatal, já que outros substratos ideológicos povoavam o universo dos círculos no poder.[2] Exatamente por carecer de construto ideológico abrangente, o regime militar não elaborou projeto cultural original, salvo a reafirmação do patriotismo tradicional que se manifestou no reforço das comemorações de datas cívicas e de heróis. A propósito, chama atenção a incapacidade da ditadura de tornar o dia 31 de março uma data cívica popular, comemorada fora dos quartéis, apesar de algumas tentativas fracassadas nessa direção. A falta de coesão ideológica da ditadura tornou mais fácil a tolerância a iniciativas culturais inspiradas nos valores da esquerda, a exemplo do estilo arquitetônico dominante nos campi universitários erigidos nos anos 1970, traçado por arquitetos modernistas desafetos do regime e vítimas dos

* O paradoxo de uma ditadura que mantinha em vigor instituições liberais como o Parlamento e o sistema judiciário, embora limitados pelas leis de exceção, gerou oportunidades de resistência às pessoas visadas, que, por vezes, acionaram o aparelho judicial em defesa própria. Por exemplo, professores perseguidos pelos órgãos de repressão entraram na Justiça para garantir empregos ameaçados, com resultados variáveis, enquanto alguns dirigentes de órgãos públicos se recusaram a aceitar certas medidas repressivas sugeridas pelos órgãos de informação, argumentando que elas não tinham fundamento legal.

expurgos políticos. Pode-se supor que razões semelhantes possibilitaram a incorporação à indústria cultural de vários artistas e produtores culturais com formação de esquerda.[3]

Para compreender a natureza paradoxal do regime autoritário é fundamental perceber a influência de certos traços da cultura política brasileira. A própria tendência a acomodar no "barco" do poder grupos diferentes, com projetos díspares e às vezes contraditórios, é parte da tradição política do país. A conciliação-negociação como estratégia política é recorrente na história do Brasil, e o episódio de 1964, em linhas gerais, se encaixa no modelo. Nesse sentido, a própria modernização conservadora também não é novidade, já que se manifestou em momentos anteriores, sobretudo na ditadura varguista. Assim, a disposição para a montagem de projetos políticos ambíguos, à base da acomodação, está inscrita na cultura do país, tornando-se opção viável por ter gerado sucesso em ocasiões anteriores, de modo que é fruto de escolha racional dos atores envolvidos, e não resultante de qualquer forma de atavismo.

O que aqui se designa por conciliação implica a tendência à flexibilidade, a disposição ao compromisso, à negociação, ao arranjo. Na tradição brasileira é comum o recurso à acomodação, à busca de compromissos que evitem soluções radicais. Procuram-se acomodar os interesses de grupos em disputa, em um jogo de mútuas concessões, para evitar conflito agudo, sobretudo quando os contendores principais pertencem às elites da sociedade. Essas são reflexões elaboradas para a cultura brasileira em geral, mas aplicáveis especificamente à cultura política, e com manifestações frequentes na história política, inclusive no período do regime militar, como se postulará a seguir.

Quem se propõe a desvelar as complexidades da ditadura enfrenta alguns desafios políticos, principalmente o risco de acusação de complacência com a violência do regime, como se os crimes da ditadura pudessem ser perdoados. Não se trata disso. O regime militar já foi derrotado, felizmente, e pesquisá-lo para além de sua violência repressiva não vai fortalecer o projeto autoritário, ao contrário. Serão mais elevados os custos políticos se evitarmos aprofundar as pesquisas e envolvermos o tema em uma redoma protetora, contentando-nos em repetir esquemas explicativos consagrados. A verdadeira superação do autoritarismo demanda perceber que o problema não se resumiu a uma casta de malvados que tomaram o poder e impuseram violências à sociedade. O Estado autoritário encontrou o apoio e o beneplácito de muitas pessoas, além de ter contado com a indiferença de outras tantas, este último grupo talvez a maioria.[4]

Assim, é fundamental compreender os mecanismos que explicam o apoio à ditadura, sobretudo as estratégias e as políticas elaboradas pelo Estado para conquistar legitimidade. Esclarecer a complexidade do fenômeno autoritário para, quem sabe, superá-lo, demanda revelar a existência de conexões situadas para além do aparelho estatal. É imprescindível perceber que o regime militar, para perdurar, adotou outras armas além da violência. E como durou! A ditadura brasileira foi violenta, como sabemos bem. Matou, torturou, exilou e demitiu. Entretanto, o Estado autoritário combinou a violência com estratégias de negociação e acomodação, para aplacar as oposições e reduzir a resistência ao seu poder. Nesse sentido, as políticas de modernização objetivavam também a conquista de legitimidade, pois buscavam atrair apoio social e desmobilizar os opositores. Tais estratégias foram particularmente visíveis na relação do Estado com as elites intelectuais, em particular profissionais acadêmicos e produtores culturais.

Jogos de acomodação

As universidades configuram espaço privilegiado para perceber as ambiguidades do regime militar, bem como suas estratégias para aplacar os descontentes e seduzir as elites intelectuais.[5] Observando as políticas estatais para o ensino superior, notamos, em certas circunstâncias, que a repressão foi temperada com estratégias de moderação. Para além da violência política, que não pode ser minimizada, as relações da ditadura com os meios acadêmicos foram permeadas também por jogos de acomodação que transbordam a tipologia binária "resistência × colaboração". As universidades foram um dos alvos principais do projeto modernizador autoritário da ditadura, pelo papel que elas têm na preparação de elites administrativas, de tecnólogos e cientistas, mas também por sua importância política, como formadoras de lideranças intelectuais.

Como já foi mencionado, o novo regime se apropriou do projeto de reforma universitária, uma demanda da esquerda no pré-1964 que defendia, entre outras coisas, a democratização do acesso e da gestão, o fomento à pesquisa e a criação de carreira docente atrativa, sobretudo com o regime de trabalho de dedicação integral. Ensaiada entre 1965 e 1967, a reforma universitária da ditadura foi lançada efetivamente em 1968, impulsionada pela crise estudantil que ela procurava aplacar. A reforma resultou de uma decisão política do comando militar, imposta a uma comunidade acadêmica que, em muitos casos, reagiu com perplexidade. Claro, os traços esquerdistas das demandas reformistas do contexto pré-64 foram desconsiderados, mas alguns pleitos dos acadêmicos foram atendidos. O objetivo era conectar as universidades aos trilhos do projeto desenvolvimentista autoritário, mas a motivação política de desmobilizar o radicalismo estudantil e seduzir os intelectuais foi fundamental.*

Modernização conservadora autoritária é o termo adequado para expressar a reforma universitária da ditadura, processo marcado por paradoxos e impulsionado por forças heterogêneas. Em seu eixo modernizante, a reforma implicou: racionalização de recursos; busca de eficiência; expansão de vagas na graduação; mudanças nos exames vestibulares; aumento da participação da iniciativa privada no ensino superior; reorganização da carreira docente federal, com melhores salários e dedicação exclusiva; criação de departamentos em substituição ao sistema de cátedras; fomento à pesquisa, com aumento nas verbas e financiamentos; criação de cursos de pós-graduação; incremento nas bolsas de estudo para formação de do-

* A politização do tema da reforma universitária em meio às mobilizações estudantis de 1968 é visível no noticiário da imprensa, sobretudo do jornal governista *O Globo*. Em meados de 1968, vários editoriais exigiam agilidade do governo na realização da reforma como maneira de responder à agitação estudantil, que estava gerando séria insegurança política.

centes no exterior; e criação de novas universidades federais e estaduais, com um projeto milionário de construção de novos campi.

Para se ter uma ideia dessas mudanças em números, alguns exemplos: em 1964 havia 23 cursos de pós-graduação no Brasil, enquanto em 1974 eles passaram a quatrocentos; o número de estudantes universitários subiu de 140 mil em 1964 para 1 milhão e 300 mil em 1979; as bolsas de pós-graduação financiadas pelas agências federais (Capes e CNPq) passaram de aproximadamente mil em 1964 para cerca de 10 mil em 1976.

A infraestrutura universitária e os recursos para pesquisa e pós-graduação aumentaram significativamente no Brasil, mais ainda quando se compara com a situação nas ditaduras vizinhas do Cone Sul, que reduziram verbas para forçar o encolhimento do ensino superior. Entretanto, é preciso destacar que se tratou de crescimento atabalhoado e precário, que entrou em crise com o esgotamento da expansão econômica do regime militar, nos anos 1980.

No eixo conservador das políticas universitárias, a ditadura sofreu o impulso de forças (geralmente de religiosos, intelectuais e de militares conservadores) que não se contentavam tão somente com o expurgo da esquerda revolucionária e da corrupção. Tais grupos tentaram aproveitar o momento para impor uma agenda conservadora mais ampla, que contemplasse a luta contra comportamentos morais desviantes, a imposição de censura e a adoção de medidas para fortalecer os valores caros à tradição, sobretudo a pátria e a religião. Por isso, o regime militar combateu e censurou as ideias de esquerda e tudo o mais que achasse subversivo – e, naturalmente, os seus defensores; controlou e subjugou o movimento estudantil; criou agências de informação (as Assessorias de Segurança e Informações, ASIs) específicas para vigiar a comunidade universitária; censurou a pesquisa, assim como a publicação e circulação de livros; e tentou incutir valores tradicionais por meio de técnicas de propaganda, da criação de disciplinas dedicadas ao ensino de moral e civismo e de iniciativas como o Projeto Rondon.

As universidades constituem espaço privilegiado para observar os entrechoques das diferentes forças que moveram o experimento autoritário brasileiro. Elas eram lugares importantes para a modernização do país, bem como campo de batalha entre os valores conservadores e os ideais de esquerda e de vanguarda; instituições que o regime militar, simultaneamente, procurou modernizar e reprimir, reformar e censurar. Sob o influxo da cultura política brasileira, os governos militares estabeleceram políticas ambíguas, conciliatórias, em que os paradoxos beiram a contradição: demitir professores que depois eram convidados a voltar, para em seguida afastá-los novamente; invadir e ocupar universidades que ao mesmo tempo recebiam mais recursos; apreender livros subversivos, mas também permitir que fossem publicados e circulassem. Como explicar o paradoxo de uma ditadura anticomunista que permitiu a contratação de professores marxistas e manteve comunistas em seus cargos públicos, enquanto outros eram barrados e demitidos? Como foi possível, no mesmo contexto, o marxismo ter aumentado sua influência e circulação nas universidades, contra a vontade e os esforços dos órgãos de repressão?

Outros elementos tradicionais da política brasileira, integrantes da sua cultura, também se fizeram presentes: o Estado autoritário lançou mão de estratégias de cooptação, e vários agentes públicos demonstraram flexibilidade em relação às normas oficiais, com tendência a tangenciar os preceitos legais e confiar mais na autoridade pessoal, nos laços sociais e em arranjos informais. Tais práticas permitiram ao Estado contar com o talento de profissionais provenientes de campo ideológico adversário, mas também propiciaram o amortecimento da repressão, com base na mobilização de fidelidades pessoais e compromissos informais. Em outros termos, certas vezes os atores colocaram no primeiro plano os laços pessoais, deixando em segundo lugar compromissos políticos e afinidades ideológicas.

No caso dos meios acadêmicos, esse aspecto foi mais marcante, pois muitos dos seus membros tinham laços pessoais ou familiares com membros do governo e mesmo das Forças Armadas. Assim, características peculiares da sociedade brasileira, altamente elitizada e com recursos educacionais e culturais concentrados nos estratos superiores, geraram situações em que as lideranças acadêmicas esquerdistas e os líderes do Estado militar pertenciam aos mesmos grupos sociais, o que implicava, muitas vezes, laços de parentesco, amizade ou de convivência escolar anterior.

Isso explica por que, em certas situações, quando as características do regime permitiam ações repressivas duras, certos agentes estatais optaram por moderação, tolerância e/ou negociação. Gestões de natureza pessoal permitiram que: vetos políticos à contratação de alguns professores fossem contornados; sugestões para aposentadoria compulsória fossem engavetadas; passaportes bloqueados fossem liberados; bolsas de pesquisa retidas fossem autorizadas; condenações judiciais se tornassem mais leves; e, também, alguns presos fossem libertados e certas prisões evitadas.

Claro, nem todos os servidores do regime estavam predispostos à moderação, e nem sempre ela funcionou bem, pois centenas de professores e intelectuais perderam cargos ou tiveram a contratação barrada.* Além disso, é importante lembrar que muita violência ocorreu nos campi universitários, sobretudo nos momentos das invasões policiais, que tiveram lugar em 1968 e, com menor intensidade, em 1977, para não falar dos membros da comunidade universitária presos, torturados e mortos. Por outro lado, a disposição das autoridades para agir com moderação era tanto maior quanto menor o impacto público das atividades promovidas no espaço universitário. Em outras palavras, se o radicalismo acadêmico não transpusesse os muros das faculdades, maiores as chances de ser tolerado e de não atrair medidas repressivas.

No entanto, apesar dessas ressalvas, nas universidades algumas vezes a moderação prevaleceu, e a repressão foi temperada com negociação e tentativas de acomodação, em certos casos com a anuência dos órgãos de repressão.[6] Importa ressaltar que esses jogos de acomodação, que se situavam em espaço intermediário entre as opções de resistir ou aderir ao regime militar, implicavam compromissos de mão dupla. Os intelectuais visados pelas agências de repressão que conseguiam escapar de persegui-

* Considerando os dois grandes expurgos, em 1964 e 1969, entre aposentadorias e exonerações, pode-se estimar que de 250 a trezentos docentes foram afastados das universidades. O número dos que tiveram a contratação bloqueada por razões ideológicas é mais difícil de precisar, pela escassez de evidências.

ções deveriam comportar-se com discrição, evitando ataques públicos contra a ditadura.

É fundamental levar em conta a existência de tais espaços de acomodação e negociação, tanto para entender a natureza do regime militar quanto porque eles tiveram impacto no processo de superação do autoritarismo. Os expurgos nas universidades teriam sido maiores não fosse a influência moderada em alguns círculos do poder, e graças às estratégias de acomodação que adotaram em certas circunstâncias. Tanto membros do governo quanto dirigentes universitários trabalharam para evitar demissões e liberar contratações, contrariando a indicação de órgãos repressivos. Fizeram-no pelo interesse de contar com o talento de certos profissionais acadêmicos, o que a seus olhos justificava a tolerância política, ou para evitar perda de prestígio junto à comunidade universitária e à opinião pública. Daí ser comum encontrar reitores que tomavam medidas repressivas com uma das mãos e com a outra protegiam pessoas visadas.

Com isso, evitou-se o expurgo completo da esquerda acadêmica, e, apesar dos esforços da direita militante, que teve força para bloquear muitas contratações de "suspeitos", alguns professores com perfil esquerdista foram admitidos. Essas situações foram mais frequentes antes do AI-5 (entre 1965 e 1968) e depois da distensão (de 1974 em diante), porém ocorreram também mesmo durante os anos de repressão mais intensa. Tal não se deu apenas nas universidades, mas também em outros órgãos públicos, da administração direta e indireta, em que algumas pessoas visadas pela repressão foram protegidas por competência presumida ou por laços pessoais. Essas situações provocaram a ira da direita radical, principalmente de grupos encastelados no aparato de repressão, que, a partir de meados dos anos 1970, passaram a acusar a "infiltração comunista" no governo, elemento que se tornou um dos ingredientes na disputa pelo poder na sucessão do general Geisel.

Os jogos de acomodação analisados sumariamente aqui têm uma peculiaridade que cabe ressaltar: como em todo jogo, as coisas não funcionam se houver apenas um contendor. Explicitando a metáfora, as negociações visando a moderar a repressão sobre as elites intelectuais implicavam concessões mútuas, envolvendo os dois lados. Por isso, não deve causar estranheza que práticas semelhantes tenham marcado também a saída da ditadura, estimulando o pacto e o arranjo entre os círculos no poder e as forças de oposição. Creio residir aí uma explicação para o caráter relativamente indolor (para os próceres do regime militar) da transição pós-autoritária no Brasil, marcada pela ausência de punições contra os agentes da violência estatal e pela acomodação das antigas elites políticas no novo quadro "democrático".

Para apresentar melhor o argumento, vale a pena voltar ao exemplo das instituições de ensino superior. No contexto da distensão e da abertura, as universidades continuaram a ser um dos "campos de batalha" mais destacados. Os espaços universitários serviram de laboratório para as experiências redemocratizadoras e também para a acomodação pós-autoritária. Graças ao ativismo de sua comunidade, que questionou o ritmo da distensão controlada pelo Estado, as universidades estiveram na vanguarda de algumas mudanças políticas. Desde 1975, lideranças estudantis intensificaram ações que contrariavam as normas do regime, forçando os limites da censura com publicações e eventos culturais não autorizados, desobedecendo à legislação sobre eleições e funcionamento das entidades estudantis e, no limite, organizando boicote às aulas como forma de protesto. Em 1977, os estudantes universitários voltaram às ruas, realizando mobilizações públicas em várias capitais do país, onde apresentavam demandas políticas antiautoritárias. É importante destacar que tais movimentos antecederam em um ano as famosas greves operárias de 1978-1979.

Em 1979, desta feita com a participação de líderes docentes que começaram a se organizar em associações pré-sindicais, a comunidade universitária aumentou a pressão contra as forças autoritárias. Eles reivindicaram, em primeiro lugar, o fim das "cassações brancas", ou seja, que o Estado parasse de vetar bolsas e contratações com base em critérios ideológicos. De forma mais ousada ainda, começaram uma campanha pelo fechamento dos órgãos de informação que atuavam nas universidades, as ASIs. Essas pressões contribuíram para a decisão do governo de começar o desmonte das agências de informação instaladas nos campi, processo iniciado em

1979. Na verdade, nem todas as ASIs universitárias foram encerradas de imediato, pois aproximadamente dez delas (em um total de 35) continuavam a funcionar na primeira metade dos anos 1980, provavelmente por escolha dos próprios reitores. Ainda que tenha sido um processo descontínuo, o fechamento das ASIs universitárias foi o primeiro ato na lenta desestruturação do Sistema Nacional de Informações.[7]

O aumento do ativismo e da insatisfação política nas universidades tinha relação com a crise do projeto econômico do regime militar. Os anos do "milagre" haviam passado, e o quadro era de inflação, corte de verbas e redução do salário real, o que motivou a primeira greve geral docente nas universidades federais, em 1980. Nas assembleias realizadas durante a greve apareceu demanda nova e sem precedentes na história das universidades: por que não democratizar o processo de escolha dos dirigentes universitários? Segundo a prática vigente, um colegiado superior votava uma lista de seis nomes que remetia a Brasília, cabendo ao governo escolher um deles para o cargo de reitor. Lideranças estudantis e docentes começaram a demandar maior participação no processo, o que acabou gerando um arranjo para contornar as normas oficiais. A partir de 1981 passaram a ser feitas consultas diretas para escolher os candidatos preferidos da comunidade acadêmica, uma espécie de eleição paralela aos procedimentos oficiais. Realizada a consulta, a expectativa era de que os órgãos decisórios formais das universidades – sob grande pressão política e moral – corroborassem e remetessem esses resultados a Brasília. Em algumas universidades com elite dirigente mais conservadora tais iniciativas foram repelidas, mas em muitos casos a prática foi aceita e acabou se generalizando.

Em 1984, ainda na vigência do regime militar, o Ministério da Educação e Cultura nomeou o primeiro reitor "eleito" em consulta direta à comunidade, no mesmo momento em que foi reprovada a emenda constitucional (Dante de Oliveira) que restabeleceria eleições diretas para presidente da República. Evidentemente, assim como nas outras instituições do país, a democratização das universidades não foi processo unilinear. Entretanto, graças ao ativismo da comunidade universitária, que se tornou fonte poderosa de pressão, o recuo autoritário ali foi mais rápido que em outros setores. Salvo casos em que as reitorias permaneceram sob o controle de grupos comprometidos com a direita militar, a exemplo da Universidade de Brasília até 1985, em muitas universidades a democratização já havia avançado a passos largos antes mesmo da saída dos militares do poder.

Vale a pena examinar como se desenvolveu nas universidades um aspecto central da transição pós-autoritária, a anistia e o retorno dos expurgados. Nesse ponto, percebe-se novamente como as relações entre o Estado autoritário e alguns agentes da oposição foram marcadas por jogos de acomodação. Aspecto menos conhecido da Lei da Anistia é que ela permitia a volta ao serviço público das pessoas afastadas pela ditadura, salvo se fossem culpadas por atos de improbidade administrativa. A maioria dos professores expurgados por razões políticas teve a oportunidade de reassumir o antigo cargo, e mais da metade deles acabou retornando, enquanto outros optaram pela aposentadoria definitiva. As exceções se deveram a dificuldades burocráticas para provar o vínculo empregatício ou a resistência isolada de alguns grupos de direita ainda encastelados em certas instituições.* Em vários casos, houve homenagens e cerimônias públicas de desagravo organizadas nas universidades em favor dos retornados. Não obstante, a experiência de reintegração nem sempre foi tranquila, menos pelos conflitos políticos e mais pelas disputas por espaço acadêmico entre os regressados e os que haviam ocupado seus lugares.

Questão importante se impõe quando se analisa o processo de anistia e de retorno dos expurgados: como ficou a situação dos apoiadores do regime militar nas universidades? Com as mudanças no quadro político teriam eles sofrido algum constrangimento ou revanche da parte dos ex-perseguidos? De maneira geral, pode-se responder a essa pergunta com uma negativa. Na grande maioria dos casos, as lideranças acadêmicas identificadas com o regime militar terminaram tranquilamente suas carreiras,

* A Lei da Anistia permitia aos expurgados optar pela incorporação do tempo em que estiveram afastados para efeito de aposentadoria. Na Faculdade de Medicina da Universidade de São Paulo (USP), um bastião da direita acadêmica, o grupo de professores afastados no expurgo de 1964 teve o retorno bloqueado em 1979. Eles só foram readmitidos em 1986, quando José Goldemberg assumiu a reitoria da USP.

sem sofrer represálias. Não houve situações dramáticas de conflitos, salvo algumas escaramuças, como o afastamento da sala de aula de um médico acusado de dar assistência a sessões de tortura, ou o boicote ao uso de obras acadêmicas escritas por intelectuais de direita.* Dessa maneira, o fim do regime militar implicou arranjos parecidos nos meios acadêmicos, nas elites políticas e nos comandos militares:** predominou a acomodação no novo quadro democrático, ou pós-autoritário, com os conflitos amortecidos ao longo da lentíssima transição.

O processo de saída do regime militar e de construção da democracia foi marcado por acomodações e conciliações que permitiram reduzir os custos para os agentes da ditadura. Porém, vale a pena insistir, esse caminho foi possível porque mesmo nos momentos intensos da repressão o Estado autoritário mostrou-se transigente em certas situações. A acomodação beneficiou membros das elites sociais, que, embora avessos aos valores oficiais, foram poupados da repressão por considerações pragmáticas ou pela mobilização de laços sociais.

O modo ambíguo e conciliatório como foi processada a transição implicou outro preço a pagar do lado dos opositores, para além da aceitação da ausência de punições para os apoiadores da ditadura. Refiro-me ao caráter descontínuo do desmonte das estruturas repressivas, pois, ao passo que a repressão política diminuiu, alguns de seus instrumentos demoraram a ser desmontados, como o SNI e outras agências do gênero, que permaneceram ativas até 1990.

Portanto, a influência de traços marcantes da cultura política do país se fez presente também no regime militar, sobretudo a tendência à acomodação interelites. Tendo adotado políticas voltadas simultaneamente

* O médico afastado (em 1980) pertencia aos quadros da UFMG, e o episódio de boicote ocorreu na PUC-RJ, em 1979, envolvendo a obra de Miguel Reale, intelectual ligado ao regime militar que fora reitor da USP no início dos anos 1970.

** Refiro-me à falta de punições e represálias para os agentes autoritários, e nesse ponto a situação nas elites civis e militares foi parecida. Mas houve uma peculiaridade marcante nos meios militares: ali, a reintegração dos expurgados ao serviço ativo não ocorreu, já que encontrou resistência de figuras influentes comprometidas com a repressão.

para a conservação e a modernização, e mostrado, em certos contextos, indecisão entre erradicar os inimigos ou acomodar-se com parte deles, e oscilado entre a ditadura e as instituições liberais, o Estado autoritário acabou por negociar sua saída do poder de maneira igualmente ambígua. Embora com protestos de parcela minoritária da oposição, o arranjo se fez tendo como corolário o esquecimento de todos os crimes cometidos e a incorporação de antigos apoiadores do regime ao novo quadro político.

Última observação, a modo de *post scriptum*. O quadro atual tem revelado a força persistente desses traços da cultura política brasileira, que parecem enredar até lideranças que buscavam romper com o passado. Refiro-me a governos recentes, cujos líderes denunciaram energicamente a conciliação no fim do regime militar, porém, algum tempo depois, passaram a aliar-se a antigos quadros da ditadura em nome do pragmatismo e da governabilidade.

4. Mudanças sociais no período militar (1964-1985)

Francisco Vidal Luna
Herbert S. Klein

As medidas econômicas adotadas durante o período de Getúlio Vargas tiveram consequências marcantes e duradouras. Os governos que o sucederam aprofundaram muitas de suas políticas, mas enfrentaram as reivindicações das novas classes médias urbanas e a radicalização dos movimentos operários, fatores que em parte explicam o golpe de 1964. Além disso, os militares foram claramente desafiados pela ascensão de líderes civis populistas, que imitavam Getúlio Vargas na forma de organizar e manipular o apoio popular. Apesar de os militares se oporem aos movimentos populares iniciados na época de Vargas, eles deram continuidade a seu projeto de criação de um Estado industrial moderno. Embora as políticas praticadas de estímulo à economia tivessem criado sérios desequilíbrios a longo prazo, tais como déficit público, endividamento externo e inflação, foi durante o período militar que se lançaram as bases fundamentais de transformação do Brasil no líder industrial da América Latina. Esse período também significou uma etapa importante na consolidação do mercado interno, estimulado pela industrialização e por inúmeros programas destinados a proteger a produção nacional e aumentar a escala de produção, particularmente de bens de consumo durável. O processo resultou na criação do mercado de massas e na consolidação da classe média, que representava uma contrapartida à força da classe trabalhadora em expansão.

Além disso, os governos militares representaram uma fase de profundas mudanças sociais. A rápida industrialização e a intensa urbanização provocaram o mais intenso processo de mobilidade social da história brasileira, com o surgimento de uma nova elite industrial e gerencial, a partir de uma sociedade ainda agrícola e com baixo padrão educacional. A industrialização também resultou em intensas migrações das áreas pobres para as zonas mais ricas do Brasil, com rápido e desordenado crescimento das regiões metropolitanas. A incapacidade de atender de forma adequada à forte demanda por habitação e saneamento explica parte dos assentamentos precários encontrados ainda hoje na periferia das grandes cidades brasileiras.

Por outro lado, os governos militares, pela necessidade de melhorar a qualidade da mão de obra e como forma de obter o apoio da classe média emergente, promoveram forte aumento na oferta de educação primária e secundária, e expandiram o ensino técnico e tecnológico de forma significativa. Além disso, e talvez como compensação às políticas de arrocho salarial, realizaram grandes avanços no sistema de assistência social, tanto nos serviços de saúde quanto no sistema de aposentadorias e pensões. Embora não suficiente para atender ao vertiginoso crescimento da demanda, o regime militar também implantou um ambicioso programa de saneamento e habitação, por intermédio do Banco Nacional da Habitação (BNH). De fato, embora baseado em um modelo tecnocrático e autoritário, o período militar marcou a consolidação de um moderno sistema de bem-estar social.[1]

Paralelamente, ocorriam transformações dramáticas na estrutura demográfica da população brasileira. No início do regime, ainda persistiam sinais da estrutura tradicional, com taxas de fertilidade e mortalidade elevadíssimas e baixa expectativa de vida, se comparada aos padrões internacionais. Aliás, na década de 1950, a expectativa de vida no Brasil ainda permanecia nos níveis observados no final do século XIX e início do século XX. A situação alterou-se profundamente nos vinte anos dos militares, sendo algumas mudanças resultantes de políticas públicas, em especial na área da saúde, enquanto outras eram influenciadas por transformações ocorridas fora do território nacional. Essas influências exógenas foram em particular acentuadas nas áreas da fertilidade, pela mudança radical do comportamento das mulheres brasileiras em relação à fertilidade e ao tamanho da família.

Embora as transformações sociais tivessem início ou se intensificassem durante o regime militar, elas representaram mudanças institucionais de longo prazo, com significativos impactos culturais nas décadas seguintes. Tanto a mortalidade quanto a fertilidade atingiram níveis históricos nunca antes alcançados. A primeira foi influenciada por uma forte queda na mortalidade infantil, que, afinal, iniciou uma trajetória de diminuição forte e persistente. Como a fertilidade declinava mais devagar, a taxa de crescimento natural da população alcançou níveis extremamente elevados, também nunca antes alcançados na sociedade brasileira. Não só a fertilidade era muito alta em relação à mortalidade, como também havia um efeito adicional, provocado pela maior sobrevivência das mulheres ao período fértil.

Mas aquela fase sem precedentes observada no crescimento natural da população terminou abruptamente nos anos finais do regime. A queda pode ser explicada pela entrada do Brasil no processo de transição demográfica, na qual a fertilidade declina de maneira tão acentuada que influencia profundamente a estrutura etária da população, assim como sua capacidade de crescimento natural. Ademais, esse processo demográfico exerceu significativo impacto sobre aspectos fundamentais da sociedade brasileira, como a estrutura familiar e o emprego. Embora a taxa de fertilidade caísse mais depressa que a de mortalidade, esta também começou a declinar em ritmo cada vez mais célere, aumentando a expectativa de vida da população, que gradativamente se aproximava dos padrões observados nos Estados Unidos e na Europa.

A transformação do Brasil em uma sociedade predominantemente urbana representou outra característica fundamental do período. Não só houve crescimento vertiginoso das cidades, como, pela primeira vez, se verificou a redução da população rural. As oportunidades que surgiam nos centros urbanos em expansão e a modernização da agricultura geravam o fenômeno clássico de atração e expulsão da população do campo, que intensificava o processo de migração interna para as cidades, por sobre as fronteiras estaduais e regionais.

O modelo de crescimento ampliava também as desigualdades de classe social e de cor, pois as pessoas com nível educacional mais elevado e os brancos tiveram inicialmente mais oportunidade de ascensão social que os negros e as pessoas com mais baixo nível educacional. Essa intensificação da desigualdade também se refletia nas disparidades regionais. Enquanto em algumas regiões ocorriam avanços significativos nos níveis de riqueza, saúde e educação, o mesmo não ocorria no Norte e no Nordeste, o que ampliava as diferenças sociais e regionais já existentes. Assim, enquanto as regiões economicamente mais avançadas atingiam padrões de vida similares aos dos países industrializados, as mais pobres mantinham níveis comparáveis aos países subdesenvolvidos da África e da Ásia. Talvez em nenhuma outra época as disparidades regionais tenham se mostrado tão evidentes no Brasil.

A criação de uma sólida base industrial constituiu o núcleo essencial da política de governo durante a ditadura. O controle salarial, a proteção ao mercado local e o fortalecimento da infraestrutura foram os principais instrumentos adotados para estimular os investimentos na indústria. Reorganização do mercado financeiro e de capitais, formação de fundos compulsórios de poupança, manipulação de amplo conjunto de incentivos e subsídios, estímulo à produção agrícola, controle de preços e, se necessário, arrocho salarial representavam meios amplamente utilizados para fortalecer a indústria, pela ampliação da oferta de recursos financeiros, expansão do mercado consumidor ou redução dos custos de produção. Dessa forma acelerava-se o crescimento econômico – o que já ocorria antes do período militar –, mas ampliava-se a desigualdade.

O salário mínimo anual médio real, por exemplo, reduziu-se de um índice 100 em 1964 para 82 em 1997. Os incentivos e subsídios ao setor produtivo, a contenção dos movimentos dos trabalhadores e o arrocho salarial ampliavam o abismo distributivo e concentravam os ganhos obtidos com o crescimento e o aumento da produtividade. Apesar disso, a renda per capita dobrou entre 1940 e 1980, passando de R$ 2.110 para R$ 4.490 (preços de 2006), e entre 1960 e 1980 o peso da agricultura no Produto Interno Bruto (PIB) reduziu-se de 18% para 11%, enquanto a indústria aumentava sua participação de 33% para 44%, o mais elevado percentual atingido no século XX.[2] Ao mesmo tempo, crescia de maneira drástica o emprego na indústria e no setor de serviços. Entre 1960 e 1980, o número de trabalhadores no setor primário permaneceu relativamente estável, em redor de 11 milhões de pessoas, enquanto o emprego aumentava de 2,4 milhões para 9 milhões no setor secundário, e de 5,2 milhões para 11,3 milhões no setor de serviços.[3]

O rápido crescimento e a alteração na estrutura econômica tiveram profundas consequências sobre a mobilidade social. O movimento das gerações entre ocupações e classes sociais alterou-se naquele período. Antes predominava a mobilidade circular, em razão do número relativamente fixo de posições de elite. Contudo, a partir dos anos 1960, com o rápido crescimento industrial e a intensificação da urbanização, passou a preponderar a mobilidade estrutural. Houve grande aumento das novas posições gerenciais e de outros cargos de prestígio exercidos por profissionais com status ocupacional mais elevado que o de seus pais. O Brasil representava uma das nações industrializadas na qual a elite gerencial apresentava a maior disparidade social em relação aos próprios pais. Estimou-se que, a partir de 1973, mais da metade dos filhos tinha mudado de status em relação à ocupação dos pais, sendo 57% dessa mudança resultante da criação de novos postos de trabalho (estrutural) e 43% pela mobilidade circular, ou seja, pelas flutuações normais, sem qualquer relação com o aumento na oferta de postos de trabalho.[4]

A partir de 1980, com a relativa estagnação da economia, o Brasil retornou ao padrão usual de mobilidade circular, e assim se manteve pelo resto do século. Além disso, uma vez ocupadas essas posições superiores, tornou-se possível mantê-las pelo crescimento da própria elite, sem necessidade de recrutamento nos níveis mais baixos da escala social. Assim, apesar da rápida mobilidade ocorrida no grupo de elite, especialmente pronunciada para aqueles cujos pais provinham da área rural, a mobilidade total assemelhava-se à identificada nos países industriais mais avançados. Em 1973, aproximadamente 71% dos trabalhadores urbanos tinham pais provenientes do meio rural, significando que a maioria procedia de um meio mais pobre ou com baixo nível de escolaridade.[5]

Surpreendentemente, as mulheres apresentavam maior mobilidade que os homens em relação à ocupação dos pais (intergeracional), mas tinham menor mobilidade que os homens na alteração de seu status do primeiro ao último emprego durante seu tempo de vida (intrageracional).[6] Como esperado, os brancos superavam os negros nos dois tipos de mobilidade, embora tal disparidade fosse declinando ao longo do tempo.[7] Naquele período, embora houvesse elevada mobilidade, em particular para os níveis superiores da estrutura ocupacional, a maioria dos trabalhadores estava presa em posições de menor status, que em seguida apresentou mobilidade relativamente baixa, pela pobre posição de partida em termos de capital humano.

Servindo-se da estrutura salarial, em lugar da estrutura ocupacional, um estudo recente identificou na mesma fase uma das mais altas taxas de mobilidade média de salários entre pais e filhos da história brasileira. Também descobriu que a maior mobilidade ocorria nos níveis mais baixos da escala salarial, em particular como resultado da universalização da educação primária, que diminuía o impacto negativo do salário dos pais. Esse processo favoreceu a mobilidade da população não branca. Mas, no topo da escala salarial (o quintil superior), a imobilidade era mais pronunciada e com uma clara influência de raça, pois naquele quintil a probabilidade de os brancos manterem o nível de renda dos pais era de 50%, enquanto entre os filhos dos pais negros a probabilidade reduzia-se a 25%.[8]

Além disso, algumas transformações promovidas diretamente pelo poder público influenciaram de modo significativo a mobilidade social. A educação e a pesquisa científica podem ser apontadas como exemplos disso. O regime militar deu continuidade ao persistente crescimento da educação primária e secundária que se iniciara no pós-guerra. Em 1960, 73% das crianças de 5-9 anos de idade frequentavam a escola primária; em 1968 esse percentual havia aumentado para 89%. Embora números comparáveis não estejam disponíveis para os anos seguintes, observa-se que em 1985 aproximadamente 79% das crianças de 5-14 anos estavam matriculadas na escola primária.[9] Ademais, no período de 1960-1980, as matrículas do ensino secundário e universitário cresceram mais que a população.[10]

As mudanças mais importantes ocorreram no ensino secundário. Enquanto o ensino primário apresentou uma trajetória regular de crescimento, mantida pela continuidade dos investimentos, no ensino secundário ocorreu uma alteração drástica no ritmo de expansão. Entre 1963-1984 o número de professores do ensino secundário duplicou, passando de cerca de 121 mil para 215 mil, e as matrículas aumentaram de 1,7 milhão para 3 milhões. Mas a grande transformação foi no papel que o governo passou a desempenhar no ensino secundário. Em 1963, 60% dos alunos desse nível de ensino estavam matriculados em escolas secundárias privadas. Em 1984 a situação se alterara radicalmente, pois naquele ano 65% das matrículas no ensino secundário ocorriam nas escolas públicas.[11] Os 3 milhões de estudantes do ensino secundário representavam mais de 22% de todos os estudantes de 15-19 anos, contra 12% em 1972.[12]

No mesmo período, e pela primeira vez na história brasileira, o governo investiu maciçamente em ciência e tecnologia. Esse aspecto foi tão relevante que um destacado estudioso da história da ciência no Brasil o denominou "Grande Salto Adiante".[13] Em 1964, o governo, através do Banco Nacional de Desenvolvimento (BNDE), estabeleceu o Fundo de Desenvolvimento Tecnológico (Funtec), contando com recursos da ordem de US$ 100 milhões. Em 1974, o pequeno Conselho Nacional de Pesquisas foi expandido e adequadamente financiado, transformando-se no Conselho Nacional de Desenvolvimento Científico e Tecnológico (CNPq). Assim, o governo militar, em nome de um programa nacionalista, passava a investir maciçamente em pesquisa avançada, na implantação da infraestrutura e na consolidação das indústrias básicas.

Ao mesmo tempo, cientistas da Universidade de São Paulo (USP) e de outros novos centros de pesquisa seguiam o modelo da Fundação Nacional de Ciência dos Estados Unidos, que desempenhou papel importantíssimo após a Segunda Guerra Mundial, transformando seu país no principal centro mundial em ciência e tecnologia. Em 1953, por meio da Coordenação de Aperfeiçoamento de Pessoal de Nível Superior (Capes, criada em 1951), o governo passou a financiar bolsas de estudos para estudantes nas áreas científicas. Na década de 1960 já havia um número expressivo de cientistas brasileiros com treinamento no exterior, em particular nos Estados Unidos e na Inglaterra. Depois do retorno ao país, eles passaram a exercer forte pressão para a criação de modernos laboratórios e outros instrumentos de pesquisas, fundamentais para o Brasil competir no mundo que se formava após a guerra.

Em 1968 ocorreu uma ampla reforma universitária, adotando o modelo norte-americano de organização por departamentos e criando a estrutura de formação em três níveis: graduação, mestrado e doutorado. Esse foi o padrão seguido pela Universidade Federal de Minas Gerais (UFMG) e pela Universidade Nacional de Brasília (UnB), criadas naquele período, e pela USP, bem como pelas demais universidades federais que seriam implantadas em todos os estados. Além disso, em 1966 o governo do estado de São Paulo inaugurou uma universidade em Campinas (Unicamp), composta por grande número de professores nacionais formados no exterior e por estrangeiros, e que logo passou a competir com a USP como o mais importante centro universitário do país. A Unicamp foi projetada desde a origem para transformar-se em centro de pesquisa científica avançada, especialmente em física, e vários cientistas brasileiros que trabalhavam na Bell Labs e em universidades norte-americanas passaram a integrar seus quadros.[14]

O governo militar também implantou a indústria aeroespacial e de computadores, e lançou um ambicioso programa de pesquisa nuclear, envolvendo unidades de pesquisa situadas fora das universidades. Essas foram algumas das principais ações desenvolvidas no período, que colocaram o Brasil em posição de destaque na área científica e transformaram o país, junto com a Índia, em um dos poucos do mundo subdesenvolvido com possibilidade de competir na comunidade científica internacional.

No entanto, a relação entre governo e comunidade científica nem sempre foi pacífica no período militar. Muitos cientistas foram perseguidos, aposentados compulsoriamente e exilados. Embora essas perseguições tenham sido mais agressivas na área das ciências humanas, elas atingiram também núcleos importantes de pesquisa em ciências exatas. O exemplo mais marcante foi o desmantelamento do Departamento de Física da UnB, após a perseguição de membros de seu corpo docente e a invasão do campus universitário. A Sociedade Brasileira para o Progresso da Ciência (SBPC), principal órgão de representação da comunidade científica no Brasil, fez oposição sistemática ao regime militar e representou uma voz importante no processo de redemocratização do país.

Além do fortalecimento dos centros de pesquisa, o período mostra também a expansão lenta, mas persistente, do ensino universitário. Em 1984, havia 68 universidades, das quais 35 federais, dez estaduais, duas municipais e vinte instituições privadas, e o número de estudantes universitários crescera de 142 mil em 1964 para 1,3 milhão em 1984.[15] Paralelamente, os programas de pós-graduação dobraram suas matrículas, atingindo 40 mil alunos em meados da década de 1980.[16] O percentual de jovens de 20-24 anos que frequentavam instituições de ensino superior – universidades e escolas técnicas – cresceu de 2% para 12% entre 1965 e 1985.[17]

O aumento da escolaridade exerceu profundo impacto sobre a alfabetização. Em 1940, apenas 38,4% da população era alfabetizada; em 1950 esse percentual continuava baixo, 42,7%. Em 1970, os alfabetizados representavam ⅔ da população, e em 1980 atingiam 74%.[18] Aliás, somente no Censo de 1960 foi ultrapassada a marca de 50% de alfabetização de homens e mulheres no Brasil. Em 1950, os homens alfabetizados com dez ou mais anos de idade tornaram-se maioria; mas, naquele ano, apenas 44% das mulheres da mesma idade eram alfabetizadas. A década de 1950 foi o período crucial da transição, pois no Censo de 1960 o percentual de mulheres com dez ou mais anos alfabetizadas atingia 57%; no mesmo ano, os homens alfabetizados representavam 64% daquele grupo etário.[19] Mas seria necessário esperar até os primeiros anos da década de 1980 para que as mulheres atingissem o mesmo patamar dos homens em termos de alfabetização, resultado obtido graças ao rápido crescimento do número de mulheres matriculadas no ensino primário. O preconceito anterior contra a educação das mulheres pode ser observado pelo exame da população analfabeta por idade no Censo de 1970. Não só entre as mulheres mais velhas havia maior proporção de analfabetas, mas, para as faixas etárias mais elevadas, o percentual de analfabetismo entre as mulheres superava o percentual masculino (Gráfico 1).

GRÁFICO 1: PORCENTAGEM DOS ANALFABETOS, POR IDADE E SEXO, 1970

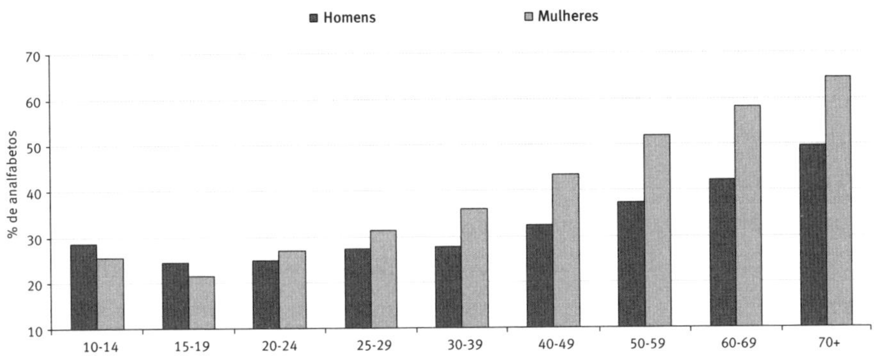

Fonte: IBGE, "Estatísticas do século XX".

Até o início dos anos 1980, quando consideramos o problema da alfabetização, além da discriminação por gênero, encontramos também discriminação por motivo de cor. Se em 1982 as mulheres já ultrapassavam os homens no quesito alfabetização, a proporção de analfabetos entre os pretos e pardos era ainda muito elevada se comparada aos brancos e asiáticos (Gráfico 2). Seriam necessários mais de trinta anos, com a universalização da educação primária, para ter início a redução dessa disparidade. Aliás, o mesmo comportamento quanto à alfabetização era identificado na diferença entre os residentes nas áreas urbana e rural.

GRÁFICO 2: ANALFABETOS, POR SEXO E COR, 1982

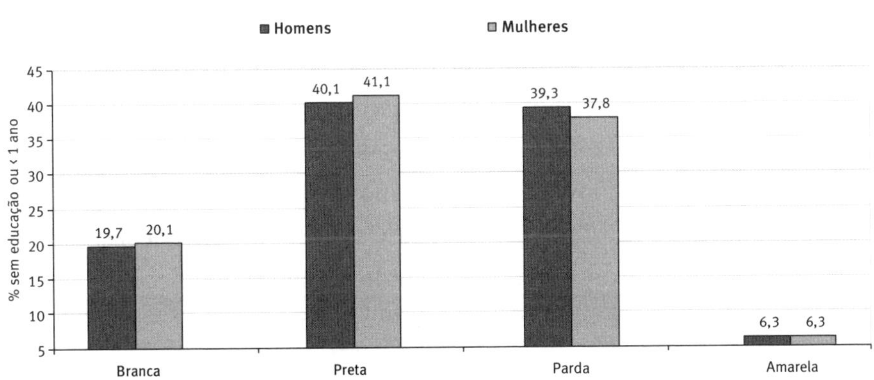

Fonte: IBGE, "Estatísticas do século XX".

O crescimento do emprego na indústria manufatureira e no setor de serviços observado naquele período resultou das maciças migrações internas através de fronteiras estaduais e regionais, bem como do deslocamento da população da zona rural para os assentamentos urbanos. O fator de atração, gerado pelo aumento do emprego urbano e melhores condições de vida nas cidades, foi acompanhado pela crescente mecanização da agricultura brasileira. O crescimento substancial do crédito rural, os mecanismos de proteção à produção nacional, os estímulos às exportações, bem como a intensa pesquisa e difusão do conhecimento, promoveram uma verdadeira revolução na tecnologia agrícola. A mecanização e a utilização de insumos modernos liberavam uma parcela da mão de obra do campo, embora houvesse aumento da área plantada e da produção agrícola.[20] Apesar da intensa modernização da agricultura brasileira, não houve mudança significativa na estrutura da propriedade fundiária, que, no Brasil, é tradicionalmente concentrada.

A migração maciça de nordestinos pobres para as fazendas e fábricas dos principais estados do Sul foi um dos principais movimentos populacionais ocorridos no período. Esse movimento envolveu milhões de brasileiros e afetou substancialmente o padrão de ocupação do território. Examinando os dados dos estados que lideraram a exportação e a importação de mão de obra, observa-se que São Paulo, Rio de Janeiro e Paraná, em conjunto, absorveram 2 milhões de brasileiros na década de 1950, número que aumentou continuamente até atingir 7,2 milhões em 1980 (Gráfico 3). Por outro lado, os estados de Bahia, Pernambuco e Minas Gerais, que haviam perdido cerca de 1,5 milhão de residentes com as migrações internas na década de 1950, sofreram perdas crescentes, até alcançarem a marca de 5,8 milhões de pessoas na década de 1980. Além dessas migrações do Nordeste para o Sul, houve também um movimento migratório expressivo de agricultores do Rio Grande do Sul para as novas áreas agrícolas abertas no Norte e no Centro-Oeste, ocasionando aumento populacional nestas regiões, hoje zonas de alta produtividade agrícola.

GRÁFICO 3: ESTADOS COM AS MAIORES MIGRAÇÕES INTERNAS, 1950-1980 (EM MILHÕES)

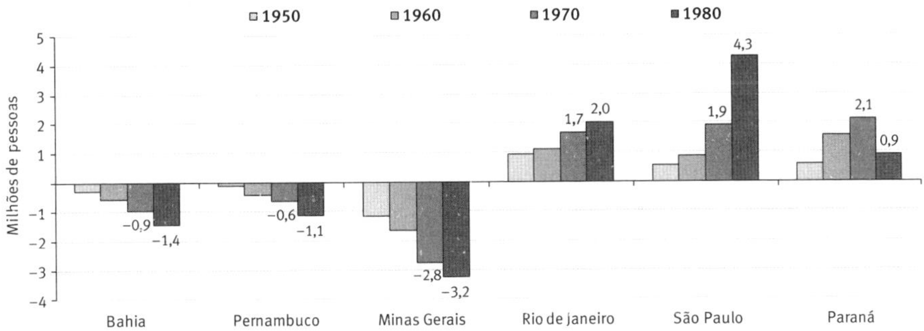

Fonte: IBGE, "Estatísticas do século XX".

O período de 1940 a 1980 também representou a fase de transformação do Brasil em uma sociedade majoritariamente urbana, pois no Censo de 1970 a população urbana ultrapassou a rural. Nos primeiros anos da década de 1970 houve uma relativa estabilidade da população rural; contudo, a partir da segunda metade da década, essa população caiu em termos absolutos, ao mesmo tempo que a população urbana crescia aceleradamente, muito acima do padrão mundial. Como resultado, a participação da população urbana passou de 52%, em 1970, para mais de ¾, em 1980 (Gráfico 4).

GRÁFICO 4: TAMANHO DA POPULAÇÃO RURAL E URBANA NO BRASIL, 1940-1980 (EM MILHÕES)

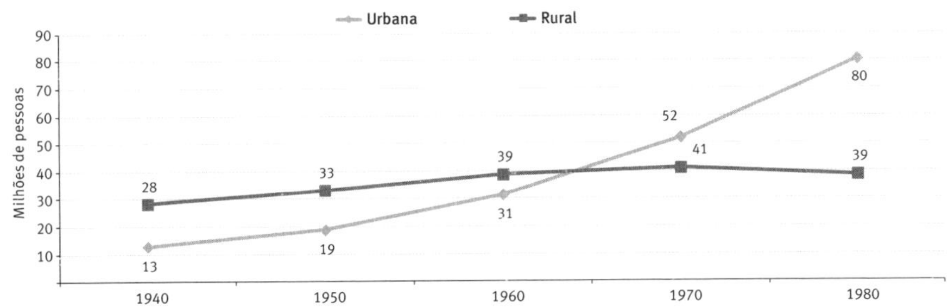

Fonte: IBGE, "Estatísticas do século XX".

Em 1980, as 305 cidades com mais de 50 mil habitantes somavam 58 milhões de pessoas, perfazendo 48% da população. No mesmo ano, treze cidades possuíam mais de 500 mil habitantes, e seis, mais de 1 milhão. São Paulo era a cidade mais populosa, com 8,6 milhões, seguida pelo Rio de Janeiro, com 5,2 milhões. As cidades de Salvador, Belo Horizonte, Recife e Porto Alegre possuíam mais de 1 milhão de habitantes.[21] Considerados os municípios com 20 mil pessoas ou mais, a urbanização atingia o percentual de 68%.[22] Naquele período, não só houve um rápido crescimento da população urbana, mas também mudanças importantes na ordem de classificação das cidades quando consideradas pelo tamanho. O caso de São Paulo é ilustrativo. Em 1960, essa cidade ultrapassou o Rio de Janeiro em termos populacionais; e em 1980, com mais de 8 milhões de habitantes, São Paulo alcançava o padrão de metrópole mundial (Gráfico 5).

GRÁFICO 5: CRESCIMENTO DA POPULAÇÃO DAS CIDADES DO RIO DE JANEIRO E DE SÃO PAULO, 1972-1980

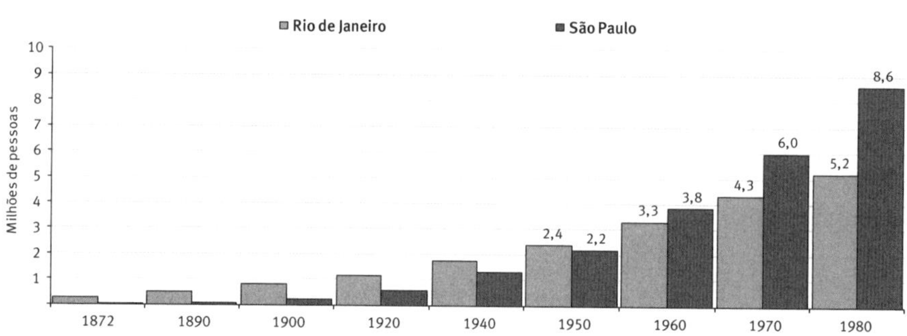

Fonte: IBGE, Censo demográfico de 2010.

O forte crescimento da população urbana não deixou de ter seu custo em termos sociais. Em razão dos insuficientes investimentos nos centros urbanos, em particular em habitação e saneamento, não se atendeu de forma adequada ao intenso afluxo de imigrantes que chegavam às cidades. Disso resultou o aumento significativo da parcela da população vivendo em favelas, loteamentos irregulares ou outras formas de moradias subnormais. Embora as favelas existissem antes do regime militar, o rápido crescimento urbano dos anos 1960 e 1970 tornou a questão da habitação e do saneamento um dos principais problemas das áreas metropolitanas.

Como as favelas cresceram em número e tamanho, invadindo áreas altamente valorizadas, como a Zona Sul da região metropolitana do Rio de Janeiro, adotou-se a política de remoção, transferindo-se os moradores para novos núcleos habitacionais, construídos em áreas de baixa valorização econômica, com péssima infraestrutura e distantes dos polos geradores de emprego e de renda.

Como a construção de moradias populares baseava-se no Sistema Financeiro da Habitação (SFH), criado no período militar, o colapso desse sistema e a deterioração das condições fiscais dos governos federal e estaduais reduziram de maneira drástica os investimentos públicos em saneamento e habitação, com o crescimento do número de favelas e de seus moradores. No final dos anos 1970 e início dos anos 1980, constatou-se que a política habitacional deveria integrar esses assentamentos irregulares ao tecido urbano, em vez de removê-los para áreas distantes.[23]

Essa mudança na política habitacional consolidou-se com o fim da ditadura, especialmente após a Constituição de 1988. Além disso, a partir da década de 1980, houve uma desaceleração no crescimento das grandes cidades. A região metropolitana de São Paulo, que crescera a uma taxa anual de 5,5% na década de 1960, teve esse percentual reduzido para 4,4% na década seguinte, e para apenas 1,9% na década de 1980. O mesmo ocorreu na área metropolitana do Rio de Janeiro, que passou de um crescimento de 3,6% no primeiro período (1960-1970) para apenas 1% na década de 1980.[24]

Assim, desde o início dos anos 1980 adota-se a política de reurbanizar as grandes favelas, transformando-as em bairros dotados de sistema viário, drenagem, saneamento, energia elétrica e contando com os serviços essenciais de educação e saúde. Ao mesmo tempo, houve um esforço para melhorar as condições das moradias e erradicar as casas construídas em áreas de risco, a fim de evitar as tragédias usuais nas grandes cidades brasileiras. Esse processo tem sido lento e exige vultosos investimentos, mas mesmo grandes metrópoles como São Paulo e o Rio de Janeiro demonstraram avanços nas condições de habitação e saneamento da população mais pobre.[25]

Com o deslocamento da população das áreas rurais para os conglomerados urbanos, os brasileiros mudaram radicalmente de atitude em relação à fertilidade. Como a maior parte dos países do mundo, depois de 1960 o Brasil entrou no processo que os demógrafos chamam de transição demográfica.[26] O longo e lento declínio na mortalidade, que na maior parte do mundo começou no final do século XIX, acelerou-se após a Segunda Guerra Mundial, com a introdução dos antibióticos. A primeira e mais profunda alteração ocorreu na mortalidade infantil, seguida pela mudança no quadro das principais causas de mortalidade, passando progressivamente das doenças epidêmicas para as doenças degenerativas.[27] No Brasil, a forte diminuição da mortalidade, sem alteração correspondente na fertilidade, de início muito elevada, provocou um crescimento explosivo da população. Como resultado, durante o regime militar o Brasil apresentou as maiores taxas de crescimento populacional de sua história.

Com a introdução da pílula anticoncepcional, a esterilização em massa e outros métodos contraceptivos, na década de 1960, o declínio da fecundidade, iniciado no período pré-militar nos centros urbanos economicamente mais avançados, espalhou-se por todas as partes do país, mesmo para a área rural. O significativo declínio na fertilidade pode ser observado pela queda da taxa de fecundidade total (o número médio de filhos nascidos de mulheres na faixa etária de 14-49 em um determinado ponto no tempo), que ocorria por todo o Brasil. Nas décadas de 1940-1960 as brasileiras ainda apresentavam a média de mais de seis filhos por mulher em idade fértil, reduzida para 5,8 filhos em 1970. No fim da década de 1970 a redução foi dramática, pois, se comparada a vinte anos antes, cada mulher gerava em média quatro filhos a menos. A taxa de fecundidade total caiu de forma consistente nos anos seguintes, chegando a pouco menos de três filhos por mulher em idade fértil em 1991 e de 2,4 filhos em 2000. No fim da primeira década do século XXI, a fertilidade brasileira atingiu o nível de 2,1 filhos por mulher em idade fértil, que representa o valor mínimo necessário para a reposição da população.

A diminuição dos nascimentos relacionava-se de maneira direta ao aumento do uso de contraceptivos pelas mulheres brasileiras. Na década de 1980, aproximadamente 70% das mulheres casadas ou que mantinham uniões consensuais usavam ou praticavam alguma forma de controle da natalidade. Das mulheres que empregavam alguma forma de contracepção, 44% haviam realizado a esterilização, valor ligeiramente mais baixo que o padrão dos países subdesenvolvidos como o Brasil; 41% utilizavam pílula anticoncepcional, e as demais lançavam mão de outras formas contraceptivas.[28] Embora no Brasil a taxa de abortos ilegais fosse relativamente alta pelos padrões mundiais, ela assemelhava-se às praticadas nos demais países da América Latina. Além disso, a tendência dessa taxa diferia da taxa da fertilidade. Depois de um período relativamente longo de estabilidade, a taxa de abortos aumentou levemente no fim da década de 1990, e depois passou a regredir devagar, à medida que mais homens e mulheres passavam a utilizar de forma mais intensa métodos contraceptivos modernos.[29] Entretanto, a taxa de abortos e sua tendência exerceram pouco efeito sobre a queda na taxa de fecundidade. Seu declínio pode ser explicado pelo uso generalizado de métodos contraceptivos.

A queda da taxa de fecundidade não ocorreu pelo casamento tardio ou pelo fato de as mulheres terem filhos mais tarde, como no padrão das nações industrializadas, porém, pelo declínio de nascimentos durante a idade mais avançada das mães. Tanto a idade no primeiro parto quanto no casamento mantiveram-se baixas e relativamente estáveis ao longo de todo o período. As mulheres tinham filhos muito cedo, mas terminavam a fase reprodutiva também muito mais cedo que em períodos anteriores. Embora o total de nascimentos em cada faixa etária diminuísse, o rápido declínio nas idades mais altas significava que a proporção de mães de 20-24 anos, que em 1903 fora a segunda faixa etária mais importante, passou a ocupar o primeiro lugar em 1963 (Gráfico 6). Além disso, a participação relativa do grupo de mães mais jovens continuou a aumentar ao longo do tempo. As mães com idades do parto entre 15-19 anos, que em 1980 foram responsáveis por 9% de todos os nascimentos, aumentaram a proporção para 14% em 1991 e passaram a representar 20% dos partos em 2000.[30]

Tal como o esperado, o controle de fertilidade começou nos estados ricos do Sudeste e do Sul. O declínio da fertilidade teve início nos estados mais ricos e ocorreu entre a elite econômica do país. Até o final da transição demográfica, a fertilidade diminuiu a um ritmo muito mais rápido entre as mulheres mais pobres e menos educadas das regiões mais atrasadas do Norte e do Nordeste.[31] No fim dos anos 1970, a região Nordeste apresentava uma fertilidade natural de mais de oito filhos por mulher em idade fértil. Naquele período, era de 3,6 filhos a diferença de fertilidade das mulheres do Nordeste e do Sudeste, os dois extremos do país em termos de fertilidade. Mas, na década de 1980, mesmo as mulheres do Nordeste começaram a praticar de modo mais sistemático alguma forma de controle da fertilidade, iniciando o processo de redução do diferencial de fertilidade existente entre as mulheres das duas regiões (Gráfico 7).

GRÁFICO 6: DISTRIBUIÇÃO DOS NASCIMENTOS PELA IDADE DAS MÃES, 1903, 1963 E 1988

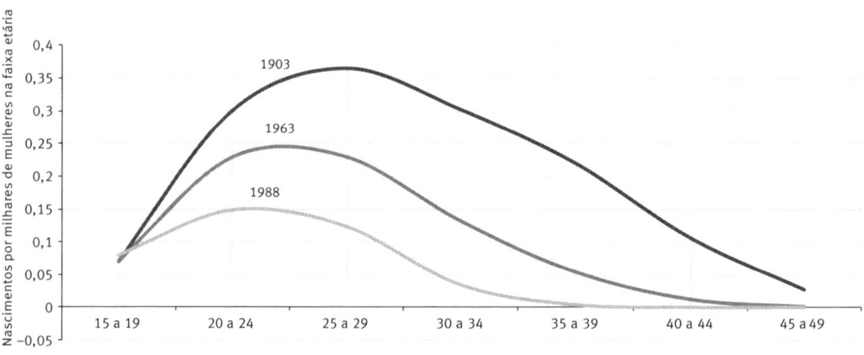

Fonte: Claudia Horta et al., 2000.

GRÁFICO 7: TAXA DE FERTILIDADE TOTAL POR REGIÃO, 1940-1980

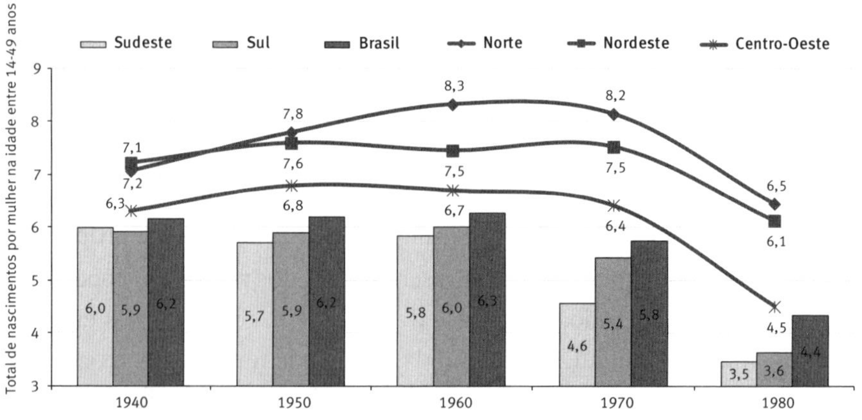

Fonte: IBGE, "Estatísticas do século XX".

A redução no número de filhos, ocorrida na década de 1970, refletiu-se na estrutura das pirâmides etárias da população. Em comparação com a distribuição etária de 1940 (Gráfico 8), a pirâmide etária de 1990 mostrava uma base menor nos primeiros anos (Gráfico 9), fato que teria profundo impacto sobre a distribuição etária da população no século XXI.

GRÁFICO 8: PIRÂMIDE ETÁRIA DA POPULAÇÃO BRASILEIRA, 1940

Fonte: IBGE, "Estatísticas do século XX".

GRÁFICO 9: PIRÂMIDE ETÁRIA DA POPULAÇÃO BRASILEIRA, 1991

Fonte: IBGE, Datasus.

Essa súbita queda na taxa de fecundidade total somente se expressou em termos de distribuição etária no Censo de 1980. Pela primeira vez, em cerca de quarenta anos, a proporção de pessoas de 0-14 anos caiu de forma significativa, refletindo a redução no número de filhos por mulher (Gráfico 10).

GRÁFICO 10: PARTICIPAÇÃO RELATIVA DAS VÁRIAS CATEGORIAS ETÁRIAS, BRASIL, 1940-1980

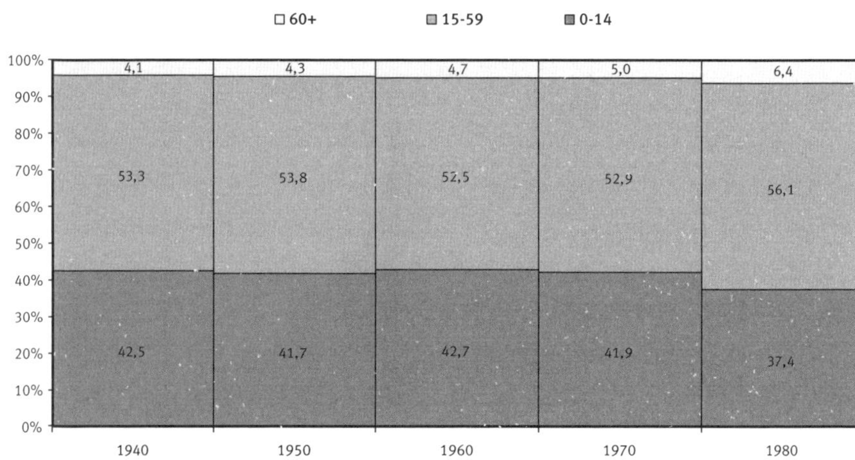

Fonte: IBGE, "Estatísticas do século XX".

Até a década de 1970, enquanto a fertilidade se mantinha elevada, a mortalidade exibia um processo de queda lenta, mas contínua. Grande parte desse declínio resultava da melhoria da saúde pública e dos programas de bem-estar social implantados pelo governo militar, em atendimento às demandas da classe média e como forma de evitar a pressão dos trabalhadores. Em 1967, houve a unificação dos inúmeros Institutos de Aposentadoria e Pensões, com a criação do Instituto Nacional de Previdência Social (INPS). Entre 1970 e 1980, a participação dos contribuintes do Sistema de Seguridade Social mais que duplicou, passando de 9% para 20% da população. Entre a população urbana, o percentual atingia 30%. Além disso, entre 1968 e 1971, estendeu-se a cobertura previdenciária para os trabalhadores rurais.

Inicialmente o INPS respondia também pelo seguro médico, mas em 1974, com a criação do Ministério da Previdência Social, houve a separação entre sistema de pensões e serviços médicos da assistência social, estes geridos pelo Instituto Nacional de Assistência Médica da Previdência Social (Inamps), criado em 1977. Nos anos seguintes, uma série de reformas institucionais permitiu grande expansão no sistema de saúde pública,[32] demonstrada pelo crescimento das internações hospitalares, que passaram de 6 milhões para 13 milhões anuais entre 1970 e 1980.[33] Ademais, nos anos 1960 haviam sido implantados os programas nacionais de vacinação infantil, que contavam com suporte internacional. Os intensos debates entre estudiosos e profissionais da saúde a respeito da melhor forma de organizar os serviços de saúde pública, ocorridos durante a década de 1970 e início dos anos 1980, teriam profunda influência na criação do Sistema Único de Saúde (SUS) e nas reformas descentralizadoras realizadas após o fim do regime militar.[34]

A expansão e as grandes transformações na área da saúde pública impactaram de maneira expressiva a taxa bruta de mortalidade, que caiu de catorze mortes por mil residentes, no início dos anos 1960, para oito mortes por mil residentes nos primeiros anos da década de 1980 (Gráfico 11).

GRÁFICO 11: COMPONENTES DE CRESCIMENTO DA POPULAÇÃO BRASILEIRA, 1940-1980

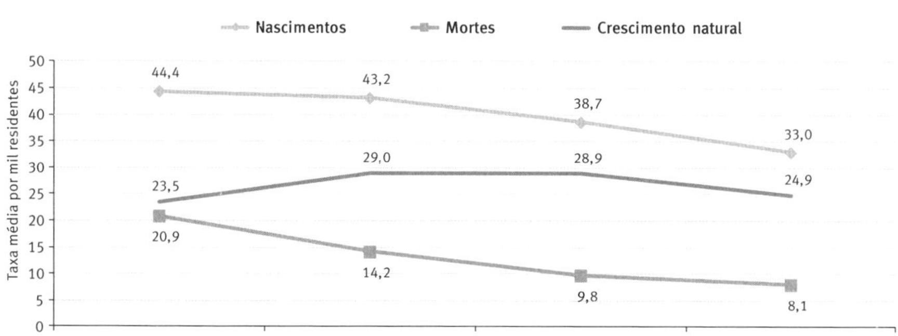

Fonte: IBGE, "Estatísticas do século XX".

O declínio foi impulsionado principalmente pela redução da mortalidade infantil, que caiu pela metade, passando de 135 óbitos de crianças para cada mil nascimentos vivos, em 1950-1955, para 63 óbitos de crianças por mil nascidos vivos em 1980-1985 (Gráfico 12). Seu impacto pode ser observado no sistemático declínio da porcentagem de mortes de recém-nascidos e crianças (0-14 anos de idade) sobre o total de mortes. O processo começou no final da década de 1970, quando a proporção das mortes de recém-nascidos e crianças representava a metade de todas as mortes. Nos primeiros anos da década de 1980, após uma década de diminuição sistemática, a proporção havia caído para ⅓ do total de mortes. Ao mesmo tempo, houve rápido aumento na proporção das mortes de pessoas idosas (mais de 65 anos), que passou a ter participação crescente no total de mortes da população brasileira (Gráfico 13).

Embora as taxas globais de mortalidade infantil tivessem declinado, mais da metade dessas mortes acontecia ainda no período pós-neonatal – de 28 dias a um ano após o nascimento.[35] Somente em 1987 essa taxa caiu abaixo da taxa correspondente às mortes do período neonatal (menos de 28 dias).[36] Assim, durante o regime militar, a mortalidade de crianças de menos de um ano resultou mais de fatores socioeconômicos que de causas genéticas ou gestacionais. Isso significa que até o final dos anos 1980 a maioria desses óbitos infantis estava relacionada a problemas nutricionais após o nascimento, ou seja, resultava basicamente de carência alimentar e de saneamento básico precário. Embora a mortalidade infantil diminuísse por todo o território, havia pronunciada desigualdade regional, e a taxa global ainda era muito elevada, mesmo para os padrões latino-americanos.[37] Em 1980, a mortalidade infantil no Nordeste era quase o dobro da taxa verificada no Sul e no Sudeste. De fato, a disparidade entre as taxas foi maior em 1980 do que havia sido em 1950, pois a queda da mortalidade infantil nas regiões economicamente mais avançadas foi muito mais rápida que a verificada nos estados mais pobres do Nordeste (Gráfico 14).

A distribuição das mortes em 1949-1951 ainda refletia o padrão de uma sociedade tradicional, na qual as mortes por doenças infecciosas eram as principais causas da mortalidade. Naqueles anos, a tuberculose liderava as estatísticas, explicando 15% de todos os óbitos no Brasil. Em seguida vinham a diarreia de adultos, com 10%, as doenças do coração, com 9%, e, mais abaixo, o câncer, responsável por 5% de todas as mortes. Em conjunto, as principais doenças infecciosas (tuberculose, pneumonia, diarreia e sífilis) respondiam

GRÁFICO 12: MORTALIDADE INFANTIL, 1950-1955 A 1980-1985
(MORTES ABAIXO DE 1 ANO POR 1.000 NASCIMENTOS NO ANO)

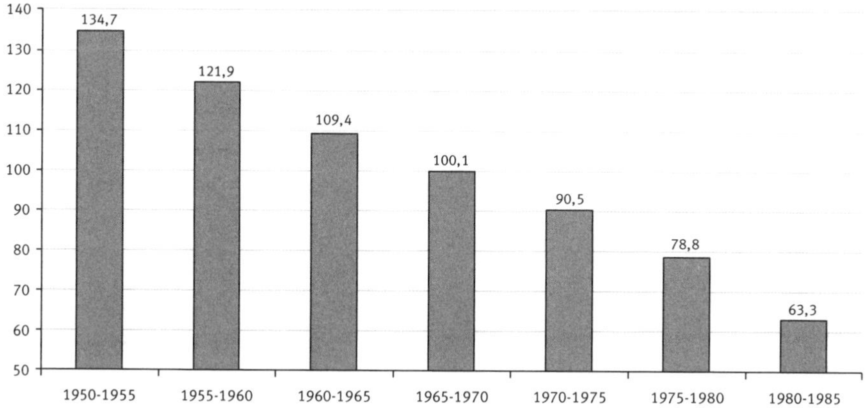

Fonte: Celade, Brasil, "Índices de crescimento demográfico".

GRÁFICO 13: PROPORÇÃO DA MORTALIDADE TOTAL
POR GRUPO ETÁRIO, 1950-1955 A 1980-1985

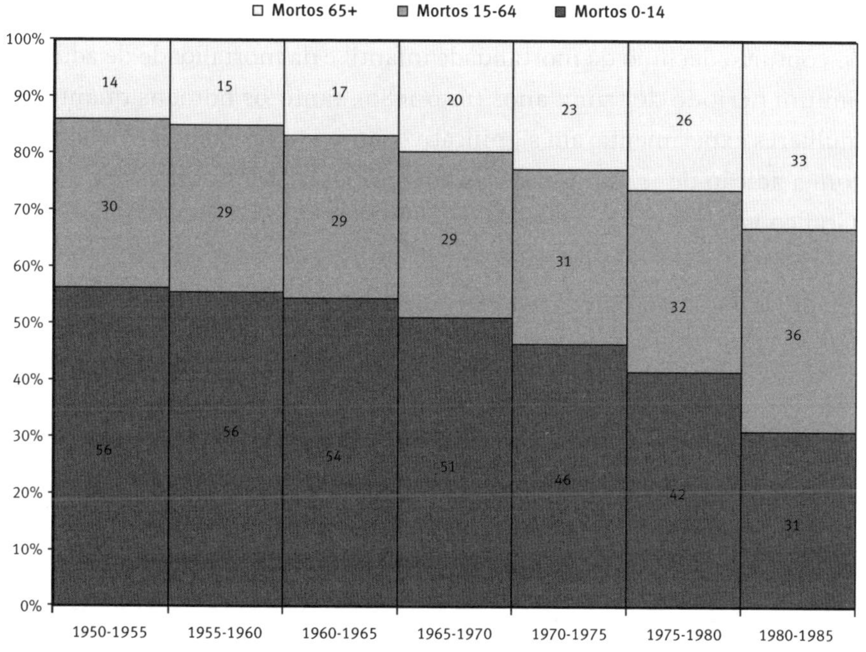

Fonte: Celade, Brasil, "Índices de crescimento demográfico".

por 37% do total das mortes em todas as idades. As duas principais causas da mortalidade nas sociedades industriais modernas, o câncer e as doenças do coração, representavam apenas 14% de todos os óbitos no Brasil.[38]

GRÁFICO 14: MORTALIDADE INFANTIL POR REGIÃO, 1950-1980 (MORTES DE CRIANÇAS POR 1.000 NASCIDOS VIVOS)

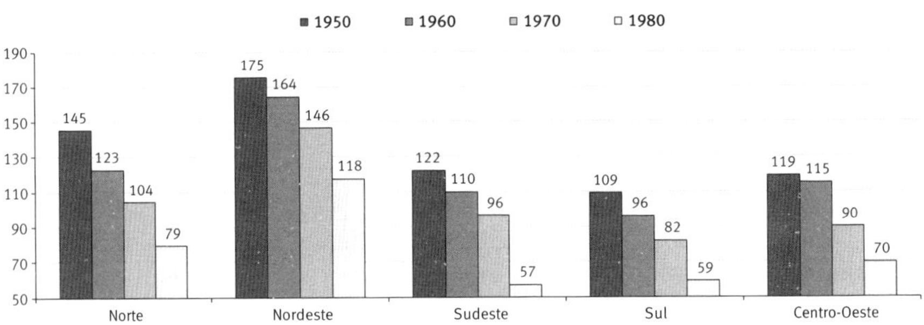

Fonte: IBGE.

No entanto, apesar das desigualdades que persistiam, das elevadas taxas de mortalidade infantil e da expressiva incidência de doenças infecciosas, a expectativa de vida avançou de forma expressiva, em decorrência do contínuo declínio da mortalidade infantil e da mortalidade de adultos. Em um período de trinta anos (1950-1980), tanto os homens quanto as mulheres experimentaram significativo aumento na expectativa de vida, com a adição de 11,1 anos para os homens e 14,1 anos para as mulheres (Gráfico 15).

GRÁFICO 15: EXPECTATIVA DE VIDA AO NASCER, BRASIL, 1950-1955 A 1980-1985

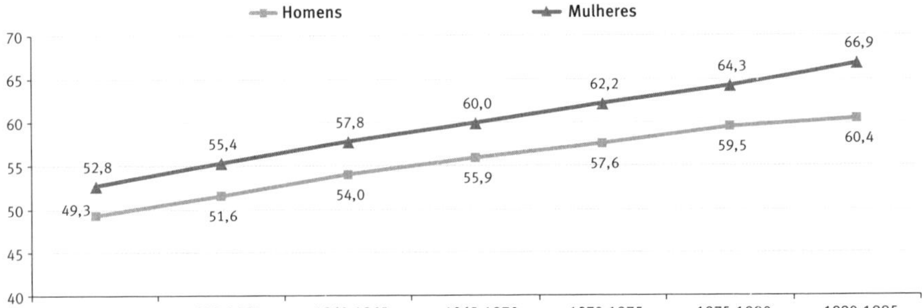

Fonte: Celade, Brasil, "Índices de crescimento demográfico".

Embora a expectativa de vida estivesse aumentando para todos os brasileiros, as profundas disparidades regionais, que refletiam diferenças de classe e de cor no acesso aos recursos materiais, faziam com que as taxas do Nordeste se mantivessem muito abaixo das atingidas nas regiões Sul e Sudeste. Considerados os resultados da expectativa de vida, em 1980 ainda prevalecia o padrão clássico de uma nação dividida entre regiões avançadas e atrasadas que um economista chamou de "Belíndia": uma parte do país assemelhava-se à Bélgica em suas estatísticas vitais, enquanto a outra parte mantinha padrões similares aos observados na Índia.[39] Embora a disparidade mudasse lentamente ao longo do meio século seguinte, ela ainda era evidente em 1980,[40] pois a diferença na expectativa de vida entre as duas regiões (Nordeste e Sudeste) alcançava surpreendentes 7,9 anos para os homens e 7,8 anos para as mulheres (Gráfico 16). As diferenças regionais na expectativa de vida dos brasileiros também deveriam refletir as disparidades de classe no interior das regiões. Naquele ano, era de 14,8 anos a diferença de expectativa de vida entre as pessoas que recebiam um salário mínimo e os que recebiam cinco ou mais salários mínimos, o que demonstra a profunda desigualdade da sociedade brasileira.[41]

GRÁFICO 16: EXPECTATIVA DE VIDA AO NASCER, POR REGIÃO E SEXO, 1980

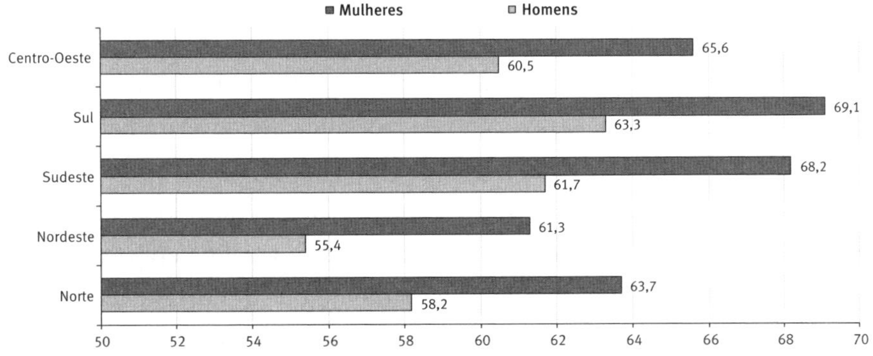

Fonte: Oliveira e Albuquerque, "A mobilidade no Brasil no período 1980-2004", tabelas 2 e 3, 2006, p.8-9.

Com a mortalidade em queda rápida, o declínio inicial ainda modesto da fertilidade teve pouco efeito sobre o crescimento da população. Isso ocorria pela maior sobrevivência de mulheres a seus anos férteis, o que aumentava o número de mulheres, ainda que a taxa de fecundidade global diminuísse. No período 1950-1960, a taxa de crescimento natural da população atingiu o pico de 3% ao ano, o que representava um dos níveis mais elevados do mundo (Gráfico 17). Naquele ritmo de crescimento, a população brasileira, de 51 milhões de pessoas, dobraria em 17,3 anos (1967). No entanto, em razão da queda progressiva da taxa de crescimento natural da população, o número de 102 milhões de habitantes somente foi atingido uma década depois.

GRÁFICO 17: TAXA GEOMÉTRICA DE CRESCIMENTO ANUAL DA POPULAÇÃO, 1872-2010

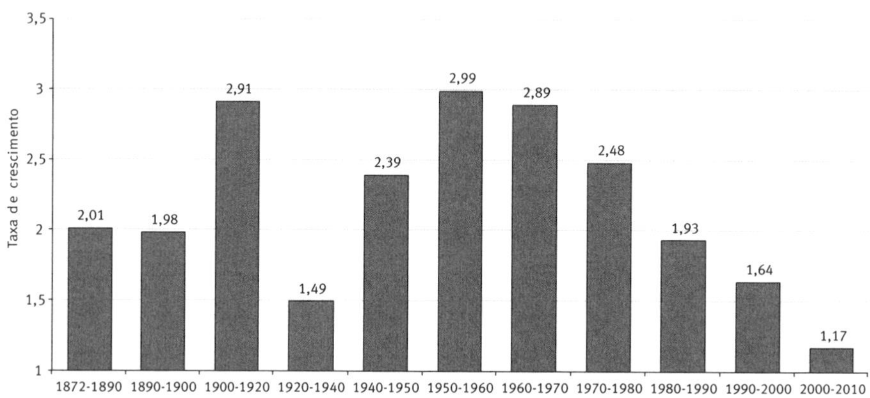

Fonte: IBGE, 2010.

A rápida mudança na taxa de crescimento natural relacionava-se às alterações ocorridas nas taxas brutas de mortalidade e de fecundidade, sem influências significativas das migrações internacionais. Naquele período de excepcional crescimento, houve uma fase inicial (1940-1960) em que a mortalidade declinou mais depressa que a fertilidade; na etapa seguinte (1960-1980), a fertilidade caiu mais lentamente que a mortalidade; como consequência, na década de 1970 houve uma redução no ritmo de crescimento natural da população. Essa redução persistiu a partir de 1980, à medida que a taxa bruta de natalidade continuou em queda, enquanto a taxa bruta de mortalidade passava a apresentar variações relativamente modestas (Gráfico 7).

Todas as mudanças apontadas em educação, fertilidade, mortalidade e mobilidade geográfica e social caracterizaram o período militar como uma fase de marcantes transformações sociais. Embora parte das transformações fosse ocasionada por fatores exógenos, fora do controle governamental, as profundas mudanças institucionais, em particular na esfera econômica, tiveram expressiva influência na aceleração das transformações sociais que já ocorriam na sociedade brasileira.

Em razão dos vários fatores apontados, entre os quais se destacam a significativa expansão da educação e a rápida industrialização, foi um período de mobilidade social incomum, pois a mobilidade estrutural substituiu temporariamente a circular, que representa a forma mais tradicional de mobilidade. Foi também um momento em que a mortalidade infantil iniciou uma fase de expressivo declínio, ocasionando forte crescimento na expectativa de vida. Durante o regime militar, o Brasil finalmente entrou num período de transição demográfica – pela primeira vez na sua história, a taxa global de fecundidade passou a cair de forma dramática –, da qual nunca mais se recuperou. O crescimento populacional, que fora explosivo na década anterior, e que ainda se mostrava muito elevado nos primeiros anos do regime, passou a declinar fortemente.

Aquela foi também uma fase de grandes migrações internas, das áreas pobres para as ricas e do campo para as cidades, ocorrendo uma queda relativa e absoluta da população rural e transformando o Brasil, definitivamente, numa sociedade urbana. Essas tendências não se esgotaram com o fim do período militar, e seus efeitos prosseguiram por longo tempo. Os governos democráticos que vieram em seguida foram obrigados a lidar com algumas das consequências da fase anterior, em particular com a profunda desigualdade que marcava a sociedade brasileira. Assim, no fim do regime militar, o governo democrático instituído, que enfrentava uma profunda crise e fortes desequilíbrios na área econômica, procurou também reduzir as inaceitáveis desigualdades sociais e regionais vigentes. Mas os resultados só surgiram depois que o Brasil alcançou a estabilidade econômica, o equilíbrio fiscal e o controle inflacionário, o que demandou cerca de vinte anos.

5. Transformações econômicas no período militar (1964-1985)

Francisco Vidal Luna
Herbert S. Klein

Em outubro de 1960, Jânio Quadros, político populista com carreira meteórica em São Paulo, venceu as eleições para presidente da República, e João Goulart, que fora vice-presidente no governo de Juscelino Kubitschek, foi reconduzido ao cargo. Logo ao assumir, Jânio tomou medidas de grande repercussão: uma política externa de maior independência e, mais tarde, a condecoração de Che Guevara. Na área econômica, denunciou a situação herdada de seu antecessor e lançou um programa de estabilização, com desvalorização cambial, redução dos gastos públicos e expansão monetária. Entretanto, menos de seis meses após a posse, renunciou ao mandato. João Goulart, como vice-presidente, seria seu sucessor natural. Mas os militares se opuseram à posse de Goulart, e a solução veio na forma de implantação do regime parlamentarista de governo.

O período Goulart seria marcado pela crescente agitação política nas áreas sindical, camponesa – com a formação das Ligas Camponesas –, estudantil e na própria Igreja católica, de onde surgiram vários grupos de esquerda. Da coligação de forças entre a esquerda e os grupos nacionalistas surgiram as propostas de reformas estruturais, conhecidas como reformas de base, como a reforma agrária, a urbana e da educação. Defendia-se também o voto dos analfabetos.

Embora com pouca base parlamentar, e com poderes limitados pelo regime parlamentarista, Goulart mobilizou a sociedade a favor de um plebiscito e reintroduziu o regime presidencialista em janeiro de 1963.

Na área econômica, a situação era crítica, com baixo crescimento e inflação de 80% ao ano. Com o objetivo de conter o processo inflacionário e retomar o crescimento, lançou-se o Plano Trienal, coordenado pelo economista Celso Furtado. O Plano apontava o setor externo e o setor público como principais causas da inflação, e, para aliviar a pressão do setor público, sugeria aumentar a carga fiscal, reduzir o dispêndio e captar recursos do setor privado por intermédio do mercado de capitais. Apesar do empenho governamental, não havia condições objetivas para o sucesso do Plano Trienal. Em 1963, a inflação aumentou para 82%, e o crescimento do produto foi quase nulo.[1]

Em abril de 1964, após uma forte turbulência política, ocorreu o golpe militar que derrubou o governo Goulart e implantou uma ditadura que se manteve no poder por 21 anos. Castello Branco, primeiro presidente do regime militar, assumiu o governo em abril de 1964. A análise oficial da crise econômica, exposta no chamado Plano de Ação Econômica do Governo (Paeg), identificava sérias distorções na estrutura econômica e apontava o conflito distributivo como principal causa da recessão e da inflação.[2] O conflito distributivo ocorria por distorções no setor produtivo e pela pressão excessiva na demanda agregada, exercida pelo elevado déficit público financiado por emissões de moeda, pela expansão excessiva do crédito ao setor privado e por fortes demandas salariais. A estrutura fiscal inadequada e o sistema financeiro rudimentar eram outros aspectos que limitavam o crescimento.

Com esse diagnóstico, o governo colocou em prática um programa de estabilização e reformas que se beneficiava do regime autoritário em vigor. Ele foi muito bem-sucedido na área fiscal, com a criação de um novo sistema tributário e a instituição da correção monetária. A indexação, implantada inicialmente na correção de tributos em atraso, aumentou a eficiência fiscal em uma economia ainda com inflação elevada. Também passou a ser utilizada na correção da dívida pública federal, viabilizando pela primeira vez a venda de títulos públicos de médio e longo prazo. A indexação explicaria a formação de um mercado financeiro relativamente sofisticado, apesar da persistência da inflação. Com as mudanças efetuadas na área fiscal, reduziu-se o déficit público, e seu financiamento passou a ser feito pela colocação de dívida pública, ao contrário da prática anterior, de financiamento via emissões monetárias.[3]

Também ocorreram diversas mudanças na área trabalhista. A mais importante foi a nova legislação salarial, com impacto direto sobre os reajustes de salário e a própria distribuição de renda. Até então, os salários eram reajustados anualmente, para compensar a inflação do período. A nova legislação corrigia-os segundo uma fórmula que considerava não só a inflação passada, mas também sua previsão para os doze meses seguintes. Como a inflação futura era sistematicamente subestimada, a nova legislação provocou perda salarial sistemática, com perversos efeitos distributivos. A redução deliberada dos salários reais, o chamado "arrocho salarial", restringiu tanto a demanda agregada quanto os custos da mão de obra para a iniciativa privada. A legislação, introduzida num regime extremamente repressivo (que abrangia o controle das atividades sindicais), provocou perda significativa nos salários reais e foi uma das principais causas do sucesso do programa de estabilização. O salário mínimo anual médio real, por exemplo, reduziu-se de um índice 100 em 1964 para 82 em 1977 (Gráfico 1). Dificilmente tais medidas poderiam ter sido implantadas em um regime aberto e com liberdade sindical.

GRÁFICO 1: ÍNDICE DE SALÁRIO MÍNIMO REAL, 1960-1977 (1964=100)

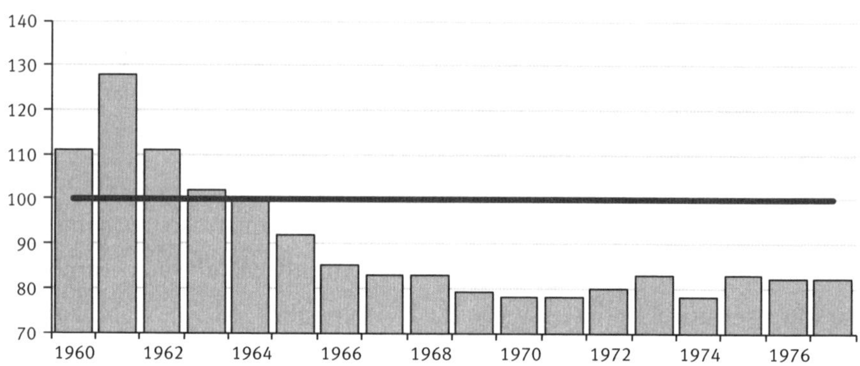

Fonte: Ipeadata.

Paralelamente ao controle fiscal e monetário, o governo promoveu um amplo processo de correção de preços de bens e serviços públicos, e aboliu o controle de preços dos aluguéis. Essas medidas limitaram o efeito do controle monetário, fiscal e do arrocho salarial sobre a taxa de inflação; mesmo assim, houve inegável sucesso, pois a variação dos preços ao consumidor na cidade do Rio de Janeiro, que atingira 91% em 1964, reduziu-se para 30% em 1967. A despeito da capacidade ociosa, as políticas de restrição ao crédito causaram queda de 4,7% na produção industrial em 1965. Entretanto, o Produto Nacional Bruto (PNB) cresceu, em razão do excelente desempenho da agricultura naquele ano. Em 1966, o PNB cresceu 6,67%, com forte recuperação industrial e declínio da agricultura.

O governo Castello Branco instituiu as bases de um novo sistema bancário e de mercado de capitais, criando inclusive o Banco Central do Brasil. No mesmo período, surgiu um novo esquema de financiamento imobiliário, com a criação do Banco Nacional da Habitação (BNH) e seus agentes financeiros, contando com amplos recursos financeiros gerados por um novo sistema nacional de poupança forçada. Até 1963, os empregados demitidos eram indenizados com o pagamento de um mês de salário para cada ano de serviço. Passados dez anos da contratação, exigia-se uma indenização em dobro, o que limitava a mobilidade da mão de obra. Esse sistema foi substituído pelo Fundo de Garantia do Tempo de Serviço (FGTS), que, além de dar flexibilidade ao mercado de trabalho, foi importante instrumento de poupança de longo prazo e fonte essencial de financiamento para as obras de habitação e saneamento.

Em 1967, quando o general Costa e Silva assumiu a Presidência, a economia exibia sinais de recessão em decorrência do arrocho salarial e das medidas restritivas para conter a inflação, tomadas no fim do governo Castello Branco. A indústria, por exemplo, que em 1966 apresentara extraordinário crescimento de 11,7%, desacelerou no ano seguinte para apenas 2,2%. Mas o regime autoritário precisava de legitimidade política, e a única forma de obtê-la era pelo crescimento econômico. Essa necessidade tornou-se o objetivo fundamental do governo de Costa e Silva e de seu sucessor, o general Garrastazu Médici, marcando a fase mais repressiva e autoritária do regime militar. O período (1967-1973) foi chamado de "milagre econômico", em razão das elevadas taxas de crescimento da economia.

Antonio Delfim Netto, empossado ministro da Fazenda, aproveitando as excelentes condições do mercado internacional e a capacidade ociosa do setor produtivo, colocou em prática um vigoroso programa de crescimento, com uma política econômica francamente expansionista. Ao mesmo tempo, criou um amplo sistema de subsídios para várias áreas da economia, em especial para a agricultura e as exportações, e implantou uma complexa estrutura de controle e administração de preços.

No caso da agricultura, foi estabelecido um sofisticado esquema de crédito subsidiado, o que possibilitou o rápido crescimento do setor. Os subsídios agrícolas foram concedidos para reduzir o custo dos alimentos, importante componente do índice de preços e, portanto, do custo da mão de obra. Nesse período, teve início o processo de integração agroindustrial, com a agricultura representando significativo mercado para a indústria nacional.

No setor de exportação, o governo introduziu mecanismos para estimular a manufatura, que até então tivera pouco peso nas vendas externas brasileiras. Além de créditos, subsídios e incentivos fiscais abundantes, as exportações contavam com uma taxa de câmbio realista e relativamente estável, graças ao sistema de minidesvalorizações periódicas, vinculado ao diferencial entre inflação interna e externa, o que proporcionava efetiva e permanente proteção aos exportadores.

Criou-se um amplo sistema de poupança voluntária e compulsória, inclusive com incentivos fiscais ao mercado de capitais, visto como instrumento vital para mobilizar a poupança necessária ao processo de crescimento. O governo federal, além de conceder crédito, incentivos e subsídios para estimular e direcionar o investimento privado para as áreas prioritárias, passou a atuar mais intensamente por intermédio das empresas públicas, em particular nas áreas de infraestrutura e insumos básicos. Mediante controle e administração de preços, um amplo sistema de incentivos e subsídios, e ação direta das estatais, o Estado passou a exercer comando quase absoluto sobre as principais decisões públicas ou privadas na área econômica. No Brasil, poucos projetos privados se iniciavam sem anuência de alguma instituição governamental para obter crédito, licença de importação ou subsídios fiscais. Ademais, poucos produtos escapavam ao controle de preços. Por fim, o Estado era o grande produtor de eletricidade, aço, minerais, combustíveis, fertilizantes e produtos químicos, entre outros insumos; controlava os serviços portuários, as telecomunicações e as ferrovias; e exercia papel fundamental no sistema de crédito.

Apesar da persistência da inflação, a indexação permitia que o governo criasse um sofisticado sistema de financiamento para investimentos em habitação e saneamento, mobilizando poupança voluntária e compulsória, como no caso do FGTS. Essa atividade era parte de um programa mais amplo de obras públicas do governo e das estatais, expandindo o emprego e incorporando novos trabalhadores à economia formal. No âmbito industrial, expandiu-se significativamente a produção de bens de consumo duráveis, tanto pelo aumento do mercado consumidor (em especial como resultado do crescimento da classe média) quanto pela criação de um novo sistema de crédito ao consumidor, que possibilitava a venda de ampla variedade de produtos, incluindo automóveis.

Embora a expansão do emprego acarretasse rápido aumento no número de assalariados, a manutenção do arrocho salarial e a repressão ao sindicalismo evitavam as pressões salariais.

Entre 1967 e 1973, o PNB aumentou a uma taxa média anual de 10%, e a indústria exibiu taxa ainda maior (Gráfico 2). A economia cresceu e modernizou-se, permitindo a expressiva incorporação de novos trabalhadores ao mercado formal de trabalho e a consolidação de um segmento médio de consumidores. Além do sucesso da política econômica adotada internamente, o Brasil beneficiou-se de um período de vigoroso crescimento internacional, quando a maioria dos países latino-americanos desenvolveu-se a taxas muito elevadas.

Há duas críticas fundamentais às políticas econômicas seguidas pelo governo naquele período. A primeira é que o crescimento se fez acompanhar de um processo de concentração de renda que ocorreu por diversas razões, em especial pela política salarial restritiva que impedia a transferência dos ganhos de produtividade para os trabalhadores. Nesse período, houve amplo debate sobre a questão. O governo afirmava que o elevado grau de desigualdade na distribuição de renda era fenômeno transitório, causado pelo processo de crescimento. Os economistas independentes e de oposição tinham opiniões diversas. Alguns argumentavam que ela não seria eliminada pelo crescimento, pois havia razões estruturais para explicar a distorção distributiva; outros relacionavam a concentração de renda ao arrocho salarial imposto pelo governo.[4]

GRÁFICO 2: VARIAÇÃO DO PRODUTO INTERNO BRUTO (PIB), 1958-1983

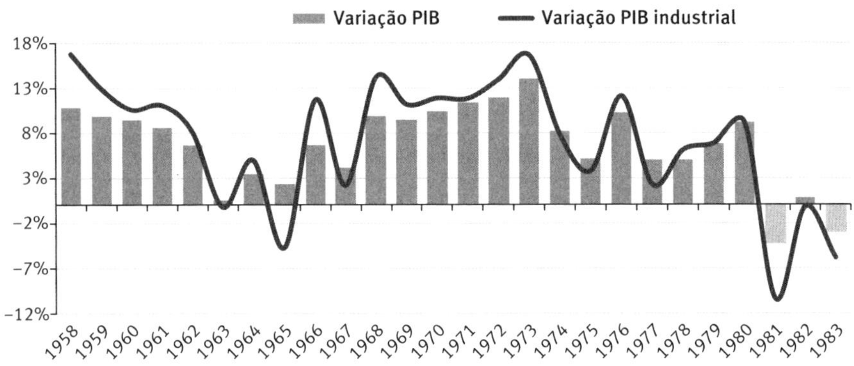

Fonte: Ipeadata.

O expressivo aumento da dívida externa representou outro aspecto fortemente criticado. Como sabemos, as crises brasileiras eram geradas, por tradição, na área externa, e no início do governo Costa e Silva o país estava vulnerável, pelo baixo nível das reservas internacionais. Isso explica por que o governo estimulou as exportações e abriu o país ao capital estrangeiro. Como os financiamentos externos eram mais baratos e de maior prazo, houve grande estímulo à captação de recursos privados no exterior. Essa política alterou a estrutura da dívida externa brasileira, até então baseada em fontes oficiais de crédito e obtida a taxas fixas de juros. A nova modalidade de dívida (a qual abrangia o financiamento às indústrias estatais) se baseava no crédito de bancos privados internacionais, com taxa de juros flutuantes e elevadas, se comparadas às cobradas pelas agências internacionais de crédito. O aumento da dívida externa, seu custo mais elevado e os juros flutuantes tornaram o país mais vulnerável a possíveis alterações no cenário internacional. Aliás, já na década de 1970, apesar do acelerado crescimento das economias avançadas, havia sinais de deterioração na área externa, com inflação ascendente e flutuação das principais moedas internacionais. O primeiro choque do petróleo (1973) foi um sinal da crise que se manifestaria nos anos 1980.

O "milagre econômico" ocorreu na fase mais reacionária do regime militar. Não se admitiam críticas, nem as imparciais, que apontassem erros na política econômica. O autoritarismo permeava todos os níveis do governo, num momento em que ele promovia ampla gama de investimentos no setor produtivo (com incentivos e subsídios para o setor privado), manipulava as principais fontes de crédito de curto e longo prazo, controlava preços e salários e administrava a taxa de câmbio. Aumentavam as distorções na economia, e a sociedade ficava mais injusta, em virtude de uma política econômica que fazia aumentar a concentração da riqueza.[5]

Em 1974, assumiu a Presidência o general Ernesto Geisel, com o compromisso de "abrir" o sistema político; porém, para legitimar essa abertura, ele precisava obter altos índices de crescimento econômico. Planos de estabilização recessivos não seriam politicamente aceitáveis e comprometeriam a meta de "abertura lenta, gradual e segura". O choque do petróleo, em 1973, afetara sobremaneira o país, que dependia daquela forma de combustível e importava 73% do consumo. Em 1984, para exportações de US$ 8 bilhões, havia um déficit na balança comercial de pouco menos de US$ 5 bilhões, em razão das importações de US$ 3 bilhões em petróleo e derivados. O déficit em transações correntes atingia 6% do Produto Interno Bruto (PIB) e a inflação anual chegava a 30%, retomando sua trajetória ascendente (Gráfico 3).

GRÁFICO 3: RESULTADO DA BALANÇA COMERCIAL, 1964-1983 (EM BILHÕES DE US$)

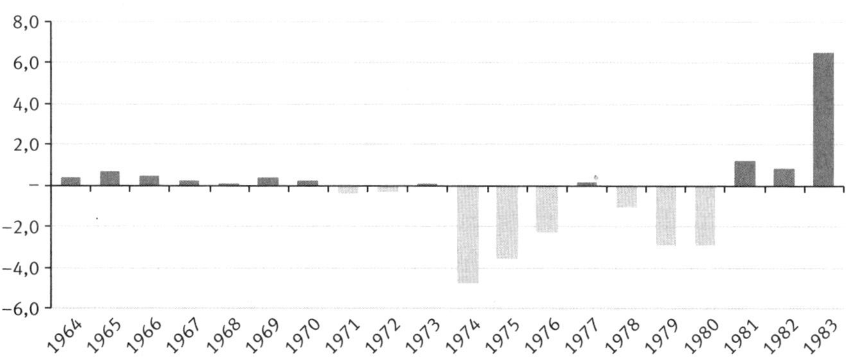

Fonte: Ipeadata.

A maioria dos países importadores de petróleo, atingidos pela crise, adotou programas recessivos, com restrições à demanda interna. O governo brasileiro seguiu caminho alternativo, desenvolvendo ambicioso programa de investimentos que visava ao aumento da oferta interna de bens de capital e insumos básicos, reduzindo a dependência das importações. A abundância de capital externo proveniente da reciclagem dos recursos gerados pelos países exportadores de petróleo possibilitava seguir o caminho pelo endividamento externo. Essa opção gerou maior endividamento interno e externo, maior inflação e o esgotamento da capacidade financeira do governo federal, pela administração de um sistema generalizado de subsídios (Gráfico 4).

GRÁFICO 4: ENDIVIDAMENTO EXTERNO DO BRASIL, 1964-1983 (EM BILHÕES DE US$)

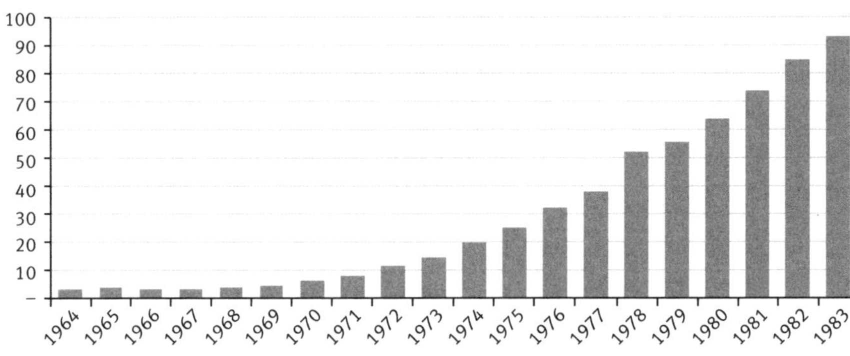

Fonte: Ipeadata.

O Segundo Plano Nacional de Desenvolvimento (II PND), que estabeleceu as bases do programa de investimentos, levou a grandes avanços na base produtiva do Brasil, com a implantação de um complexo setor de bens de capital e de insumos básicos. Isso permitiu substituir importações e exportar parte da produção de manufaturados. Embora o cenário econômico internacional mostrasse sinais preocupantes, o II PND previa uma trajetória otimista de crescimento. Alguns setores, como o de papel e celulose, apresentaram excelente desempenho, transformando-se em itens importantes na pauta de exportações. Em outros casos, ocorreram atrasos na implantação dos projetos ou erros de avaliação quanto ao comportamento futuro da economia nacional e internacional. O programa nuclear, a Ferrovia do Aço e a Açominas representam exemplos típicos desses fiascos caros e ineficientes. Amordaçadas a opinião crítica e a oposição, não havia forma eficaz de contestar a viabilidade desses projetos.[6]

Após o golpe de 1964, embora efetuasse transformações em diversos setores da economia, o regime militar procurou manter a estabilidade na zona rural, reprimindo protestos populares e realizando uma modernização agrícola conservadora, sem mudar a estrutura fundiária e as relações de trabalho. O novo governo via na agricultura uma das principais fontes de pressão inflacionária, pelas deficiências no abastecimento do mercado interno. Para conter as pressões salariais urbanas, era essencial melhorar o suprimento interno de alimentos e reduzir seus custos. Em um país pouco desenvolvido como o Brasil, com renda média baixa e mal distribuída, a alimentação era um componente fundamental do custo de vida, e portanto tinha forte impacto na formação do salário real. A política salarial restritiva representava um dos pilares do processo de estabilização da economia e de expansão do setor industrial.

A modernização da agricultura se processou com estrutura fundiária extremamente concentrada – legado do sistema de latifúndio colonial. A terra representava tradicionalmente, no Brasil, poder e reserva de valor. Posse e exploração econômica não estavam, em geral, associadas. Até meados do século XX, predominavam o latifúndio improdutivo e relações arcaicas de trabalho. Nas décadas de 1950 e 1960, essa deficiente estrutura do campo era apontada como um dos principais entraves ao desenvolvimento sustentado do país, pois limitava a expansão das forças produtivas e permitia a sobrevivência de uma estrutura de poder conservadora e ultrapassada. A concentração fundiária, além dos efeitos conservadores, do ponto de vista político, e nocivos, de uma perspectiva social, limitava a modernização da agricultura e se mostrava incapaz de prover abastecimento adequado, estável e barato para o mercado interno de alimentos. Desde os anos 1950 até o golpe militar de 1964, a proposta de solução para o problema foi a reforma agrária. A concentração agrária é demonstrada pelo índice de Gini da propriedade fundiária, que se mantinha praticamente inalterado desde 1920, variando entre 0,83 e 0,85.[7]

Os governos militares puseram fim ao debate sobre reforma agrária e estimularam a modernização da agricultura mantendo a concentração fundiária. A meta era ter abundância de alimentos a baixo custo, liberar mão de obra rural para a indústria urbana, abrir mercados internacionais para a produção agrícola e gerar as divisas necessárias ao crescimento.

O apoio militar à modernização agrícola abrangia várias frentes. Em primeiro lugar estava a oferta de crédito abundante e subsidiado. Em 1965, a criação do Sistema Nacional de Crédito Rural (SNCR) propiciou recursos substanciais para os produtores agrícolas e representou o principal instrumento do governo no fomento à agricultura. Além do sistema de crédito, implantaram-se os programas de garantia de preços mínimos e de formação de estoques reguladores (AGF e EGF). Em 1973 foi criada a Empresa Brasileira de Pesquisa Agropecuária (Embrapa), que desempenhou papel fundamental na modernização da agricultura brasileira.

O sistema de crédito rural baseava-se em recursos públicos, via "conta movimento" do Banco do Brasil ou repasses do Banco Central do Brasil, e as "exigibilidades", que correspondiam a uma parcela dos depósitos à vista dos bancos comerciais, aplicados obrigatoriamente em operações de crédito para a agricultura. O subsídio no crédito provinha da fixação das taxas de juros usualmente abaixo da taxa de inflação. Durante a década de 1970, o volume de crédito multiplicou-se por quatro, tendo em 1979 o melhor ano. A abundância e o custo negativo do crédito governamental para o produtor financiaram a modernização da agricultura em termos de equipamentos e insumos. Na década de 1970, formou-se um complexo industrial no Brasil que produzia máquinas, implementos, fertilizantes e pesticidas. A demanda gerada pela modernização agrícola foi importante fator para explicar o rápido desenvolvimento industrial do período. Entre 1960 e 1980, o número de hectares por trator diminuiu de 410 para apenas 99. O consumo médio de fertilizantes por hectare subiu de 8,3 quilos em 1964 para 27,8 quilos em 1970 e para 88 quilos em 1980.

Assim, o governo promoveu três políticas pró-agrícolas fundamentais: crédito subsidiado, preços mínimos e formação de estoques reguladores. Além disso, a produção agrícola nacional era protegida com tarifas alfandegárias e autorizações prévias de importação, o que tornava o mercado praticamente imune à concorrência externa. Dessa maneira, o governo conseguiu garantir tanto renda ao produtor quanto estabilidade de preços ao consumidor. Ainda ajudou este último controlando o preço dos insumos. Até os produtos destinados ao mercado externo sofriam forte intervenção governamental. Além do controle sobre a taxa de câmbio (variável essencial para itens exportáveis), estabeleceram-se normas para orientar a exportação, em muitos casos pela ação de órgãos públicos importantes, como o Instituto do Açúcar e do Álcool (IAA) e o Instituto Brasileiro do Café (IBC).

O trigo estava sob outro complexo sistema de controle por parte do governo federal, que se responsabilizava pelas aquisições internas e externas do produto e regulava o abastecimento para os moinhos do país, por meio de um sistema de cotas. Como o produtor nacional não era competitivo, o governo controlava a importação, comprava o trigo a preços que refletiam os elevados custos da produção interna e vendia o produto final ao consumidor com subsídios, para evitar o impacto sobre o índice de preços ao consumidor. Essas políticas estimulavam a modernização da agricultura em termos de máquinas, implementos, fertilizantes e pesticidas, mas criavam distorções na alocação de recursos e desencorajavam o aumento da produtividade.[8]

Além dos incentivos pelo crédito e pela política de preços mínimos, o governo federal implantou, sob a liderança da Embrapa, um programa de pesquisas crucial para a modernização da agricultura. Com foco no agronegócio, a meta era fornecer soluções para o desenvolvimento da agricultura pela geração, adaptação e transferência de conhecimento científico e tecnológico.[9] Em retrospecto, o desempenho da agricultura brasileira em 1960-1980 pode ser considerado bastante favorável, pois representou o primeiro salto para a modernidade, com aumento na área cultivada e na produtividade por hectare. A produção de grãos passou de 20 milhões de toneladas em 1960 para 52 milhões em 1980. No mesmo período, se houve duplicação da área cultivada (de 19 milhões para 38 milhões de hectares), houve também aumento da produtividade, possibilitando que o volume das safras se multiplicasse por 2,6 (Gráfico 5).

GRÁFICO 5: PRODUÇÃO DE GRÃOS, 1961-1985

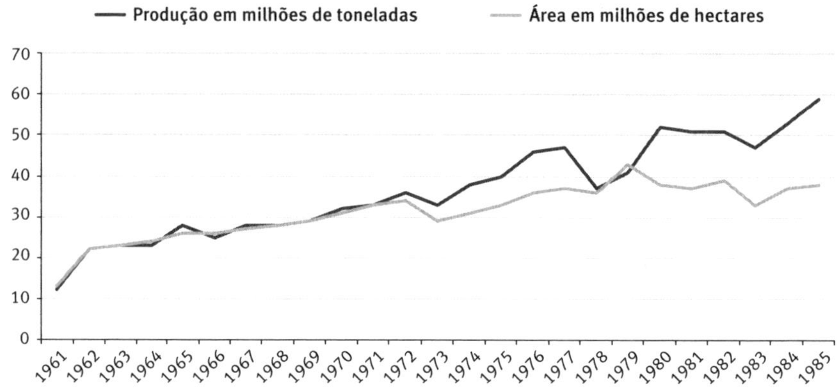

Fonte: Ipeadata.

A soja sobressaía entre os novos grãos no processo de modernização agrícola. Seu cultivo, introduzido no final da década de 1950, já alcançava nível de produção de 15 milhões de toneladas em 1980, quando apenas o milho a superava. Entre outros itens que começaram a ser exportados em larga escala naquele período, foi notável a inserção do Brasil no mercado internacional de suco de laranja. A cana-de-açúcar também teve vigorosa expansão, em especial após a implantação do Proálcool, o bem-sucedido programa de substituição da gasolina por um combustível renovável. Até uma cultura tradicional como o trigo foi transformada pelos fortes incentivos governamentais. Em meados da década de 1980, pela primeira vez nos tempos modernos, a produção nacional conseguiu suprir a maior parte do consumo interno.

Em 1979, no fim do governo Geisel, o país sofrera profundas transformações econômicas. O apoio estatal completou o processo de substituição de importações, conferindo ao núcleo industrial brasileiro uma estrutura completamente integrada, inclusive com um amplo setor de produção de bens de capital. O Brasil possuía um dos maiores e mais integrados complexos industriais entre os países em desenvolvimento. Todavia, sofria o impacto do aumento nos preços do petróleo, da aceleração nas taxas de juros internacionais e do lento crescimento das exportações mundiais. As principais economias mundiais estavam em processo de reajuste à nova realidade da energia cara e reduziam suas importações. A opção brasileira por manter o elevado nível da atividade econômica (com taxa de crescimento anual superior a 6% durante aquele período) produziu forte déficit nas transações correntes, financiado por recursos externos ainda abundantes. Ocorreu extraordinário aumento na dívida externa, que se multiplicou por quatro, tendo passado de 17% para 27% do PIB. As taxas internacionais de juros ultrapassaram os 10% em 1979 e continuaram a subir pelos anos seguintes, afetando a maior parte da dívida externa brasileira, baseada em juros flutuantes. Por esse motivo, o serviço anual da dívida externa, inferior a US$ 1 bilhão em 1973, ultrapassou os US$ 5 bilhões em 1979 e dobrou em 1981. Neste último ano, os juros pagos da dívida externa representaram metade do valor das exportações brasileiras.

Estava delineado o cenário para uma crise da dívida externa, no contexto de crise no mercado financeiro internacional. Ademais, a deterioração das contas públicas internas e o choque de preços causado pela alta do petróleo provocaram elevação de preços inclusive nos países ricos. A inflação brasileira, assim, retomava sua trajetória ascendente, passando dos 50% anuais em 1979 (Gráfico 6).

GRÁFICO 6: VARIAÇÃO ANUAL DO CUSTO DE VIDA NA CIDADE DE SÃO PAULO, 1960-1984

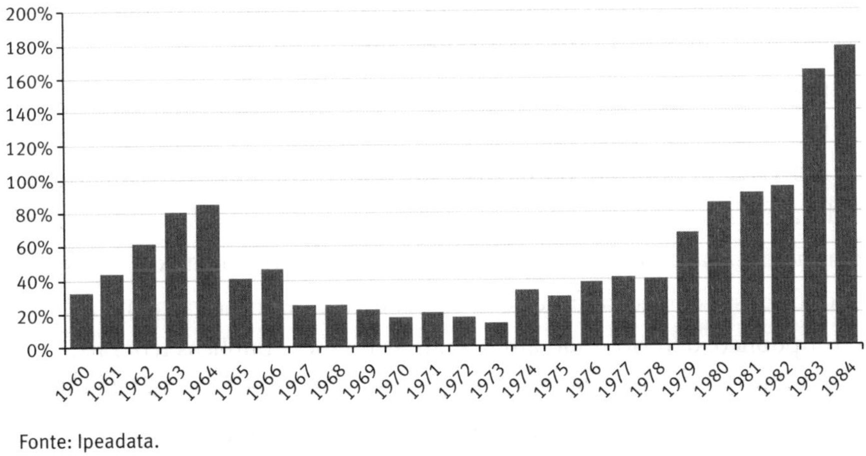

Fonte: Ipeadata.

No período em questão, ganharam importância as operações internacionais de crédito, em geral menos onerosas e com prazos mais dilatados. As multinacionais e as grandes empresas nacionais eram as maiores beneficiárias disso, pela possibilidade de acesso direto aos bancos internacionais. As empresas nacionais de menor porte dependiam do sistema bancário interno para repasse desses recursos, realizados com prazos menores e custos maiores. Esses financiamentos externos, cada vez mais procurados pelos setores privado e público, explicam parte importante da crescente dívida externa.

Por paradoxal que isso possa parecer, o processo de endividamento externo ampliava também o endividamento interno. O governo detinha o monopólio cambial e ampliava as reservas com os dólares recebidos nessas transações. Por outro lado, colocava dívida pública interna para esterilizar a ampliação monetária provocada pela compra dos dólares gerados pelo setor privado ou pelas empresas estatais. Como a dívida pública interna custava mais que o rendimento das reservas, seu acúmulo representava um ônus para o Banco Central ou para o Tesouro. Apesar do custo, o acúmulo de reservas por endividamento interno era defendido pelas autoridades econômicas, pois aumentava a credibilidade externa do país, propiciando melhores condições de crédito no mercado internacional. Mas o acréscimo do endividamento interno onerava sobremaneira as finanças públicas.[10]

Além da questão da dívida, a indexação generalizada também trazia problemas. Quando a inflação alcançava níveis muito elevados, crescia a dispersão de preços, e vários segmentos econômicos ou grupos sociais, que tinham seus preços, rendas ou salários corrigidos abaixo das taxas médias de inflação, enfrentavam problemas para honrar compromissos financeiros indexados. A situação levou o governo a corrigir vários passivos financeiros por índices abaixo da inflação média, em alguns casos com taxas prefixadas. O ônus dessa correção imperfeita recaía direta ou indiretamente sobre o setor público, deteriorando ainda mais as finanças públicas federais.

O Banco Nacional de Desenvolvimento Econômico e Social, que utilizava fundos de poupança compulsória, limitou a indexação ao percentual de 20%, não importando a inflação e o índice de correção monetária do período. O segmento habitacional, que usava fundos do FGTS ou da caderneta de poupança, começou a corrigir as prestações da casa própria abaixo da inflação, acarretando prejuízos mais tarde assumidos pelo setor público. A agricultura também recebia crédito corrigido a taxas negativas. O governo operava com spread negativo, pois pagava sua dívida com correção monetária plena e juros reais elevados, e administrava um amplo sistema de crédito subsidiado.[11]

Ao limitar a correção do saldo devedor dos empréstimos em diferentes setores da economia, o governo provocava a exaustão dos recursos disponíveis para novos financiamentos, como ocorreu no segmento habitacional. Durante vários anos, fora possível desenvolver um ambicioso programa de habitação e saneamento. Mas, ao limitar-se a correção das prestações pagas pelos tomadores, reduziu-se o fluxo de retorno dos financiamentos, inviabilizando a realização de novos empreendimentos, em especial para as famílias de baixa renda, o que levou à prevalência da construção familiar individual, no mais das vezes precária, desprovida de infraestrutura e dependente da poupança pessoal. A deterioração das condições de financiamento para a habitação e o saneamento provavelmente é uma das causas da rápida disseminação das favelas pelo Brasil.

Em 1979, quando o general Figueiredo assumiu a Presidência, o país, que já era extremamente vulnerável em termos de dívidas interna e externa, com inflação crescente e finanças públicas deterioradas, deveria enfrentar o segundo choque do petróleo. Ao contrário do ocorrido no choque de 1973, na nova crise o mercado internacional reduziu drasticamente a oferta de recursos para os países devedores, que enfrentaram problemas para renovar seus empréstimos externos. De início, o novo governo brasileiro formulou um plano de austeridade, conduzido por Mario Henrique Simonsen, ministro da Fazenda. Entretanto, a falta de resultados imediatos (sobretudo no controle da inflação) e as dificuldades políticas fizeram o governo abandonar o plano de austeridade, e Delfim Netto voltou ao comando da economia.

Em dezembro de 1979, o governo promoveu uma maxidesvalorização cambial de 30% e, como forma de combater a inflação, prefixou a desvalorização cambial e a correção monetária para 1980 (respectivamente, 45% e 40%). Houve crescimento rápido e considerável, mas a inflação logo chegou ao patamar dos 100%, o déficit nas transações correntes superou os 5% do PIB, as reservas diminuíram.

Por essa razão, no fim de 1980, o governo se viu obrigado a fazer outra mudança radical na política econômica, seguindo o método tradicional de redução do consumo interno como modo de resolver a crise na balança de pagamentos. O segundo choque do petróleo e a elevação das taxas de juros no mercado internacional alteraram de forma dramática as condições externas, afetando seriamente os países endividados. Isso ficou claro na crise da dívida mexicana (1982) – a maioria dos países periféricos exibiu deterioração das contas externas, e até os países ricos sofreram as consequências. Houve recessão na maioria das economias, diminuiu o comércio entre países e reduziu-se o crédito no mercado financeiro internacional, em particular para os países endividados. Os grandes bancos internacionais tiveram problemas com seus ativos, pois a maior parte deles concedera volumes significativos de crédito a nações que agora enfrentavam dificuldades para honrar seus compromissos financeiros.

Esse foi o começo da "crise da dívida externa", que se prolongaria década adentro e afetaria quase todos os países latino-americanos, que tiveram de reestruturar a dívida externa. Rompia-se na década de 1980 uma longa trajetória de crescimento que aqueles países puderam sustentar durante a maior parte da segunda metade do século XX.

Diante da crise financeira internacional, o Fundo Monetário Internacional (FMI) assumiu papel basilar no processo de ajuste da maioria das nações endividadas. Para receber ajuda do FMI e reestruturar suas dívidas com os bancos privados, os países endividados precisaram implantar programas de ajuste recessivo. Para o Fundo, a crise externa dos países endividados fora ocasionada por gastos internos excessivos, provocando déficit na conta de transações correntes e endividamento insustentável. Os países devedores precisavam gerar superávits na balança comercial para pagar os juros da dívida externa e, se possível, amortizar parte do principal.

Para viabilizar esse plano, era preciso reduzir drasticamente a absorção interna, com medidas recessivas executadas por meio de política monetária restritiva (controlando a expansão do crédito, em especial para o setor público, e aumentando a taxa de juros), corte nos gastos públicos e diminuição da demanda de consumo, pelo controle dos salários e aumento da tributação sobre a renda disponível. Por outro lado, deveria haver equilíbrio nas contas públicas, tanto cortando gastos quanto eliminando incentivos e subsídios. Por fim, para estimular as exportações, seria preciso promover severa desvalorização cambial. A recessão e a desvalorização do câmbio permitiriam gerar o superávit comercial necessário para honrar o serviço da dívida externa.

No final de 1980, após a desastrosa experiência heterodoxa (prefixação do câmbio e da correção monetária), o Brasil, ainda sem recorrer ao FMI, tentou ajustar a economia com drástica política restritiva para diminuir a demanda interna, equilibrar as contas externas e conter a inflação. Reduziu-se o crédito bancário, impuseram-se taxas reais de juros e restringiram-se os investimentos públicos. Foram eliminados numerosos subsídios e se estabeleceu legislação mais severa para a correção salarial, diminuindo ainda mais o valor real dos salários. Tais medidas provocaram profunda recessão, com queda de 4,3% no PIB. A balança comercial tornou-se positiva, com superávit superior a US$ 1 bilhão, mas a balança de pagamentos foi muito afetada pela necessidade de pagar juros da ordem de US$ 10 bilhões, quantia muito expressiva quando se considera que o país exportava apenas US$ 23 bilhões. Em 1982, o serviço da dívida consumiu US$ 12 bilhões, e, diante da recessão global e da retração na capacidade de importar da maioria dos países, as exportações encolheram para US$ 20 bilhões. O déficit em transações correntes chegou a 6% do PIB, e as reservas líquidas do Brasil se exauriram. Caracterizou-se, assim, a virtual insolvência externa do país.

Em agosto de 1982, a crise mexicana expôs com clareza a gravidade da situação. Os bancos internacionais fecharam as portas ao Brasil. Exigiam que o país fizesse um acordo formal com o FMI, por fim assinado em 20 de novembro, cinco dias após as eleições daquele ano (pela qual, depois de mais de vinte anos, os brasileiros elegeriam os governadores por voto direto). Muito embora o governo negasse as negociações com o FMI e tentasse ocultar a verdade, era evidente que havia uma crise. A oposição obteve vitória excepcional no pleito, assumindo o comando de praticamente todos os grandes estados. Em fevereiro de 1983, o país assinou acordo com os bancos credores, mas a situação econômica agravou-se. A escassez de reservas internacionais obrigava o Brasil a postergar seus compromissos externos. Ademais, era muito difícil honrar o acordo com o FMI, que requeria o aprofundamento do ajuste na economia, embora o país já estivesse em profunda recessão. A aceleração dos preços e a indexação tornavam impossível cumprir as metas de inflação e déficit público. Houve uma série de cartas de intenção (sete em dois anos), com desgaste no relacionamento entre as autoridades governamentais e o FMI. Cabia aprofundar a recessão e aprovar uma legislação salarial ainda mais restritiva.

No início de 1983 ocorreu outra maxidesvalorização de 30%, e no mesmo ano o PIB reduziu-se em 2,9%. Entretanto, graças à desvalorização cambial e à redução do consumo, o superávit da balança comercial chegou a US$ 6 bilhões, e o déficit nas transações correntes diminuiu para 3,5% do PIB. O forte ajustamento interno, associado a condições externas favoráveis, tais como a recuperação mundial, a queda no preço do petróleo e a redução das taxas de juros internacionais, contribuiu para o ajustamento na balança de pagamentos e para que se atendessem às metas acordadas com o Fundo. Os resultados externos favoráveis se repetiram em 1984, e o PIB cresceu 5,4%. A inflação, porém, atingiu novo teto, ultrapassando os 200% anuais.[12]

O processo de ajuste teve sérias consequências para o país. A inflação continuou ascendente, alcançando níveis insuportáveis, apesar da indexação generalizada. Numa tentativa de contê-la, os salários foram corrigidos de modo menos eficiente, o que provocou perdas adicionais na renda real dos trabalhadores. Com vistas a frear a espiral inflacionária, continham-se as tarifas públicas, deteriorando ainda mais as contas nesse setor, que encontrava dificuldade para obter financiamento no mercado internacional. Passou-se, então, a competir com o setor privado pelo crédito no mercado interno, e isso fez com que as taxas de juros internos subissem significativamente, tornando ainda mais oneroso o serviço da dívida pública.

Nesse processo de ajuste, provocava-se um desequilíbrio interno ao se corrigir o desequilíbrio externo. Com a alta dos juros e a deterioração das contas públicas, o investimento produtivo diminuiu dramaticamente. A inflação era outro aspecto relevante da crise dos anos 1980. Em geral, políticas que reduziam o consumo interno se mostravam eficazes para conter as pressões inflacionárias. Contudo, o exemplo brasileiro parecia indicar que havia um componente de inércia inflacionária, e que os métodos convencionais não funcionavam numa economia com alto grau de indexação. Na primeira metade da década de 1980, surgiram propostas de política anti-inflacionária alternativa que seriam a base teórica do Plano Cruzado, lançado em 1986.[13]

O novo governo democrático que assumiu em março de 1985 encontraria um país endividado, enfrentando problemas externos e assolado por uma inflação galopante. Este seria o quadro que marcaria o Brasil até 1994, quando o Plano Real permitiu estancar o processo inflacionário e conduzir o país para um longo período de estabilidade econômica.

6. Revisitando o tempo dos militares

Renato Ortiz

Já no final dos anos 1970 interessei-me pelas transformações então recentes da sociedade brasileira. Talvez, ao me ausentar do país durante alguns anos, a experiência de desenraizamento tenha me propiciado um certo distanciamento em relação aos problemas nacionais. Estava convencido de que o Brasil passava por mudanças profundas, e isso incidia sobre a esfera cultural. *Cultura brasileira e identidade nacional*, publicado em 1985, e *A moderna tradição brasileira*, em 1988, foram textos que resultaram dessa inquietação intelectual. Meu interesse não era propriamente a ditadura militar, mas considerá-la num contexto no qual as relações sociais adquiriam outra configuração. Ao escolher a indústria cultural como eixo de minhas reflexões, tinha por intuito, mediante um objeto heurístico, captar novo sentido do que costumávamos chamar de "cultura brasileira". Os editores desta coletânea deram-me a oportunidade de revisitar esses temas antigos; gostaria, porém, de considerá-los com um olhar diferente, evitando repetir-me em demasia. Ao se retomar esse período de arbítrio e autoritarismo é importante sublinhar dois aspectos. O primeiro diz respeito ao acúmulo de bibliografia sobre o tema, sobretudo a partir da década de 1990. Nos anos 1970 e parte dos 1980, havia pouco material disponível, e mesmo as interpretações políticas sobre o golpe militar eram rarefeitas, daí a importância dos estudos feitos por alguns brasilianistas – eles tinham acesso privilegiado às fontes militares. Atualmente o quadro é outro: memórias, escritos de jornalistas, cientistas políticos e historiadores cobrem uma vasta área de estudo.[1] A democratização dos documentos sigilosos, a abertura dos arquivos e o desenvolvimento dos cursos de pós-graduação permitiram ainda a realização de estudos mais precisos sobre a máquina repressiva estatal e os seus desmandos. Retornar à temática dos militares implica o contato com pelo menos parte dessa vasta literatura recentemente produzida. Outro aspecto refere-se ao tempo. A distância em relação ao evento nos permite percebê-lo com outros olhos, desvendando aspectos que muitas vezes permaneciam à sombra.

A DITADURA MILITAR foi modernizadora. Isso a distingue dos regimes autoritários no Cone Sul. Há desenvolvimento acelerado da economia durante o "milagre econômico", intensa industrialização e urbanização da sociedade brasileira, reorganização do Estado, a emergência de uma tecnocracia que dinamiza e regula as forças produtivas, enfim, um conjunto de medidas que aprofundam a consolidação do que se denominava capitalismo tardio. Octavio Ianni, em seu estudo sobre o Estado e o planejamento, confere à política governamental pós-1964 uma dimensão inovadora.[2] Ela seria radicalmente distinta dos governos anteriores, visando, por meio do controle autoritário, maior eficácia e racionalização das metas a serem atingidas. A intervenção do Estado cria, dessa forma, novas possibilidades para o desenvolvimento das empresas nacionais e estrangeiras. O quadro é outro na Argentina, no Chile e no Uruguai, onde esse processo é contido, ou melhor, disciplinado pelo rigor da repressão policial ou pela visão estratégica da elite militar no poder. Alguns autores consideram que isso influenciou o processo de transição política da fase autoritária para a democracia. No Brasil, a longevidade da ditadura em relação aos países vizinhos em parte teria ocorrido pelo êxito dessa modernização. Durante os vinte anos de sua vigência, ela teria propiciado condições para amortecer os conflitos sociais e políticos entre os diversos grupos de interesse.[3] Uma maneira de caracterizar esse processo de expansão e controle é considerá-lo uma modernização conservadora, conceito frequentemente utilizado pela literatura que se ocupa do tema. Ele deriva de um estudo de Barrington Moore Jr. sobre as origens sociais da ditadura e da democracia.[4] Moore queria compreender o papel político que as elites agrárias teriam desempenhado na passagem da sociedade rural para a sociedade industrial. Isso leva-o a fazer um estudo comparativo no qual, de um lado, se alinham as sociedades capitalistas nas quais se desenvolveu o regime democrático parlamentar, como Inglaterra, França e Estados Unidos, de outro, países como Alemanha, Rússia, Japão, nos quais vicejou uma modernização conservadora. Nesses lugares teria havido uma "revolução pelo alto", engendrando uma aliança entre os grupos dominantes agrários e os novos atores da mudança social. Os grandes proprietários mantêm, assim, o controle da força de trabalho rural e o uso da terra, sendo capazes de articular seus objetivos a uma elite urbana emergente. O autoritarismo da classe dirigente seria uma espécie de ajuste estrutural às condições reais de sua existência.

A rigor, a ideia de modernização conservadora se aplicaria no Brasil à emergência da modernidade como um todo, abarcando diversos períodos de nossa formação histórica, da Primeira República ao Estado Novo.[5] Nesse sentido, ela apreende um processo social calcado explicitamente num modelo político conservador, no qual os valores democráticos são preteridos para um plano secundário. Entretanto, se a noção é amplamente aplicada ao pós-1964, isso se deve ao fato de este ser um momento de mudanças substanciais, consolidando o que alguns economistas consideram a "segunda revolução industrial" do Brasil (ela aprofunda as medidas do governo Juscelino Kubitschek em relação à reorganização do capitalismo nacional). O período militar combina repressão política e expansão econômica, ação policial e modernização da máquina do Estado e incentivo às atividades empresariais. Não obstante, na bibliografia produzida sobre a problemática da modernização conservadora, manifesta-se certa ambiguidade. Diversos autores a percebem como uma modernidade "incompleta", "inacabada", "tardia", "parcial". Isso fica claro quando se analisa o debate sobre a transição democrática. O termo é utilizado de duas maneiras distintas: como categoria meramente descritiva da passagem de uma forma de governo a outra ou como tendência que caracterizaria duas etapas distintas da modernidade. No primeiro caso, trata-se de compreender como o regime militar dá lugar a outra ordem política. Importa captar os fatores que impulsionaram o fim do autoritarismo e sua substituição por um regime parlamentar democrático. No segundo caso, essa passagem associa-se a determinada concepção temporal da modernidade. O Brasil democrático seria "mais avançado" que o do período anterior, no qual o "atraso" das relações políticas, em relação à sua infraestrutura material, teria sido superado. Pressupõe-se, assim, uma gradação progressiva da modernidade. Existiria um modelo europeu/ norte-americano a ser seguido, anterior e superior a todos os outros modelos, e um caminhar necessário para sua realização histórica.

Dificilmente conseguiríamos sustentar tal perspectiva após as inúmeras críticas que a "teoria da modernidade" enfrentou nas últimas décadas: eurocentrismo, modernidades múltiplas, globalização, pós-colonialismo etc. A ideologia do progresso implícita nos ideais de modernização, que também marcou as discussões sobre subdesenvolvimento e dependência, encontra-se hoje bastante debilitada. O próprio Barrington Moore Jr. já esboçava em seu livro uma crítica a esse tipo de concepção. Ao comparar os fenômenos políticos na Europa/Estados Unidos com a Ásia (China, Japão e Índia), ele pondera: "Não faz muito tempo, excelentes teóricos pensavam que existia uma única via de acesso ao mundo da sociedade industrial moderna, a que levava ao capitalismo e à democracia." E acrescenta: "A democracia ocidental é apenas uma solução política entre outras, e ela surge em circunstâncias históricas particulares."[6] Sua perspectiva afasta-se dos preceitos da modernização na qual o sistema político democrático seria consequência natural da própria modernidade. Lembro que a definição de modernização vigente na sociologia norte-americana abrangia dimensões variadas da sociedade – crescimento econômico autossustentado, um grau acentuado de mobilidade social, a difusão de normas seculares e racionais na cultura dos indivíduos. Entretanto, ao lado dessas exigências figurava outra: a representação democrática na definição das escolhas políticas. Como o moderno implicava uma ruptura com a tradição, encontrando-se imerso na linearidade do tempo, a plenitude da variável política somente poderia ser atingida quando a defasagem em relação ao modelo idealizado (Europa Ocidental e Estados Unidos) fosse ultrapassada. Moore escreve contra esse tipo de perspectiva teórica. A originalidade de seu estudo comparativo é mostrar que a evolução dos sistemas políticos nada tem de linear. Creio que o conceito de modernização conservadora foi empregado pelos autores brasileiros sem que estivéssemos atentos para essa dimensão. Fica claro na sua utilização o interesse pelo hiato entre democracia e modernização, o que certamente é importante, mas é ambígua sua manifestação quando não se desconfia da ideologia do progresso que, de alguma maneira, ele pretendia negar. Isso tem uma implicação. Talvez fosse melhor dizermos que o fim da ditadura militar foi menos uma transição e mais uma conquista. Ou seja, os valores que ela pressupõe nada têm de perenes, são frutos de conjunturas políticas específicas, e não o caminhar de um ideal civilizatório. Para ser preservada, a democracia necessita ser incessantemente renovada, não basta sermos modernos.

Controle e expansão, essas duas tendências não são necessariamente antagônicas, mas convivem numa tensão constante. O ideal de controle está formulado de maneira clara na ideologia da segurança nacional. A sociedade brasileira deveria funcionar como um sistema integrado, com as partes ajustadas ao ritmo do todo. O Estado militar teria o papel de regulador autoritário, capaz de eliminar e diluir os conflitos que porventura viessem ameaçar sua integridade. Os militares brasileiros possuíam uma visão sistêmica das relações sociais, como elas eram díspares, divergentes entre si, mantê-las organicamente articuladas exigia uma concepção totalizadora, um poder centralizado e um aparato repressivo eficiente. No plano político isso implicou o desmantelamento da ordem anterior: fim dos partidos existentes, criação de um bipartidarismo artificial, repressão aos sindicatos e movimentos sociais, edição dos Atos Institucionais, configurando o arcabouço jurídico para a legitimidade do golpe. No entanto, como dizem os cibernéticos, todo sistema depende do fluxo das informações que o atravessa. Para os militares, manipular esse fluxo de informação era crucial na coordenação das ações de seu núcleo central. A criação do Serviço Nacional de Informações (SNI) tem esta função: conhecer o que se passa nos mais diversos âmbitos da sociedade, subsidiando as autoridades no processo decisório. Não se tratava de um serviço para controlar unicamente o "inimigo", a ambição era maior, os próprios ministérios do governo deveriam participar dessa malha funcional e sistêmica.[7] A vida social, na sua amplitude e diversidade, era matéria de atenção e de intervenção dos militares. O SNI tinha uma vocação totalizadora e totalitária.

Porém, como não se tratava de um órgão executante (não fazia prisões nem interrogatórios, não instaurava processos), devia ser complementado por um complexo policial.

Na esfera cultural cabe ressaltar dois tipos de mecanismos repressivos. Primeiro, os Inquéritos Policial-Militares (IPMs), instituídos para identificar e punir os "subversivos". Eles tinham um amplo raio de ação, atingiam políticos, sindicalistas, indivíduos considerados corruptos; tiveram grande importância no mundo da cultura, na medida em que foram aplicados a professores universitários, intelectuais e editores. Foi o que aconteceu com Ênio Silveira, que publicava a *Revista Civilização Brasileira*, ou Caio Prado Jr., patrono da editora Brasiliense. O leitor pode ter uma dimensão desse tipo de perseguição sistemática, travestida em argumentos jurídicos, ao analisar um exemplo heurístico: o IPM do Instituto Superior de Estudos Brasileiros (Iseb), fechado após o golpe militar.[8] Segundo, a existência da censura.[9] Ela instaura-se oficialmente como atributo do Estado, sendo regulamentada por normas e decretos. O censor é uma figura pública investida de poder disciplinador para corrigir os excessos cometidos. Os militares tinham uma obsessão pelos meios de comunicação, pois neles transitavam as informações potencialmente perigosas. Não se pode esquecer que o combate aos partidos e sindicatos transferiu parte dos conflitos políticos para a esfera cultural (em particular o meio universitário), porque nela expressavam-se a insatisfação e a resistência ao poder ditatorial. O domínio da cultura torna-se um espaço estratégico de disputas, daí a necessidade de discipliná-lo. O ato repressor tem essa intenção: são censurados livros, artigos de jornais, filmes, peças de teatro, letras de música, matérias de revistas, programas de televisão, emissões radiofônicas. Ele atinge indiferenciadamente autores nacionais e estrangeiros: a peça *Calabar*, de Chico Buarque de Holanda, e *Um bonde chamado desejo*, de Tennessee Williams, livros como *Universidade necessária*, de Darcy Ribeiro, e *As gravuras eróticas de Picasso*, filmes de Godard e *Pra Frente Brasil*, de Roberto Farias. A variedade dos temas interditados é imensa, abrangendo sobretudo as obras de conotação contestatória: *A revolução brasileira*, de Caio Prado Jr., *História militar do Brasil*, de Nelson Werneck Sodré, jornais de oposição. No entanto, o ato censor tem uma amplitude maior, transborda as coisas da política, incluindo outras dimensões da vida social: Adelaide Carraro e Cassandra Rios, consideradas autoras de textos pornográficos, programas de auditório (Chacrinha, Dercy Gonçalves), novelas de televisão, músicas como "Tortura de amor", de Waldick Soriano ("Hoje que a noite está calma/ e que minh'alma esperava por ti,/ apareceste afinal/ torturando este ser que te chora"), notícias de jornal sobre eventos cotidianos.[10]

À primeira vista, a escolha do que deve ser censurado parece errática, oscilando entre objetos, aspectos e assuntos desconexos. Vários testemunhos de jornalistas e autores da época, assim como alguns intérpretes, enfatizam justamente esse aspecto: a censura não possuía critérios objetivos para a realização dos cortes. Entretanto, do ponto de vista da ideologia da segurança nacional, pode-se dizer o contrário: o afã de se controlar qualquer tipo de manifestação cultural. A disparidade dos temas nada tem de fortuita, ela traduz a sistematicidade da intenção, nada deveria escapar à sua mira. A interdição era o desdobramento coerente de uma visão de mundo coercitiva. Mas a estratégia dos militares não se resume ao aspecto de contenção. O *manual básico da Escola Superior de Guerra* deixa isso claro: a cultura não deve ser reprimida, mas desenvolvida, desde que fosse submissa à segurança nacional.[11] O controle do aparelho estatal é necessário, mas conjuntamente com o estímulo para se desenvolverem as produções culturais. Por isso a política governamental é dinâmica. Entre 1965 e 1979 são criados inúmeros órgãos que as incentivam: Embratel, Conselho Federal de Cultura, Embratur, Ministério de Telecomunicações, Embrafilme, Telebras, Funarte, Fundação Pró-Memória, Radiobrás etc. A Embratel completa o sistema de comunicação possibilitando a integração nacional por TV; a criação do Sistema Nacional de Turismo articula o turismo à cultura popular; os congressos sobre a indústria cinematográfica impulsionam a realização de filmes brasileiros; os encontros nacionais de cultura promovem as artes cênicas e plásticas. A presença do Estado faz-se ainda sentir por meio da normatização das atividades. Esse é o período no qual são baixados inúmeros decretos e portarias organizando os produtores e a distribuição dos bens culturais (regulamentação da profissão de artista e técnico; obrigatoriedade da exibição de longas e curtas-metragens nacionais nas salas de cinemas).

Deve-se levar em consideração que a modernização da sociedade brasileira implica uma mudança drástica do cenário cultural. Paralelamente à integração econômica das diversas regiões do país, consolida-se, pela primeira vez, um mercado de bens simbólicos em nível nacional. O advento da indústria cultural coincide com o período da ditadura, esse é o momento em que a televisão transforma-se num veículo de massa, o cinema consolida-se como atividade financiada pelo Estado, desenvolve-se de maneira ampla a indústria fonográfica, editorial e publicitária. Contrariamente à fase anterior, da década de 1940 a 1960, quando o capitalismo brasileiro era ainda incipiente, o desenvolvimento econômico propicia a formação de um mercado cultural até então inexistente. Os dados são eloquentes. A produção de livros entre 1966 e 1980 passa de 43,6 para 245,4 milhões de exemplares; o crescimento das revistas entre 1960 e 1985 foi de 104 milhões para 500 milhões de exemplares. Na década de 1950, a média anual de filmes produzidos no Brasil girava em torno de 32 películas. Com a criação do Instituto Nacional do Cinema e, posteriormente, da Embrafilme a produção cinematográfica toma outro fôlego. Em 1975 são produzidos 89 filmes, número que sobe para 103 em 1980. Talvez o veículo que melhor ilustre o processo de expansão da indústria cultural seja a televisão. Nos anos 1950 ela é regional, concentra-se apenas em algumas cidades, a maioria delas capitais de estado: São Paulo (1950), Rio de Janeiro (1951), Belo Horizonte (1955), Porto Alegre e Ribeirão Preto (1959), Recife, Salvador e Fortaleza (1960). Os programas são apresentados ao vivo, e com o advento do videoteipe podem ser comercializados entre os estados (no final de 1963 surge a telenovela diária), mas, somente com os investimentos tecnológicos feitos pelo Estado o mesmo sinal televisivo passa a integrar um sistema nacional de telecomunicação. Em 1959 havia apenas 434 mil aparelhos de televisão no país; a partir de 1965 esse número cresce vertiginosamente, atingindo, em 1980, 19.602 milhões de unidades. Difunde-se, assim, cada vez mais, o hábito de ver televisão. Se em 1959, na cidade do Rio de Janeiro, somente 7% da classe popular via televisão, em 1982 havia 15 milhões e 800 mil domicílios com aparelhos de TV, ou seja, 73% do total de domicílios.

Isso tem uma implicação. Durante o período ditatorial a censura não se define pelo veto a qualquer bem cultural, ela é seletiva:[12] são censuradas peças de teatro, filmes, livros, artigos de jornal, mas não o teatro, o cinema ou a indústria editorial. O ato repressor atinge a especificidade de algumas obras, mas não a generalidade de sua produção. É isso que explica a conjunção de duas tendências aparentemente excludentes: controle e expansão modernizadora. Mas existe também, como se havia sublinhado anteriormente, uma tensão entre esses dois movimentos. Uma forma de apreendê-la é contrastar os valores do pensamento autoritário com a lógica da indústria cultural emergente. A diferença entre essas duas estratégias nos permite entender melhor as contradições inerentes ao processo de modernização no Brasil. Gramsci dizia que toda ideologia configura uma ordem ético-moral, isto é, determinada concepção de mundo ancora-se em valores e percepções que implicam certo comportamento.

Não é difícil apreender os traços dessa visão ético-moral nos documentos produzidos pela elite militar, na elaboração dos critérios para censura e nas propagandas políticas criadas pelo governo. Há, em primeiro lugar, um entendimento do que seria a sociedade, uma totalidade organizada em torno de um núcleo central. Nesse sentido, a nação, unidade territorial e moral, coincide com o Estado, lugar de uma única vontade de poder. Como observa Joseph Comblin,[13] a nação não difere do que se constitui formalmente como Estado, ou seja, toda contestação ao Estado é uma ameaça a seus fundamentos. A defesa da nação do perigo "comunista" e "subversivo" (não se pode esquecer a importância da Guerra Fria nesse contexto) torna-se uma obrigação do Estado. Este atua como defensor do caráter nacional, conjunto de valores que constituíram a essência da "verdadeira" identidade brasileira (uma das críticas constantes à esquerda era de que ela se submeteria a uma doutrina "exótica", importada do exterior, portanto contrária aos alicerces da identidade nacional). Mas o Estado militar se vê também como o promotor do desenvolvimento, e torna-se imprescindível abrigá-lo das intempéries políticas, estimulando um sistema baseado na dissuasão. Um exemplo disso é a criação da Assessoria Especial de Relações Públicas (Aerp), agência de propaganda do governo, com o objetivo de produzir uma imagem positiva e otimista do país.[14] As campanhas publicitárias do tipo "Brasil Grande" tinham o intuito de reinterpretar a imagem tradicional do Brasil (país mestiço, cordial, sem conflitos, pacífico), conciliando-a com a visão coercitiva dos militares. Tal perspectiva manifesta-se claramente nos critérios de censura. Uma das recomendações em relação às notícias de jornais dizia:

> Não publicar manchetes ou títulos que chamem atenção do público, referentes a crimes, nem estampar fotografias que despertem a concupiscência ou atentem contra a moralidade da família brasileira, sejam obscenas ou deprimentes, inclusive comentários de atividades teatrais, cinematográficas, boates, circos ou estabelecimentos congêneres. É vedada a descrição minuciosa do modo de cometimento de delitos.[15]

Estamos longe dos motivos meramente partidários; pretende-se preservar a família brasileira da obscenidade e do erotismo desenfreado. Assim, são interditados os programas de auditório, que seriam de "baixo nível", "grotescos", "imorais"; ou revistas como *Ele e Ela*, que promoveriam o abuso da sexualidade em suas fotos lascivas. A concepção de mundo da elite militar era tradicional e conservadora, com aversão a tudo que a contradizia.

A lógica da indústria cultural é o reverso de tudo isso. A produção dos bens culturais não se encontra articulada a uma ideologia de contenção, mas de expansão do mercado. A cadeia de fabricação dos produtos deve ser meticulosamente conhecida, programada, os investimentos são de monta. Para isso é preciso um conhecimento específico das técnicas de marketing, pesquisas de audiência e consumo, utilização eficiente dos recursos publicitários. Em todos os setores da área cultural – televisão, editoras, empresas jornalísticas –, o que se vê nesse período é o avanço da racionalidade empresarial. Um exemplo: a fabricação da telenovela diária.[16] Trata-se de uma atividade complexa, que envolve autor, atores, filmagem de cenas internas e externas, cenaristas, edição, pesquisas de audiência, publicidade, merchandising. Isso só é possível quando existe um sistema de gestão capaz de ajustar de forma sincrônica os diferentes elos da cadeia de produção. Quadro inteiramente diverso do que existia nos anos 1950, quando a telenovela ia ao ar duas vezes por semana, era realizada ao vivo, sendo sua produção marcada por uma série de improvisações. Naquele momento, os meios de comunicação não constituíam ainda indústrias culturais, no sentido em que Adorno forja o conceito, isto é, empresas orientadas fundamentalmente para o mercado. Isso ocorrerá somente no pós-1964. O testemunho de um executivo do jornal *Folha de S.Paulo* ilustra a distância entre a ideologia repressiva dos militares e a engrenagem empresarial. Ele diz:

> Acho que a [censura] deprecia a mercadoria jornalística. É mais ou menos como fabricar suco de tomate que não possa ter gosto de tomate; tenho a impressão de que isso iria reduzir o mercado do suco de tomate. É um exemplo grosseiro, mas imagino que se possa especular um pouco nessa direção: depreciar o valor da mercadoria jornalística e, portanto, não poder eventualmente significar algum tipo de redução ou não crescimento do mercado jornalístico confrontando-se com o que ele poderia ter crescido em um ambiente de liberdade política.[17]

Não se trata de defesa da liberdade de consciência; o ato repressivo é apreendido como entrave aos negócios. Durante o período militar há diversas tentativas de minimizar a tensão entre essas duas propostas distintas. Por exemplo, ao admitir o censor no interior da própria indústria cultural, estimulando a autocensura. No entanto, esse tipo de artimanha tinha apenas o intuito de contornar problemas cuja origem era de cunho estrutural. A tensão entre a lógica dos militares e a do mercado somente tende a crescer com a emergência de uma sociedade de consumo. Nela o indivíduo não mais se encontra prisioneiro de um conjunto de instâncias tradicionais (família ou Igreja), ele é o centro das atenções, escolhe as mercadorias expostas à sua vista. A ideologia militar alicerça-se nessas instituições que são postas em causa pelo processo que ela desencadeia. Os anos 1960 e 1970 são um momento de liberalização dos costumes que dificilmente poderiam ser contidos por qualquer tipo de ideologia (incluindo a de esquerda). O consumo de drogas, a liberdade sexual, a emancipação feminina não eram simples epifenômenos que pudessem ser administrados por uma determinada concepção de mundo conservadora.

Porém, a lógica do mercado contrapõe-se ainda aos movimentos de resistência à ditadura militar. A tensão que analisamos de um lado do espectro cultural se repõe no outro extremo. Diversos autores sublinham que nos anos 1960 havia uma grande efervescência cultural entre nós. A rigor, deveríamos dizer que isso se inicia no fim da década de 1950, com Bossa Nova, Cinema Novo, teatro de Arena, CPC da UNE, intelectuais do Iseb, movimentos de cultura popular no Recife. Ela não se interrompe com o golpe militar, mas prolonga-se nas peças do Teatro Oficina, nos shows de MPB, nos festivais de música da televisão, na Tropicália. O público dessas expressões culturais é constituído sobretudo por jovens universitários, agora um número expressivo de pessoas concentradas nas capitais de alguns estados. Pode-se sentir o clima de entusiasmo da época ao se ler um texto de Roberto Schwarz sobre a relação entre cultura e política:

> Apesar da ditadura da direita, há relativa hegemonia cultural da esquerda no país. [Ela] pode ser vista nas livrarias de São Paulo e Rio, cheias de marxismo, nas estreias teatrais, incrivelmente festivas e febris, às vezes ameaçadas de invasão policial, na movimentação estudantil ou nas proclamações do clero avançado. Em suma, nos santuários da cultura burguesa, a esquerda dá o tom. Essa anomalia é o traço mais visível do panorama cultural brasileiro entre 64 e 69.[18]

Deixo de lado a referência à hegemonia cultural da esquerda (Schwarz, escrevendo posteriormente, diz que seu texto tinha um prognóstico equivocado). Cabe sublinhar o contraponto entre a exuberância das manifestações culturais e o autoritarismo. De fato, o período em questão é marcado por uma abertura da imaginação política na qual a ideia de revolução social encontrava-se presente. Marcelo Ridenti, partindo de outro ponto de vista, também procura dar conta dessa especificidade ao dizer que os artistas da época compartilhavam certo "romantismo revolucionário".[19] Isso marcava de maneira indelével a esfera cultural, por exemplo, no teatro, onde Arena, Oficina e Opinião afirmavam-se como espaços de criatividade e contestação. A ideia de revolução não era apenas uma aspiração partidária, ela continha uma metáfora libertária encenada nos palcos de teatro, nos filmes de Glauber Rocha, nas letras das canções de protesto. No entanto, havia outro lado da realidade não contemplada na passagem mencionada. A anomalia considerada por Roberto Schwarz dizia respeito ao embate entre as forças do autoritarismo e as esperanças da esquerda, mas ela silenciava a respeito da relação entre política e indústria cultural. Ora, esse é o momento em que se consolida no Brasil uma indústria fonográfica, explorada pelas empresas nacionais e pelas *majors* internacionais; em que se expande o público consumidor; em que há transformações técnicas na área da gravação e o advento de um novo suporte para música, o LP (o Brasil era o quinto mercado fonográfico do mundo).[20] Na área editorial, os jornais de oposição disputavam espaço com outras publicações: revistas com apelo masculino (*Quatro Rodas*, *Moto*, *Playboy*), infantil (*Cebolinha*, *Luluzinha*, *Piu-Piu*), ou voltadas para as donas de casa (*Agulha de Ouro*, *Forno e Fogão*, *Casa*, *Claudia*). Surgem ainda as grandes agências de publicidade, novas associações de profissionais, o Conselho Nacional de Propaganda (1964), a Federação Brasileira de Marketing (1969), além de multiplicarem-se os institutos de pesquisa mercadológica, como Gallup, Simonsen, Audi-TV, Nielsen, LPM.

Não se trata de movimentos opostos, de um lado a resistência política, de outro o mercado. As manifestações culturais realizam-se no seio desse espaço de bens simbólicos em desenvolvimento. O exemplo dos festivais de MPB é sugestivo.[21] Não há dúvida de que eles galvanizavam a inquietude política existente, por isso eram vigiados pelo poder estatal. Eles congregavam um clima de festa e contestação, ludismo e liberdade de expressão. Mas também constituíam uma estratégia de mercado para incorporar o público universitário aos novos segmentos de consumo. Inspirados nos festivais internacionais de canções, produzidos por empresas de televisão concorrentes entre si (TV Excelsior, TV Record), eram incentivados pela indústria fonográfica, que os percebia como potente instrumento de marketing. No Brasil, somente nos anos 1960 a categoria "juventude" passa a delimitar um segmento de mercado a ser comercialmente explorado. O público jovem, com a ascensão da nova classe média, encerra um potencial importante de consumo de MPB, rock nacional (Roberto Carlos), música pop (Beatles etc.). Basta olharmos os programas preferidos dos telespectadores da TV Record: *O Fino da Bossa* e *Jovem Guarda*, faces contrastantes dessa juventude. A tensão irá desaparecer na década de 1970. Vários fatores contribuíram para isso: a derrota política da esquerda no Brasil, o fracasso da luta armada na América Latina, o desencanto em relação à ideia de revolução, a barbárie do regime soviético. Sem mencionar o declínio do marxismo como teoria de interpretação da história.[22] Não obstante, creio que no Brasil a relação entre cultura e política reorganiza-se sobretudo em função da consolidação da indústria cultural. Desde então, os critérios mercadológicos se sobrepõem ao engajamento político.

Quando escrevi *A moderna tradição brasileira*, eu mirava o passado intelectual do país. O livro dedicava-se a uma interpretação do Brasil e terminava com um ponto de interrogação: o internacional-popular. O tema abriu-me todo um horizonte de pesquisa sobre a mundialização da cultura. Torna-se fácil, hoje, questionar a relação entre nação e modernidade, o vínculo entre esses dois termos se rompeu.[23] No entanto, na tradição do pensamento brasileiro e latino-americano, a associação entre nação e modernidade era vista como algo necessário. O dilema brasileiro e da América Latina era que nossa identidade encontrava-se em descompasso com os tempos modernos, era preciso construir a nação para realizar a modernidade. Muito do debate sobre a modernidade na periferia resume-se a uma constante reinterpretação do nacional-popular pelas diferentes forças políticas em concorrência direta. Durante a ditadura militar havia três propostas distintas em disputa: a dos militares, cuja versão autoritária procurava fundir uma visão de Brasil cordial e socialmente seguro, livre das forças "subversivas"; a dos movimentos de contestação, sem coincidir, porém, com a dos partidos de esquerda (tipo Partido Comunista Brasileiro), e na qual a noção de alienação desempenhava papel importante; por fim, a visão incentivada pela indústria cultural, privilegiando uma concepção mercadológica dos bens culturais. Nesse sentido, a substituição dos melodramas latino-americanos pela telenovela diária; a presença cada vez menor dos "enlatados" norte-americanos, superados por programas produzidos no país (shows de auditório, noticiário); o declínio das fotonovelas italianas diante das publicações da Editora Abril; a importância dos gêneros musicais autóctones, superando as vendas de música estrangeira, tudo isso passa a ser interpretado como afirmação da moderna tradição brasileira. Essa percepção acrítica da modernidade (meu intuito era considerá-la criticamente) pode ser vista como resultado de um "duplo desencantamento do mundo", processo de racionalização inerente ao capitalismo no qual a dimensão coercitiva do autoritarismo era incorporada. Mirando o passado com os olhos do presente, talvez seja possível dizer que o período da ditadura militar inaugura uma nova etapa do debate sobre a modernidade entre nós. Contrariamente aos momentos anteriores, torna-se visível sua materialidade; ela estende-se às diversas regiões do país e às diferentes dimensões da vida em sociedade. Já não é mais necessário projetar nosso destino na indeterminação do futuro, de alguma maneira ele se atualizou. O progresso tornou-se presente, com suas promessas e decepções.

Maurice Halbwachs dizia que a memória coletiva age como um filtro, o presente não é um momento inerte, ele atua na reconstrução das lembranças. Minha impressão é de que os tempos da ditadura deixaram um mal-estar que se prolonga até hoje. O ato mnemônico faz-se num terreno minado, no qual as recordações são nebulosas. O esquecimento da tortura e dos assassinatos de militantes políticos e inocentes civis é exemplar. Em todo o Cone Sul a sociedade civil conseguiu rever e conciliar-se com essa época de arbítrio e violência. Entre nós, nenhum tribunal foi criado para avaliar a extensão dos crimes cometidos, o país brilha na sua excepcionalidade. Ao revisitar o passado, não consigo conter minha decepção e apontar pelo menos um aspecto que, a meu ver, inibe a atualização dessa memória comprometida: o tema da democracia. As forças de esquerda nunca o tiveram em grande consideração. Daniel Aarão Reis observa que para elas a democracia era um objeto incômodo e estranho ao ideário de transformação social.[24] As organizações partidárias, na melhor das hipóteses, mantinham com ela uma relação ambígua: diante da ameaça golpista, reivindicavam a legalidade democrática, e em tempos normais a desqualificavam como atributo burguês. Mas as forças conservadoras também tinham pouco apego pelos ideais democráticos, e a noção de modernização conservadora capta bem o autoritarismo das elites (não deixa de ser constrangedor termos Oliveira Vianna como um dos principais patronos do pensamento político brasileiro). Eu havia sublinhado a tensão existente entre a ideologia dos militares e a indústria cultural. Isso permitiu às grandes empresas de comunicação construir uma memória parcial e falaciosa de seu passado comprometedor. Nos livros encomendados para celebrar suas histórias institucionais, nos artigos ritualmente publicados no dia 31 de março, elas relembram quanto foram atingidas pela censura e a intolerância repressiva. Mas recalcam as lembranças embaraçosas. *O Estado de S. Paulo* e a *Folha da Manhã* (hoje, *Folha de S.Paulo*) não apenas apoiaram o golpe militar, como também incentivaram-no desde o início. Talvez o texto mais emblemático explicitando a colaboração entre a imprensa e os militares seja o editorial do jornal *O Globo*, "Ressurge a democracia", publicado no dia 2 de abril de 1964. Deixo o leitor apreciar a ambiguidade.

> Vive a Nação dias gloriosos. Porque souberam unir-se todos os patriotas, independentemente de vinculações políticas, simpatias ou opinião sobre problemas isolados, para salvar o que é essencial: a democracia, a lei e a ordem. Graças à decisão e ao heroísmo das Forças Armadas, que obedientes a seus chefes demonstraram a falta de visão dos que tentavam destruir a hierarquia e a disciplina, o Brasil livrou-se do governo irresponsável, que insistia em arrastá-lo para rumos contrários à sua vocação e tradições. Como dizíamos no editorial de anteontem, a legalidade não poderia ser a garantia da subversão, a escora dos agitadores, o anteparo da desordem. Em nome da legalidade, não seria legítimo admitir o assassínio das instituições, como se vinha fazendo, ante a Nação horrorizada.

Diante da artimanha retórica, a memória se recolhe, busca conforto na ficção das lembranças.

7. Para onde foi o "novo sindicalismo"? Caminhos e descaminhos de uma prática sindical

RICARDO ANTUNES
MARCO AURÉLIO SANTANA

Entre as décadas de 1970 e 1980 um espectro rondou o movimento sindical brasileiro. O espectro do "novo sindicalismo". O movimento operário e sindical no país viveu, no fim dos anos 1970, um momento de extrema importância para sua história. Após o duro impacto do golpe militar de 1964, que lhe havia deixado pouco espaço de ação, o sindicalismo de corte classista voltava à cena, cobrando a ampliação dos espaços para a representação dos interesses da classe trabalhadora. No cenário político mais amplo, a emergência do movimento dos trabalhadores estremeceu os arranjos políticos da transição para o regime democrático que iam se efetivando sem levá-lo em consideração.

O momento de ressurgimento do sindicalismo nacional foi caracterizado, em uma de suas dimensões, pela concorrência de projetos políticos e sindicais entre setores da esquerda. Fruto dessa conjuntura, o "novo sindicalismo" era produto da confluência de variadas posições que se enfrentavam. Ele propugnava uma ruptura com o passado, que teria sido de "colaboração de classe", "reformista", "conciliador", "cupulista" etc. Direcionando muitas de suas críticas à estrutura sindical, o "novo sindicalismo" propunha "romper" com ela, articulando-se por vias alternativas. Caminhando nessa direção, organizou-se a Central Única dos Trabalhadores (CUT), que, a um só tempo, era fruto e motor do "novo sindicalismo". E ele, em algumas de suas vertentes, apesar do suposto "antipoliticismo" de origem, esteve também na base da fundação do Partido dos Trabalhadores (PT), chegando com ele ao poder nas eleições presidenciais de 2002, com um de seus filhos diletos, Luiz Inácio Lula da Silva.

Passados já pelo menos trinta anos de trajetória do que seria esse "novo sindicalismo", ele enfrenta no presente um conjunto de dilemas, quando confrontado com suas práticas e seus discursos de fundação. Viveu um importante processo de redefinição, incorporando proposições bastante distintas daquelas defendidas nos primórdios. As alterações discursiva e prática indicam o processo de construção de outra identidade. A longevidade desse projeto sindical, demonstrativa de seu vigor, tem ensejado sempre um amplo balanço acerca de sua trajetória. Nessa trilha, buscaremos analisar aqui o caminho percorrido por ele desde seus momentos iniciais até os governos Lula.

A ditadura militar e as origens do "novo sindicalismo"

A estrutura sindical brasileira foi urdida, em seus lineamentos fundamentais, nos anos 1930, sob a égide de Getúlio Vargas, com a criação da legislação sindical que garantia o controle estatal dos sindicatos, tanto em termos financeiros quanto organizativos, políticos e ideológicos. Essa era uma engenharia poderosa, pois, ao mesmo tempo que se criava a legislação trabalhista, sua aplicação e efetividade vinculava-se à vida do sindicato oficial, o que foi um duro golpe dado no pequeno, mas ativo, sindicalismo autônomo em vigor antes de 1930, o qual procurou resistir no período seguinte.

Reorientados pelo arcabouço jurídico e político, os sindicatos foram limitados em suas orientações classistas, encontrando nova vitalidade na ação predominantemente assistencialista, ainda que contassem com o direito de estabelecer a negociação salarial das respectivas categorias. Articulando-se incorporação de classe, reconhecimento de direitos e repressão, garantia-se o controle pela via da legislação sindical e fomentava-se o mito varguista do "Pai dos Pobres", por meio do que seriam concessões na legislação social do trabalho.[1]

Claro está que isso não impediu que, em diversas situações, capitaneado por grupos de esquerda, o sindicato oficial tenha sido posto a funcionar para além das orientações que lhe eram atribuídas, como demonstram vários movimentos de greve, organizações sindicais de base etc.[2] Se a estrutura sindical serviu como redutora das ações de classe, seria um grave erro considerá-la o único elemento dificultoso. Seu objetivo não era outro senão desestruturar qualquer experimento de sindicalismo autônomo no Brasil. Travado em suas possibilidades de exercer com liberdade a representação dos interesses do trabalho, o "sindicalismo oficial" criou, desde 1931, a unicidade sindical; consolidou sua estrutura confederativa; ampliou crescentemente sua prática assistencialista, sendo que, no fim da década de 1930, em especial com a criação do imposto sindical e da Lei de Enquadramento Sindical, ampliou ainda mais o controle do Ministério do Trabalho sobre os sindicatos, o que se concretizou, em 1943, na Consolidação das Leis do Trabalho (CLT).[3]

Apesar de todo o esforço no sentido de se controlarem os limites da estrutura sindical, o movimento dos trabalhadores logrou, através dos poros existentes, abrir caminhos alternativos. A década de 1950, por exemplo, foi um período de extrema importância nesse sentido. O movimento sindical, capitaneado pela aliança das militâncias do Partido Comunista Brasileiro (PCB) e do Partido Trabalhista Brasileiro (PTB), reformista, obteve grande avanço em termos de organização e mobilização, "por dentro" e "por fora" da estrutura, na "base" e na "cúpula", o que resultou em decisiva participação dos trabalhadores no seio da sociedade e na vida política nacional. Pode-se mesmo dizer que se viveu um período rico das lutas.[4]

O sindicalismo, oscilando entre o controle estatal e a prática da resistência, encontrava suas principais bases de organização, ainda que não somente, nas empresas estatais, setores em que o PCB detinha grande presença e força. Esse movimento levou à criação do Comando Geral dos Trabalhadores (CGT), que atuou diretamente, com outras organizações populares, para a realização das "reformas de base" durante o governo de João Goulart.

Malgrado isso, após mais de uma década de intenso crescimento e atividade, toda a estrutura organizacional dos trabalhadores brasileiros, na base e na cúpula, foi duramente atingida pelo golpe de Estado de 1964.[5] Os golpistas apresentavam como uma de suas justificativas exatamente impedir a implantação de uma "República sindicalista" no país.

O golpe de 1964 atuou, então, de modo dual: fortaleceu sobremaneira a tendência de controle estatal dos sindicatos e, por outro lado, desencadeou uma intensa repressão aos setores sindicais mais combativos, liderados pelos comunistas e também pelos trabalhistas reformistas.[6] A repressão foi vital para desorganizar a classe operária e, paralelamente, para a reordenação capitalista no pós-1964, que sepultava as reformas de base, exigia a reorientação conservadora dos sindicatos, e o consequente rebaixamento dos salários, a fim de avançar no processo de acumulação monopolista e oligopolista que os capitais exigiam.

Desencadeando enorme repressão contra o sindicalismo, a ditadura decretou a ilegalidade dos organismos intersindicais e determinou a intervenção em mais de uma centena de entidades sindicais, sendo este, obviamente, o golpe mais duro desfechado nas entidades lideradas pela aliança comunista-trabalhista.[7]

Ao longo desse período, ampliaram-se algumas tendências na economia que iriam produzir vigorosa transformação na face do país como um todo, mas principalmente na classe operária. O incremento da introdução de plantas industriais modernas e sua concentração geográfica possibilitariam o surgimento do que se convencionou chamar de "nova classe operária". Ainda que não exclusivamente, são esses os atores que iriam despontar mais tarde, assumindo papel central na crise da ditadura militar. Aumentou-se o padrão de acumulação e expandiu-se a indústria em gestação desde os anos 1950, ampliando assim, significativamente, a partir do golpe de 1964, o novo proletariado industrial no Brasil, concentrado, em particular, no cinturão industrial automotivo e metalúrgico do ABC paulista, onde estavam instaladas as grandes montadoras.[8]

Essa classe trabalhadora expandida, no final dos anos 1970, constituiu a principal base social do "novo sindicalismo" que então começava a florescer. Forjou-se um novo movimento sindical – cuja liderança de maior destaque era Luiz Inácio Lula da Silva –, que encontrava capilaridade em trabalhadores industriais, assalariados rurais, funcionários públicos e setores assalariados médios urbanos que se "proletarizavam", entre tantos outros segmentos do mundo do trabalho então em profunda mudança. O setor de serviços e a agricultura também gestavam novos contingentes de assalariados que ampliavam a classe trabalhadora.

O "novo sindicalismo" e a década sindical

A retomada das lutas sociais era questão de tempo. E foi na segunda metade dos anos 1970 que aflorou um vasto movimento grevista, a partir da paralisação da Scania, em 1978, em São Bernardo do Campo (SP), que se generalizou nos anos seguintes, em particular na década de 1980, quando o Brasil chegou a ocupar o topo dos países com altas taxas de greve entre as nações capitalistas. Eram greves gerais por categoria, greves com ocupação de fábricas, greves por empresas, espalhando-se por todo o país e praticamente em todos os ramos produtivos, sendo que pudemos presenciar também a eclosão de quatro greves gerais no plano nacional, dos quais a mais expressiva foi a de março de 1989, após o completo fracasso do Plano Cruzado.[9]

Foi nesse quadro de significativo ascenso do sindicalismo que se organizaram as centrais sindicais. A CUT, a mais importante de todas, foi criada em 1983, depois de um longo período sem centrais sindicais, intervalo iniciado com a já mencionada decretação da ilegalidade do CGT em 1964. Inspirada no sindicalismo emergente desde meados de 1970, herdeira maior e direta das lutas sindicais que renasciam com vitalidade, a CUT resultara de um movimento multiforme que aglutinou: o "novo sindicalismo" nascido no interior da estrutura sindical daquele período, e que tinha no Sindicato dos Metalúrgicos de São Bernardo seu melhor modelo; o movimento das "oposições sindicais", cujo maior exemplo foi o Movimento de Oposição Metalúrgica de São Paulo (Momsp), que pautava sua ação, predominantemente, fora da estrutura sindical oficial; e outras tendências, como o sindicalismo de origem rural, que também ampliava seu campo de ação.[10]

Essa articulação entre várias forças conferiu à CUT um nítido e predominante sentido contrário ao "sindicalismo oficial", agora ainda mais subordinado, atrelado e verticalizado pelas medidas ditatoriais e repressivas do imediato pós-1964, que, como vimos, desestruturou a organização sindical dos comunistas e trabalhistas em disputa pela hegemonia nos sindicatos. Em seu manifesto de fundação, a CUT defendia a constituição de uma estrutura construída pela base, classista, autônoma, independente do Estado, além de assumir a defesa de uma sociedade sem exploração do trabalho pelo capital; ou seja, ela mirava, em seu horizonte, a possibilidade efetiva de contribuir para a construção de uma sociedade socialista.

Vale acrescentar que essa proposta não era puramente verbal, mas se alicerçava na prática sindical da maioria das correntes que se unificaram tendo em vista a principal aspiração da classe trabalhadora brasileira: construir sua própria central autônoma e desatrelada do Estado. Os avanços obtidos até então, por meio da organização nos locais de trabalho e da criação de várias comissões de fábrica e de grupos de base vinculados ao "novo sindicalismo" ou às chamadas "oposições sindicais", foram também decisivos para a defesa concreta da autonomia e da liberdade sindicais em relação ao Estado. Assim, o combate aberto ao imposto sindical, à estrutura confederativa e de cúpula, ao controle do Ministério do Trabalho para a criação de sindicatos, enfim, o combate aos fortes traços corporativistas vigentes na estrutura sindical estava no centro da proposta e da prática da central emergente.

Em 1983, quando a CUT foi criada, vivíamos um contexto já mais favorável para o "novo sindicalismo", uma vez que a luta contra a ditadura e pela redemocratização ampliou-se muito com as ações do movimento estudantil, a campanha pelas Diretas, além da já mencionada onda grevista crescente.

No universo sindical, dada a conjuntura brasileira, caminhava-se em sentido inverso às tendências regressivas de crise sindical vigente nos principais países capitalistas avançados. O "novo sindicalismo" expandia-se no contrafluxo da direção antissindical vigente naqueles países, os quais ingressavam na tragédia neoliberal e na reestruturação produtiva do capital.

Ao longo dos anos 1980, que podem ser considerados um período vitorioso para os movimentos sociais no Brasil, o "novo sindicalismo" esteve à frente das lutas sociais, junto com o PT e o Movimento dos Trabalhadores Rurais Sem Terra (MST), entre outros; esteve presente na campanha por eleições presidenciais diretas; participou ativamente da organização das quatro greves gerais deflagradas; sua atuação foi decisiva na defesa dos interesses da classe trabalhadora durante a Assembleia Nacional Constituinte, até a promulgação da Constituição; participou das eleições para a Presidência da República; avançou na conquista da autonomia e da liberdade sindicais em suas ações concretas; combateu a estrutura confederativa, ao denunciar o imposto sindical; entre tantos outros importantes exemplos.[11]

Talvez o caso mais emblemático seja o resultado estampado na Constituição de 1988, que, apesar de limitada em vários aspectos, contemplou mudanças na organização sindical, como o fim do "estatuto-padrão", o direito de greve, a livre organização sindical dos funcionários públicos, ainda que tenha preservado a "unicidade sindical" e o imposto sindical, entre outros elementos restritivos. Sem sombra de dúvida, os trabalhadores e suas organizações se mobilizaram no sentido de ver seus interesses dispostos na Constituição. Contudo, se em certos momentos operaram juntos, em outros se dividiram, tendo em vista suas variadas posições.

Ao longo dos anos 1980, portanto, presenciou-se o desenvolvimento e a institucionalização do "novo sindicalismo", agora organizado na CUT e no PT. Sem dúvida, foram esses dois instrumentos que hegemonizaram a luta dos trabalhadores naquela década. Se o PT, porém, capitaneou a luta dos trabalhadores, não o fez sem problemas. Ao eleger deputados, prefeitos e governadores, e tendo de lidar com uma ampla gama de questões que o pressionaram para fora de sua seara, o PT e o "novo sindicalismo" (ao menos alguns de seus setores) várias vezes se enfrentaram.

Apesar de tudo, impulsionado por uma "década sindical" vitoriosa, em 1989, um digno representante do "novo sindicalismo" chegava às primeiras eleições diretas para presidente depois de 1964, como uma forte opção, propondo um projeto alternativo para conduzir a nação. Contudo, sua derrota no pleito já indicava que a década seguinte seria marcada por reveses para os trabalhadores.

Tanto o PT quanto a CUT começaram a alterar o que até então pareciam ser suas características definidoras. O PT se institucionalizava e, entre outras coisas, não só mudava sua estrutura interna, como ia assumindo alianças mais amplas, estratégia que sempre recusara. O "novo sindicalismo" também se institucionalizava, alterava sua estrutura e passava a questionar, por exemplo, a validade da greve como instrumento de luta imediata. Chegara a época do chamado "sindicalismo propositivo" e da "cooperação conflitiva".[12]

Dadas as mudanças na conjuntura política nacional e internacional, os anos 1990 seriam marcados pela consolidação das "novas" práticas tanto do PT quanto da CUT. O refluxo do padrão conflitante, a inserção e a atenção cada vez maior do partido no cenário político-eleitoral seriam a tônica.

A década neoliberal

Como vimos, foi nos últimos anos da década de 1980, e especialmente na seguinte, que as primeiras manifestações regressivas começaram a ser sentidas em nosso país, em especial com a vitória de Fernando Collor de Mello, em 1989. Pouco a pouco, o "novo sindicalismo" seria confrontado por um contexto bastante adverso e começaria a esbarrar em dificuldades e desafios que contrariavam suas bandeiras originais. A forte pressão interna e externa exercida pelos capitais, visando ao deslanche da reestruturação produtiva; a financeirização ainda maior da economia; a livre circulação dos capitais; a privatização do setor produtivo estatal; a flexibilização da legislação trabalhista; em suma, a pressão para uma nova inserção do Brasil na divisão internacional do trabalho que se desenvolvia sob a hegemonia neoliberal, todos esses fatores começaram a afetar mais intensamente o país.[13]

Se no longo período da ditadura, e mesmo da "Nova República", o Brasil ainda não havia se inserido efetivamente no processo de reestruturação produtiva do capital comandado pelo neoliberalismo, durante os dois anos do governo Collor essa realidade mudou completamente. Dada a intensa corrupção que caracterizava o governo, um amplo movimento social e político, deflagrado em 1992, resultou no impeachment do presidente. Não deve passar sem registro uma mudança de rota na concepção política da CUT nesse período: sua direção aceitou, pela primeira vez, uma proposta de negociação com o governo Collor, o que não ocorreu sem grandes tensões e polêmicas no interior da Central.

Depois do impeachment e do curto período de governo do vice-presidente Itamar Franco, Fernando Henrique Cardoso foi eleito, em 1994. Com a reeleição em 1998, nosso parque produtivo foi profundamente alterado pelas privatizações amplas do setor produtivo estatal, alterando-se o tripé que estruturava a economia brasileira, com o aumento da presença dos capitais estrangeiros e nacionais.[14] Embora o capital estatal ainda preservasse participação importante em alguns ramos, parcela destacada do setor produtivo estatal foi privatizada e passou à propriedade do capital transnacional.

Esse processo foi muito intenso e acabou gerando fortes consequências, em particular na CUT e no "novo sindicalismo". Desregulamentação, flexibilização, privatização, desindustrialização tornaram-se dominantes; informalidade, terceirização, subemprego e desemprego aberto atingiram altos níveis, produzindo uma pletora de distintas modalidades de trabalho precarizado e informal.[15]

Deve-se lembrar também que, logo no início do governo de Fernando Henrique, em 1995, houve uma importante greve dos trabalhadores petroleiros, duramente reprimida pelo governo, que lançou mão de todos os recursos existentes para derrotar o movimento. Esse foi, de fato, o primeiro teste contra a política neoliberal de Fernando Henrique, que por isso o reprimiu de modo exemplar. A greve também marcou uma divisão no interior da CUT, que, já mais propensa e aberta às políticas de concertação e negociação, foi duramente criticada por falta de coesão e de maior apoio aos petroleiros.

A derrota dessa importante greve deslanchou ainda mais o processo de reestruturação produtiva sob condução neoliberal. A nova realidade arrefeceu e tornou mais moderado e defensivo o "novo sindicalismo", que assumia uma feição mais propensa à negociação, num cenário sindical marcado pela existência de várias centrais sindicais e pela emergência de um sindicalismo mais sintonizado com a onda neoliberal. Esse era o caso da Força Sindical, criada em 1991, e que viria a disputar com a CUT os espaços de representação dos trabalhadores.[16]

Paralelamente ao advento dessa nova variante no sindicalismo brasileiro, a CUT – impulsionada especialmente por sua tendência hegemônica, a Articulação Sindical – aproximava-se fortemente dos experimentos baseados no sindicalismo social-democrata europeu. Tratava-se, então, ao contrário de sua proposta original, de implementar um sindicalismo que tendia mais ao contratualismo, a ser mais propositivo, institucionalmente forte e cada vez mais verticalizado, capaz de constituir uma alternativa de enfrentamento possível ao neoliberalismo.

A defesa da redução dos tributos da indústria automobilística, como forma de dinamizá-la, e com isso preservar empregos; a política de incentivo às "câmaras setoriais", espaço policlassista de negociação; a constante participação em outros fóruns e espaços de negociação tripartites, tudo isso distanciava cada vez mais a CUT dos valores presentes em sua fundação.

Os anos de ouro do "novo sindicalismo" começavam a ser substituídos por práticas de concertação. As políticas de "convênio", "apoios financeiros", "parcerias" com a social-democracia sindical, em particular a europeia, levadas a cabo amplamente ao longo de duas décadas, também acabaram reorientando o "novo sindicalismo", ajudando a arrefecer sua postura mais classista, ao valorizar mais enfaticamente os espaços institucionalizados, as máquinas sindicais hierarquizadas e burocratizadas.

Lula e o PT chegam ao poder: e a CUT, o que fazer?

Foi em sua quarta disputa eleitoral, em 2002, que Lula sagrou-se vitorioso nas eleições presidenciais. E o Brasil já não era mais o mesmo. Em 1989, quando ele foi candidato pela primeira vez, como vimos, atravessávamos um exuberante ciclo de lutas sociais, sindicais e operárias. Em 2002, o contexto era outro: a desertificação neoliberal fora poderosa, a reestruturação produtiva era avassaladora. O PT precisou publicar um documento emblemático, tranquilizador, para os mercados, especialmente o financeiro, conhecido como "Carta aos brasileiros", em que evidenciava a aceitação dos elementos mais substantivos orientados pelo Fundo Monetário Internacional (FMI). Para ter a chance efetiva de ganhar as eleições, Lula candidato deveria mostrar-se adaptado ao mundo financeiro globalizado, em conformidade com ele.

O impacto real e simbólico da candidatura operária deveria receber o aval do statu quo financeiro. Menos que ruptura, o país dominante exigia continuidade. A política econômica do novo governo não comportava dúvidas nem riscos. Além de preservar os benefícios dos capitais financeiros – garantir o superávit primário, preservar a estrutura fundiária concentrada, determinar a cobrança de impostos aos trabalhadores aposentados, manter as privatizações, sob a forma de parcerias público-privadas –, o governo Lula dava passos mais largos. Passou a incentivar fortemente a participação dos fundos privados de pensão, tanto na previdência privada quanto nas privatizações em curso.

Assim, pretendia-se integrar representantes de parcela dos trabalhadores à montagem do modelo capitalista em curso. O traço distintivo mais visível em relação ao governo de Fernando Henrique foi a ampliação do programa Fome Zero, depois metamorfoseado em Bolsa-Família, e que no governo anterior tinha a denominação de Bolsa-Escola e atingia um espectro bastante reduzido da população.

Se não há aqui espaço para aprofundar a análise dos movimentos e contramovimentos da era Lula, cabe mencionar pelo menos dois pontos centrais, diretamente vinculados à relação que se estabeleceu entre a cúpula sindical e o Estado: a proposta de "reforma trabalhista e sindical" e a ampliação do direito de recebimento do imposto sindical pelas centrais.

O campo sindical havia se ampliado e se tornado sobremaneira complexo ao longo dos governos de Fernando Henrique e do primeiro governo Lula. Foi entre os anos de 2004 e 2005 que ganhou força a proposta de reforma sindical elaborada pelo órgão tripartite denominado Fórum Nacional do Trabalho (FNT). Se essa proposta foi obstada tanto pelas denúncias do "Mensalão", que atingiram duramente o governo Lula, quanto pela forte oposição que encontrou em diversos setores sindicais, ela indicava alguns pontos que contraditavam diretamente os princípios norteadores da criação da CUT e a prática do "novo sindicalismo". Seria difícil imaginar que, entre outros, o reforço da verticalização presente na proposta pudesse contar com a adesão da CUT no período em que ela foi criada, quando organização de base, liberdade e autonomia sindicais eram princípios vitais e inegociáveis.

A nova política de controle de setores importantes do "novo sindicalismo" era vital para o governo Lula e recuperava, em certo sentido, uma política de mão dupla: a cúpula sindical ascenderia a cargos na alta burocracia estatal; as verbas seriam ampliadas por meio do Fundo de Amparo ao Trabalhador (FAT) e outros fundos estatais, garantindo, desse modo, o apoio das principais centrais sindicais ao governo, num cenário claramente marcado pelo pluralismo das centrais.

Foi assim que, posteriormente, em 2008, pouco antes de terminar seu segundo mandato, Lula, ao mesmo tempo que reconhecia as centrais sindicais, permitiu que o imposto sindical também lhes beneficiasse. Além dos recursos do FAT, dos inúmeros apoios financeiros dos ministérios, também esse imposto passava a ser usufruído pelas centrais. A velha bandeira da CUT e de tantos sindicatos – a luta pela cotização autônoma de seus associados – passava a fazer mais parte da história que do presente.

Teria, então, envelhecido o "novo sindicalismo", aquele vigoroso movimento de meados dos anos 1970-1980? Estaria sendo envolvido pelas orientações e práticas que diagnosticava negativamente, com tanta ênfase, em sua origem? O "sindicalismo oficial", ampliado e consentâneo aos novos tempos, com sua prática "negocial", estaria reabsorvendo e envelhecendo (precocemente) o que havia originado o "novo sindicalismo"? Ele estaria, então, sofrendo um processo de fagocitose?

Uma breve nota final

As perspectivas e os grupos políticos que se associaram no "novo sindicalismo", em sua gestação, tinham forte acento na ideia de ruptura. Dessa forma, esse sindicalismo conferiu grande ênfase a seu caráter de novidade, o que acabou impedindo que desse a devida atenção às dificuldades historicamente experimentadas pelo movimento dos trabalhadores no Brasil. Por isso, talvez, ele não tenha podido sequer desviar-se dos obstáculos, reproduzindo, ao longo do tempo, práticas que tanto dizia combater.

Ao estabelecer um corte total com a trajetória do movimento dos trabalhadores, o "novo sindicalismo" tomou-se como ponto zero dessa história. Assim, negadas as experiências passadas, alguns problemas já tradicionais acabaram enfrentados como se fossem novidade, percebidos como passíveis de resolução supostamente nova, simplesmente a partir da vontade política dos atores sociais. A realidade, contudo, mostrou-se muito mais complexa e relutante do que tal enquadramento poderia supor.

Pode-se perceber que o "novo sindicalismo" tem traços de novidade para o contexto, mas, ao mesmo tempo, exibe fortes marcas de continuidade. No processo de construção de sua identidade, o "novo sindicalismo" reforçara suas distinções relativas a práticas pretéritas, atribuindo a elas qualificações bastante negativas. Em termos discursivos, houve uma radicalização que em muito ofuscou também inúmeros dos dilemas já existentes na própria origem desse sindicalismo.

Não se pode deixar de indicar que, nos anos 1980, apesar das muitas e importantes conquistas em diversos aspectos, o sindicalismo não conseguiu superar alguns de seus tradicionais limites, mantendo, por exemplo, a dificuldade de se enraizar no interior das empresas. Dessa forma, apesar de muito valorizadas no discurso, as organizações por local de trabalho acabaram se tornando uma experiência muito esparsa e pontual. Além disso, se as mobilizações foram importantes para atenuar os impactos degenerativos da inflação na vida dos trabalhadores, elas não conseguiram a necessária generalização das conquistas, o que, dada a heterogeneidade e a disparidade organizacional e de poder de barganha entre as categorias, de certa forma restringiu-as às mais fortes e organizadas.

O "novo sindicalismo" trouxe em seus marcos, tanto nas limitações quanto nas possibilidades, uma retomada de práticas já experimentadas na história do sindicalismo por setores que, ao seu tempo, assumiriam posições progressistas no avanço da luta dos trabalhadores. Ao se identificar com o polo mais dinâmico da classe, em seu movimento, ele deu uma grande contribuição no sentido de combater as políticas conservadoras e restritivas para o movimento sindical, ampliando a participação dos trabalhadores em suas entidades, na luta por suas reivindicações, bem como uma intervenção no quadro político mais geral. A mudança de posição, sentida ao longo do tempo, pode ser atribuída tanto a fatores externos (conjuntura econômica e política) quanto internos (orientação política e luta pela hegemonia).

A classe em movimento teve no "novo sindicalismo" um importante canal, servindo-lhe como elemento vocalizador e fomentador de suas demandas, como outros já haviam sido antes. Da mesma maneira, o "novo sindicalismo" teve de enfrentar, e ainda enfrenta, as dificuldades que historicamente suscitam desafios para a experiência política e organizativa da classe trabalhadora brasileira. Talvez a ênfase exagerada em sua novidade tenha lhe impedido de colocar essas dificuldades em seu devido lugar.

8. A grande rebelião: os marinheiros de 1964 por outros faróis[1]

Anderson da Silva Almeida

Não foram poucos os jornalistas, cientistas políticos, historiadores, memorialistas e pesquisadores diversos que, ao escrever sobre o golpe de 1964, ofereceram suas interpretações, pretensamente conclusivas, sobre o movimento dos marinheiros em 1964.[2] Entre todas as explicações encontradas, uma foi mais difundida e é conhecida do grande público.

A versão é mais que sedutora. Com o irrestrito apoio e a atuação da Agência Central de Inteligência (CIA) dos Estados Unidos, um marinheiro foi infiltrado na associação que representava a classe e fez o papel perfeito de agente provocador. Conseguiu, aos 21 anos, tornar-se presidente da entidade e, como exímio orador que era, incitou os marujos a se revoltar contra o ministro da Marinha, sem causas, sem reivindicações e motivos claros.[3] Segundo essa interpretação, milhares de cabos, marinheiros e fuzileiros navais teriam sido inocentemente ludibriados pelo eficaz agente infiltrado e dado o argumento perfeito para que os golpistas saíssem da caserna. Pronto, a culpa é dos marinheiros. Deixaram-se enganar e, pior ainda, em vez de se rebelarem no mar, tomando os navios, foram logo para um sindicato. Que marujada baderneira![4] As esquerdas nada tinham a ver com aquilo. A sociedade brasileira também não. As Forças Armadas estavam apenas a serviço dos norte-americanos, e nada melhor que uma convulsão no interior de uma delas para o desfecho do golpe perfeito. Seria isso mesmo?

Herdeiros do Dragão

Há muito tempo, nas águas da Guanabara,
o Dragão do Mar reapareceu

na figura de um bravo marinheiro
a quem a história não esqueceu.
Conhecido como Almirante Negro,
tinha a dignidade de um mestre-sala.

Embora façam referência à Revolta dos Marinheiros de 1910, esses versos originais de "O mestre-sala dos mares", compostos por João Bosco e Aldir Blanc, e imortalizados na voz de Elis Regina, em 1974, bem que poderiam ser interpretados como uma alusão a março de 1964. No dia 25 daquele mês, o marinheiro João Cândido, líder dos revoltosos de 1910 no encouraçado *Minas Gerais*, reapareceu para o grande público como convidado de honra de uma assembleia comemorativa do segundo aniversário de fundação da Associação de Marinheiros e Fuzileiros Navais do Brasil (AMFNB), realizada no Sindicato dos Metalúrgicos da Guanabara. Aquela data guardava um simbolismo de que talvez nem o Almirante Negro se desse conta. É que exatamente oitenta anos antes, em 25 de março de 1884, o primeiro Dragão do Mar – o jangadeiro Francisco José do Nascimento – chegava ao Rio de Janeiro como herói abolicionista, por ter se rebelado contra o embarque de escravos cearenses que seriam levados para o sul do país. O mulato Chico de Matilde, como era conhecido, se tornou um símbolo do abolicionismo no Ceará, estado que se livraria da escravidão já no mesmo ano.[5]

Naquele 25 de março de 1964, muitos franciscos e josés também marcariam seus nomes na história do Brasil. Eram cabos, marinheiros, fuzileiros, grumetes; mais de mil.[6] Entre eles, um José chamava a atenção. Seu nome era José Anselmo dos Santos, marinheiro de primeira classe – o distintivo no braço esquerdo não deixava dúvidas quanto à graduação.[7] Era o presidente. Bom orador, indignado, exaltado, carismático, rebelde. Teria ele a dignidade de um mestre-sala?

Outros marinheiros também discursaram naquela noite. Antônio Duarte e Marcos Antônio, membros da diretoria, compunham a mesa.[8] O marinheiro Paulo Conserva, depois de se pronunciar, entregou a placa oficial do aniversário ao presidente Anselmo.[9] Lá estava o marinheiro Tatá, que discursou emocionado. O cabo Cláudio, que convenceu a todos com sua proposta rebelde.[10] Mas por que tanto barulho, por que tanta indignação? Qual a causa de tanta euforia? Não era para ser uma festa? Mas a festa se transformou em rebelião.* Uma nova Revolta da Chibata?[11] Não. Dessa vez eles não estavam armados, não disparariam tiros de canhão. Por que não estavam nos navios, seu ambiente natural? O que queriam aqueles marujos? E aqueles "paisanos", engravatados, o que faziam ali ao lado dos homens de farda?

Como se forja um rebelde

A Marinha de Guerra do Brasil, no final dos anos 1950, contava com um complexo sistema de admissão para o chamado pessoal subalterno. A estrutura principal era formada pelo Corpo da Armada – composto por marujos oriundos das Escolas de Aprendizes-Marinheiros[12] e do alistamento militar obrigatório – e pelo Corpo de Fuzileiros Navais – formado por jovens que ingressavam como voluntários e tinham a função essencial de tropa anfíbia, embarcando esporadicamente nos navios para operações no mar. Marinheiros e fuzileiros navais que ingressaram sobretudo na segunda metade da década de 1950 serão os revoltosos de 1964.

Não se deve interpretar a "grande rebelião" apenas como um problema institucional de hierarquia e disciplina. Para a compreensão desse acontecimento histórico, temas como cidadania e direitos humanos se tornam de suma importância. A grande maioria dos subalternos ingressava na Marinha a partir dos dezessete anos. Oriundos principalmente do Norte e do Nordeste do Brasil,[13] ao chegar ao Rio de Janeiro deparavam com uma realidade muito diferente da que esperavam. Sem o apoio de suas famílias, sem poder contrair matrimônio e submetidos a uma rotina dura de atividades nos navios, muitos daqueles jovens se envolviam com drogas,[14]

* Muitos autores chamam o episódio de "revolta". De acordo com o Código Penal Militar de 1944, só se caracterizaria revolta se os rebeldes estivessem armados, o que não era o caso dos marinheiros; cf. Brasil, Decreto-Lei n.6.227, 24 jan 1944.

prostituição e até em pequenos furtos.* Mudar aquela realidade não seria fácil. Um dos caminhos possíveis era desistir de tudo e voltar para casa. Mas isso significava regressar como um fracassado, um derrotado que não suportou a vida militar. Entre se conformar e se indignar, muitos escolheram a primeira opção, e tantos outros partiram para a transformação. Foi nesse processo que se criou a AMFNB, fundada em 25 de março de 1962. O surgimento da Associação deve ser percebido no amplo contexto de lutas sociais e de enfrentamentos que marcou o governo João Goulart.[15]

A primeira diretoria da AMFNB procurou evitar choques com as autoridades navais. Tendo o cabo João Barbosa de Almeida como presidente, registrou os estatutos em cartório e comunicou à administração naval o início do funcionamento.[16] Desde o início a Marinha passou a acompanhar a rota daqueles marujos. O almirante José Carlos Gonçalves Caminha, que foi vice-diretor do Centro de Inteligência da Marinha (Cenimar) por alguns meses, em 1962, afirmou que, embora sua função fosse meramente administrativa, observava a "preocupação que o diretor, o então capitão de mar e guerra Roberto Teixeira de Freitas, tinha em relação à recém-fundada Associação"; e acrescentava: "Não tenho a menor dúvida de que o diretor do Cenimar manteve o ministro da Marinha perfeitamente a par dos intuitos subversivos dos dirigentes da nova Associação."[17] À margem dessa vigilância, a entidade aperfeiçoou os métodos de filiação e conquistou a simpatia de milhares de marujos e fuzileiros, chegando à expressiva marca de 15 mil inscritos.[18]

Como parte desse processo, uma personagem contribuiu decisivamente para a ascensão da entidade. A assistente social Érica Bayer In Roth foi convidada a trabalhar com os marujos e fuzileiros navais em outubro de 1962.[19] Ela implantou o serviço de obstetrícia para as mulheres dos associados, organizou um departamento jurídico e obteve, por intermédio da secretária de Serviços Sociais do Estado da Guanabara, Sandra Cavalcanti,

---

* O jornal *O Globo* trazia a notícia do envolvimento do soldado fuzileiro naval Paulo Vicente Tálomo no roubo de um relógio, seguido de espancamento da vítima (*O Globo*, 10 dez 1962).

a autorização para que a AMFNB utilizasse as instalações da Escola Benjamin Constant, no bairro do Santo Cristo. Segundo ela, os subalternos estavam sedentos de conhecimentos de matemática, geografia e história.[20]

Cabe-nos registrar que a assistência social da Marinha era considerada quase inexistente, sem contar ainda o fato de que as companheiras dos subalternos não tinham direito ao precário atendimento, pois eles não podiam se casar oficialmente. O regulamento só autorizava que cabos e marinheiros de primeira classe contraíssem matrimônio se contassem com mais de dez anos de serviço e, no mínimo, três anos na graduação ou classe. Mesmo assim, dependiam da autorização do comandante da organização militar em que estivessem servindo.[21] Ainda sobre a questão social, o almirante Bierrenbach, que em março de 1963 assumiu um cargo no Departamento de Assistência Social da Marinha, afirmou:

> Naquela época a assistência social a marinheiros, fuzileiros navais, operários e demais civis da Marinha era extremamente deficiente. Lá, acredito, *paguei alguns dos meus pecados, ouvindo choros quase todos os dias*. Como tinha servido, em 1961, no gabinete do governador da Guanabara, ainda tinha algumas "ações" no Estado; quando a coisa apertava eu apelava para os amigos que lá deixei.[22]

No interior dos navios e nas organizações militares de terra, a labuta diária dos marujos e fuzileiros continuava. Dormiam em macas; só podiam sair fardados; os oficiais perseguiam os delegados da associação; a remuneração do marinheiro, irrisória, girava em torno de Cr$ 4 mil a Cr$ 5 mil,[23] enquanto o salário mínimo previsto em 1962 para o estado do Rio de Janeiro era de Cr$ 22 mil.[24]

O plano de carreira era outro ponto muito crítico. O marinheiro, após chegar a cabo, tinha apenas duas chances para passar na prova de habilitação para sargento. Se ele não conseguisse, ficaria até o final da carreira naquela graduação, ou seja, era impedido definitivamente de ascender, executando os trabalhos mais pesados a bordo. Um caderno, chamado pelos marujos de "Livro de castigo", também era um dos pontos sensíveis da relação entre oficiais e praças.[25] Nele eram registradas todas as possíveis punições sofridas pelo militar, as quais eram ainda lançadas em sua caderneta-registro. Uma vez punido, aquela "mancha" seguiria com o suposto faltoso aonde ele fosse servir.

Outro fator determinante para o descontentamento dos subalternos era a alimentação. Duas vezes, no ano de 1963, os marujos fizeram greves de fome – uma no Centro de Instrução Almirante Wandekolk (Ciaw), localizado na ilha das Enxadas, e outra a bordo do cruzador *Barroso*.[26]

A guinada a bombordo

Em abril de 1963, em razão de divergências internas na AMFNB, foi realizada uma eleição na qual o marinheiro José Anselmo dos Santos assumiu a presidência da entidade. Segundo Pedro Viegas, Anselmo só se tornou presidente graças ao espaço deixado por três possíveis candidatos que não quiseram ou não puderam concorrer.[27] A nova diretoria trabalhou para o crescimento da organização. O vice-presidente, Marcos Antônio da Silva Lima, aparecia como grande líder aglutinador e captava recursos para a entidade junto à classe política.[28] Enquanto isso, no topo da pirâmide hierárquica, o incômodo aumentava. A Marinha não reconhecia a entidade, e aos poucos começaram a surgir os primeiros atritos entre os dirigentes da AMFNB e a alta administração naval. O reconhecimento possibilitaria que a arrecadação das mensalidades fosse incorporada diretamente aos contracheques dos associados, aumentando o valor da contribuição.[29]

A Associação ganhou prestígio e se expandiu com as sucursais de Ladário, no atual Mato Grosso do Sul, Natal, Recife e Salvador.[30] Em algumas ocasiões, diretores participaram de reuniões com o chefe da Casa Civil da Presidência da República, Darcy Ribeiro.[31] Com todo esse reconhecimento, os membros da diretoria passaram a sentir as consequências de suas realizações, vistas pelo Almirantado como verdadeiras provocações. Integrantes da diretoria começaram a ser presos sob a alegação de problemas disciplinares.

Em outubro de 1963, o ministro da Marinha, Sílvio Motta, mandou abrir Inquérito Policial-Militar (IPM) para investigar a presença de quinze dirigentes da AMFNB que haviam protestado, em assembleia-geral extraordinária, contra as prisões do presidente (Anselmo) e do segundo vice-presidente (Avelino Capitani) da entidade.[32]

Em janeiro de 1964, as previsões não eram nada animadoras, e o tempo fechou de vez. Procelas à vista na baía de Guanabara! O IPM de outubro chegou ao fim, e o ministro determinou, no dia 20, a prisão de seis dirigentes que, por ocasião dos protestos de outubro, seriam os responsáveis pela mobilização e pela assinatura de um manifesto. O almirante Cândido da Costa Aragão foi designado pelo presidente João Goulart para intermediar as conversas do ministro da Marinha com os subalternos.[33] As tentativas não surtiram efeito. No dia 26, os jornais divulgavam que dezesseis integrantes da AMFNB haviam sido enquadrados no Código Penal Militar.[34] A tensão aumentou, e mais uma vez Aragão tentou ser o intermediário.

No dia 27 ele compareceu a uma assembleia com cerca de 2 mil marinheiros, fuzileiros e ferroviários, na qual afirmou que a entidade não seria fechada. Os marujos pediram o reconhecimento da AMFNB, melhor tratamento a bordo, oficialização do traje civil fora de serviço e permissão para estudar. Aragão prometeu fazer o possível para que a Associação continuasse a prestar assistência social a todos os marinheiros e fuzileiros navais.[35]

No dia 1º de fevereiro de 1964, o jornal *Diário Carioca* destacou em primeira página mais uma assembleia de marinheiros. Dessa vez já contavam com a solidariedade do Comando-Geral dos Sargentos (CGS) e do Comando Geral dos Trabalhadores (CGT).[36] O evento foi realizado no Sindicato dos Rodoviários, e os presentes exigiram a anulação do inquérito aberto em outubro. A alta administração naval não aceitou as reivindicações e abriu novo inquérito para apurar detalhadamente o que ocorrera de fato na nova reunião.[37] Para piorar ainda mais a crise, jornais divulgaram a notícia da prisão do marinheiro José Alípio Ribeiro a bordo do cruzador *Barroso*, quando recolhia mensalidades dos tripulantes do navio.[38]

Os dirigentes da AMFNB sentiram a pressão e expressaram o desejo de chegar a um acordo com a Marinha. Mostraram-se dispostos a rever algumas posições e afirmaram que uma das exigências do ministro – as alterações nos estatutos retirando questões de caráter político – já tinha sido efetuada.

Sílvio Motta não demonstrou interesse em dialogar com seus subordinados.[39] Acredito que essa informação é por demais relevante para aqueles que apontam o movimento dos marujos como intransigente e orientado para o confronto irresponsável. A reportagem do *Jornal do Brasil* de fevereiro de 1964 mostra indubitavelmente o desejo dos líderes da marujada, incluindo o presidente, de conciliar com a Marinha. O acordo não foi possível.

Depois dos episódios de janeiro e fevereiro, a entidade dos marujos passou a ser mais notada por parte de outras organizações da sociedade civil,[40] como a União Nacional dos Estudantes (UNE) e o CGT, e também de políticos ligados à Frente Parlamentar Nacionalista (FPN), que tinha como principal articulador Leonel Brizola, cunhado do presidente João Goulart. No caso específico do presidente Goulart, notava-se sua preocupação em dialogar e compreender as demandas dos marinheiros e fuzileiros navais, pois precisaria do apoio deles em um momento de radicalização política.[41] Durante conversa com seu ministro da Justiça, Abelardo Jurema, Jango confidenciara que "por várias vezes recomendara ao ministro [da Marinha] evitar choques com a Associação dos Cabos e Marinheiros, e [que] procurasse contorn[á-los], pois se o governo já não dispunha do Almirantado, não poderia perder a simpatia dos inferiores".[42]

A grande rebelião

Em março de 1964, a entidade dos marujos e fuzileiros comemoraria seu segundo aniversário. Uma série de atividades foi programada, e tudo seria coroado com um grande baile no dia 25, anunciando-se inclusive que o presidente João Goulart estaria presente. No dia 23, o ministro da Marinha determinou a prisão de doze diretores da AMFNB, por terem participado de uma reunião no Sindicato dos Bancários, ocorrida no dia 20, na qual Anselmo protestara contra o almirante Motta por ter trabalhado nos bastidores para impedir a visita dos marinheiros à Petrobras.[43]

Foi nesse mar tenso, agitado, que os marinheiros se reuniram no dia 25 de março de 1964, no Sindicato dos Metalúrgicos da Guanabara, em plena Semana Santa. Embora Jango não tenha comparecido, várias figuras célebres das esquerdas marcaram presença. Eram os engravatados, os paisanos. Além dos marinheiros, discursaram: o deputado Hércules Correia, membro do CGT e figura de destaque no sindicalismo radical; Oswaldo Pacheco, também do CGT, afirmando na ocasião que tinha o poder de parar o Brasil;[44] Dante Pelacani, também sindicalista; o padre Alípio Freitas, ligado à Ação Popular (AP);[45] a senhora Zilda Maria, representante da Liga Feminina; e o representante do presidente da República, o deputado Max da Costa Santos.[46] Eles representavam as várias faces das esquerdas naquele contexto. Mas uma presença não passaria despercebida. A da personagem que ficou conhecida como o grande líder dos marinheiros de 1910, João Cândido, que havia sido descoberto pelos marujos morando em condições precárias, na periferia de São João de Meriti (RJ), fato que fez com que a Associação lhe fornecesse a aposentadoria de um salário mínimo por mês.[47] Destaco aqui que apenas seis anos antes, em 1958, surgira a obra clássica de Edmar Morel, *A Revolta da Chibata*, que alcançou grande vendagem nos anos seguintes[48] e transformou João Cândido em personagem conhecido nacionalmente. A presença do Almirante Negro no evento servira como elo simbólico e real entre as gerações de marujos, sem contar ainda o mal-estar que seu nome causava na oficialidade. O "fantasma" de 1910 ainda rondava a Guanabara. Mais uma vez o Dragão do Mar aparecera.

O presidente José Anselmo fez seu discurso. Reforçou o apoio às reformas de base propostas pelo governo João Goulart, reivindicou reformas na Marinha e a necessidade do reconhecimento da AMFNB por parte das autoridades navais.[49] Naquela altura, já se tinha anunciado a prisão de seis dirigentes da Associação, e os presentes decidiram que, em solidariedade aos companheiros detidos, se apresentariam presos na segunda-feira. O marinheiro Otacílio dos Anjos Santos, ressaltando que a maioria não teria onde ficar naqueles dias – já que grande parte morava a bordo das embarcações –, sugeriu que todos permanecessem no Sindicato até o dia marcado para a apresentação. A proposta foi aceita.[50] O cabo Cláudio Ribeiro, ajudando a esquentar ainda mais o clima, propôs que a assembleia permanente se prolongasse até que a AMFNB fosse reconhecida pela Marinha. O Palácio de Aço* "pegou fogo", e o aniversário se transformou em rebelião dos marinheiros. Carlos Marighella,** ainda no PCB – apontado pelo marinheiro Antônio Duarte como um dos que colaboraram no discurso de Anselmo[51]–, telefonou para o coronel Kardec Lemme e disse: "Kardec, venha para o Sindicato dos Metalúrgicos. Aqui está se decidindo o destino do Brasil."[52]

Ainda naquela madrugada, o ministro Sílvio Motta foi informado sobre a decisão dos marujos. Antes do amanhecer, determinou "regime de prontidão rigorosa" em toda a Marinha e ordenou que o almirante Aragão fosse ao Sindicato e transmitisse a informação aos marinheiros. O regime de prontidão foi a maneira encontrada pelo ministro de "forçar" o regresso dos marujos para as organizações militares. O não cumprimento daquela ordem enquadraria os marinheiros em "crime de insubordinação". Ao receber a ordem pessoalmente de Aragão, no amanhecer do dia 26, os marinheiros, reunidos em plenário, reafirmaram que o regresso ficaria condicionado ao reconhecimento da AMFNB e à anulação das punições impostas aos membros da associação.[53] Após consulta ao ministro e da negativa deste a aceitar qualquer exigência, o comandante-geral dos fuzileiros navais recebeu ordens de preparar uma tropa para desalojar os "amotinados". Aragão se recusou a cumprir a missão e pediu exoneração do cargo. Seu subcomandante, o almirante Washington Frazão Braga, o acompanhou. A operação ficou a cargo de outro oficial do Corpo de Fuzileiros Navais, o também almirante Luiz Phelippe Sinay, o qual dispunha da Companhia de Polícia do Corpo de Fuzileiros Navais para executar a ação, contando ainda com o apoio do Exército.[54]

Enquanto os acordos militares aconteciam, as negociações políticas eram realizadas. Membros do CGT, principalmente os deputados Hércules Correia e Demistóclides Batista, atuavam como intermediários entre os marinheiros, a Presidência da República – representada nesse momento pelo chefe da Casa Civil, Darcy Ribeiro – e o ministro da Marinha.[55] Até aquele momento, com Jango ainda em São Borja, no Rio Grande do Sul,

* Nome pelo qual era conhecida a sede do Sindicato dos Metalúrgicos da Guanabara.

** No final da década de 1960, Marighella iria se transformar em destacado dirigente da esquerda armada.

onde fora passar a Semana Santa, a decisão estava com o almirante Motta. Pressionado pelo Almirantado, ele não abria mão da ação militar dos fuzileiros navais. Assim, a tropa de guarda da Marinha deixou o quartel central da ilha das Cobras para cumprir a missão de "desalojar" os rebeldes.

A honra reinventada

Lá foram os fuzileiros navais. Dentro do Sindicato, uma agitação tomou conta dos rebelados. Alguns se dirigiram ao portão de entrada e começaram a gritar para os componentes da tropa: "Nossa causa é justa e pacífica, entrem e fiquem solidários conosco, sejam patriotas, temos certeza de que vocês, fuzileiros, não nos trairão."[56] De repente, nos alto-falantes do Palácio de Aço, ouviram-se acordes de um hino muito conhecido pelos militares daquela tropa. A letra falava de "um povo heroico", de "sol da liberdade, igualdade, amor, esperança". Os rebelados formaram um coro improvisado, e o som do hino nacional brasileiro se elevou sobre os capacetes da tropa de fuzileiros navais. Estes estavam ali no limite da honra, entre cumprir a missão de soldados disciplinados, adestrados, dóceis, e quebrar as regras, romper com os dogmas, explodir a hierarquia.

O inesperado aconteceu. O soldado Raimundo Nonato Barbosa, sem receber ordens, resolveu invadir o Sindicato. Mas foi uma invasão diferente. É que, segundos antes de romper o terreno "inimigo", ele despojara-se da arma, do capacete e da munição. Aos prantos, emocionado pela canção que ecoava do interior do prédio, ele resolveu aderir ao movimento.[57] Não sabia ele que aquela atitude motivaria seus colegas de tropa. Como se estivessem cumprindo uma ordem, todos, um a um, repetiram o gesto rebelde. O limite da honra foi ultrapassado, ressignificado. O que seria honra naquele momento para os soldados?

Ao todo, 26 fuzileiros deixaram para trás os regulamentos, os manuais militares e o poder de fogo de suas metralhadoras, abandonadas na calçada. Desfalecidas. Desvalidas.[58] Os oficiais e sargentos que comandavam as tropas não acreditavam no que viam. Ficaram parados, perplexos, atônitos.

Como agir diante daquela situação? Com certeza aquilo não estava nos manuais de combate.

Dentro do Sindicato, explosão de euforia, lágrimas, gritos, abraços. A "revolução estava no ar", pensaram os militantes da esquerda mais radical.[59] Os demais membros da tropa regressaram ao quartel central dos fuzileiros navais. O ministro Sílvio Motta não desistiu da operação e preparou nova ofensiva, agora a cargo do Batalhão Riachuelo, tropa operativa sediada na Ilha do Governador. Mais uma vez o apoio do Exército foi solicitado, e a invasão do sindicato, planejada nos mínimos detalhes.

À tarde, todo o quarteirão foi cercado. Nove caminhões-choque e doze carros-tanque foram utilizados para tal fim.[60] Tropas da Polícia do Exército (PE), sob o comando do coronel Ventura, fizeram o isolamento da área. Entretanto, após entendimentos entre a Casa Civil da Presidência (Darcy Ribeiro), o general Armando de Moraes Âncora, o ministro da Justiça, Abelardo Jurema, e o ministro da Aeronáutica, brigadeiro Anísio Botelho, a invasão foi suspensa.[61] Nenhuma decisão deveria ser tomada sem a ordem do presidente Jango, que retornaria de São Borja para resolver o conflito.[62] Todo o dia 26 foi tomado por intensas negociações. A rua Ana Néri ficou repleta de curiosos e familiares dos rebeldes, que levavam mantimentos e cigarros para a marujada.

As tensas conversas continuaram. O ministro do Trabalho, Amauri Silva, também participou do processo que tentava um acordo. No Palácio de Aço, durante a noite, membros da UNE encenaram uma peça teatral com o intuito de distrair e apoiar psicologicamente os "amotinados".[63] De madrugada, Jango chegou e assumiu as negociações.

Confrontos no Arsenal: os motins nos navios

Na manhã seguinte, um novo episódio iria levar mais comoção aos rebeldes do Palácio de Aço. Cerca de duzentos marinheiros se deslocavam do interior do Arsenal de Marinha – na praça Mauá – em direção ao Sindicato, onde pretendiam apoiar seus colegas de farda. Iam em caminhada, entoando o hino nacional e empunhando a bandeira brasileira. Antes de chegar ao portão principal, tiros foram disparados por oficiais e fuzileiros que estavam posicionados em lugares estratégicos, nos prédios que compõem aquele complexo naval. Mesmo assim, continuaram a marchar. O capitão de fragata Rafael de Azevedo Branco avançou sobre eles e tentou arrancar a bandeira das mãos dos marujos. Alguns caíram na água e conseguiram escapar.[64] Outros tentaram reagir, mas a maioria recuou e voltou para os navios. Durante os confrontos, o fuzileiro naval Osvaldo Inácio Cunha ficou sem o fuzil, o qual foi arrancado de suas mãos. Osvaldo ainda conseguiu retirar o carregador, mas uma munição ficou na arma. Horas depois o armamento foi encontrado, abandonado no Arsenal.[65] Essa era uma prova de que os marinheiros não tinham o objetivo de usar armas para impor suas reivindicações.

Ainda como saldo daquele sangrento episódio, três marinheiros foram feridos pelos disparos[66] e oito militares foram presos. Entre os detidos estava o soldado Manoel Nazareno Fernandes, que se recusara a disparar contra seus companheiros.[67] Dentre os que caíram na água, um conseguiu chegar ao Sindicato dos Metalúrgicos. Ainda molhado, e após ser medicado em razão do estado emocional em que se encontrava, Alcides dos Santos Souza, conhecido por seus colegas como Charuto, relatou à diretoria da AMFNB o que ocorrera no Arsenal. A notícia de que seus colegas tinham sido atingidos por tiros causou grande comoção nos marinheiros e fuzileiros rebelados. Mais uma vez, "revolta, choro e desespero geral," nas palavras do soldado Raul José Levanhagem.[68]

Os conflitos no Arsenal de Marinha não se resumiram a esse enfrentamento. Nos navios, houve agressões mútuas entre oficiais e praças, e vários episódios de rebeldia, incluindo sabotagens, disparos e mais gente caindo na água. No cruzador *Tamandaré*, marinheiros foram impedidos de deixar a embarcação por disparos de metralhadora efetuados pelo tenente Roberto Olívio Nunes. No decorrer de mais esse confronto, o capitão-tenente Ricardo Ramos Barbosa Amorim caiu na água.[69] Durante o inquérito aberto para apurar os fatos, surgiu a informação de que a caldeira tinha sido sabotada.[70] No navio *José Bonifácio*, foram encontradas estopas dentro das válvulas das caldeiras, o que impedia a operação do navio.[71]

No aviso oceânico *Bauru*, o leme foi sabotado e desapareceram teclas dos gatilhos de três canhões. Em inquérito aberto na I Auditoria de Marinha, foram denunciados dezoito militares do navio por práticas de delitos e "atos de amotinação e revolta contra as autoridades navais".[72] O cabo João Alves do Carmo, um dos fundadores da AMFNB, foi denunciado como responsável por ter tirado peças de um dos canhões do navio, deixando-o inoperante, e o cabo Gildo de Albuquerque Silva, como aquele que teria avariado o maquinismo do leme.[73]

No contratorpedeiro *Pernambuco*, que também tentara insubordinar-se, 26 marujos foram denunciados por não terem cumprido ordens, no dia 27 de março, para desatracar o navio. O capitão de corveta Luís Carlos Cordeiro Guerra, que empunhava um rifle Winchester, deu voz de prisão ao grumete Ronaldo Saldanha por ter desobedecido à ordem de soltar as espias. Em seu depoimento, o marinheiro afirmou que estava fora de si quando descumpriu a ordem do comandante.[74] Ainda no *Pernambuco*, o marujo Francisco Assis Oliveira recusou-se a executar procedimentos de desatracação do navio, desafiando: "Comandante! Eu não vou, ninguém vai. O senhor pode perguntar aos meus colegas, eles também não vão."[75]

É importante ressaltar que todos esses episódios ocorridos no Arsenal de Marinha não vieram a lume naqueles dias, não foram divulgados pelos jornais e não constam em nenhuma obra historiográfica, exceto o caso do marinheiro Charuto, que chegou molhado ao Sindicato. Esses acontecimentos ampliam significativamente o sentido do movimento dos marinheiros. O conflito foi muito mais intenso na terra e no cais.

No dia seguinte, o presidente João Goulart nomeou o almirante Paulo Mário da Cunha Rodrigues para o cargo de ministro da Marinha. Ao serem soltos do Batalhão de Guardas do Exército, os marujos se encontraram com os almirantes Cândido da Costa Aragão e Pedro Paulo de Araújo Suzano. Ambos foram erguidos nos ombros da marujada, o que levou a oficialidade da Marinha a se reunir no Clube Naval e a se "rebelar" contra o presidente da República, por meio de notas ofensivas divulgadas na imprensa que prontamente encontraram eco entre setores conservadores da sociedade.[76] Que o digam os editoriais "Na ilegalidade", "Basta" e "Fora".[77]

Além da Guanabara: o movimento em Recife

Na noite do dia 1º de abril, no então Grupamento de Fuzileiros Navais de Recife, três cabos fuzileiros navais e dois marinheiros foram presos tentando organizar uma resistência ao golpe. Eles eram favoráveis à política do presidente João Goulart e fiéis ao almirante fuzileiro Cândido da Costa Aragão, que tentara, sem sucesso, organizar a resistência no Rio de Janeiro.

De acordo com os autos do processo que apurou a tentativa de levante em Recife, dos cabos José Ely de Menezes, Enock José de Carvalho, Isaltino José do Nascimento, Carlindo Vitoriano dos Santos e o marinheiro Amaro José de Lima: "À tarde do dia 1º de abril deste ano, quando já se tornara do conhecimento geral a proclamação oficial, conjunta, dos comandantes do IV Exército e do 3º Distrito Naval face à revolução iniciada nas vésperas, 31 de março, passaram a confabular, entre si, objetivando a organização de um movimento armado no interior do quartel do Grupamento de Fuzileiros Navais, com a finalidade de aprisionar o comandante e seus oficiais, bem como sargentos e militares que não se solidarizassem aos seus planos, para lutarem contra as forças do IV Exército, pela volta ao poder do ex-presidente João Goulart."[78]

Na denúncia oferecida pelo promotor Eraldo Gueiros Leite, "os ditos militares graduados, então fortemente armados e municiados, procuravam persuadir os demais militares de que tudo quanto se divulgava, em notas conjuntas dos altos-comandos militares, aqui sediados, era mentira e mais, ... que a Armada, no Rio [de Janeiro], levantara ferros com destino ao norte, com a Força de Fuzileiros Navais embarcada, leal ao presidente João Goulart". Os acusados tinham planos de se apossar do paiol de munições, de tomar uma emissora de rádio e lançar notícias de apoio ao presidente João Goulart. Para a execução do plano, diziam contar com "o apoio de militares da Base Naval de Recife, da estação Rádio Pina e da Capitania dos Portos".

O motim não chegou a eclodir porque alguns militares, convidados a participar do movimento, levaram-no ao conhecimento do comandante do Grupamento de Fuzileiros Navais, que mandou prender os acusados. O promotor do caso ofereceu denúncia contra os suspeitos com base apenas

nas versões dos delatores. O inquérito aberto pelo próprio comandante do quartel serviu como principal peça acusatória. Todos foram excluídos da instituição.

De volta ao porto

Nos dias seguintes ao golpe, iniciou-se o processo de "limpeza" política do país. Com o general Castello Branco sentado na cadeira da Presidência, os rebeldes marinheiros, ao lado de várias pessoas que apoiaram Jango, estavam entre os primeiros alvos. Afinal, eles declaravam-se "herdeiros do Dragão", continuadores do legado de 1910, e naufragaram com o presidente João Goulart. A AMFNB seria dissolvida e deixaria de existir em pouco tempo. Iniciava-se assim um novo período de mudanças e rupturas radicais na vida daqueles marinheiros. Expulsos, desempregados, com anos de prisão para muitos, exílio para outros, além de tudo tiveram de amargar por vários anos a posterior traição do cabo Anselmo, que, infiltrado no movimento de luta armada entre 1970-1973, levou à morte dezenas de militantes, incluindo sua companheira, grávida – a paraguaia Soledad Barret Viedma –, e marinheiros que o conheciam desde os embates promovidos pela AMFNB. Definitivamente, ele não tinha a dignidade de um mestre-sala. Mas outros tinham, e foram mortos nos embates, a exemplo de José Raimundo, Edgard Aquino, Marcos Antônio, José Maria, José Manoel, Edson Quaresma e Evaldo Luiz Ferreira, entre outros. Estes, na longa tradição dos Dragões do Mar, lutaram em prol de uma causa em que acreditavam, mesmo custando o sacrifício de suas vidas.

Ainda assim, confesso que há alguns anos estou procurando a prova irrefutável confirmando a versão que citei no início do artigo. Seria o achado de minha vida. Talvez um documento da CIA, do Centro de Inteligência da Marinha, das Delegacias de Ordem Política e Social do Rio de Janeiro e de São Paulo. Mas tenho fracassado em minhas buscas. A história, nesse caso, contraria as memórias!

9. O aparato repressivo: da arquitetura ao desmantelamento

Mariana Joffily

O termo repressão abarca uma diversidade extensa de atos, entre os quais se incluem cassações, intervenções, censura, leis autoritárias, ameaças, vigilância, suspeição exacerbada, demissões injustificadas. Todas com consequências apreciáveis na vida dos cidadãos, provocando medo, perda dos meios de subsistência, esgarçamento dos laços sociais. Sem desconsiderar a magnitude das práticas autoritárias, este artigo concentra-se em uma parcela mais restrita desse universo: a atuação da polícia política e dos órgãos de informação e segurança.

No Brasil, depois do golpe de 1964, o combate à oposição política, sobretudo à vertente que se dedicou a ações armadas, foi efetuado em termos de guerra. Alguns dos atores da época falam em "guerra suja", pelo emprego de métodos não convencionais de combate. Mas como falar em "guerra" se os contendores possuíam meios tão díspares? Referindo-se a essa desproporção de forças, o general Adyr Fiúza de Castro, chefe do Centro de Operações de Defesa Interna (Codi) em 1972, comparou a destruição da esquerda armada pelos órgãos repressivos com o uso de um martelo para matar uma mosca: "Evidentemente, o método mata a mosca, pulveriza a mosca, esmigalha a mosca, quando, às vezes, apenas com um abano é possível matar aquela mosca ou espantá-la. E nós empregamos um martelo pilão."[1] Pois bem, é esse martelo que procuraremos descrever.

Quando os militares, apoiados por setores civis, deram o golpe, eles dispunham de algumas instituições repressivas para auxiliá-los na tarefa autoatribuída de extirpar o "perigo comunista", ou a ameaça de implantação de uma "República sindicalista" no país. Contavam com uma polícia violenta, habituada a torturar suspeitos e, em alguns casos, a aniquilar desafetos. A Polícia Civil fornecia, desde os anos 1950, os componentes dos esquadrões da morte, grupos paramilitares que executavam sumariamente criminosos comuns. O novo regime podia apoiar-se igualmente nos Departamentos de Ordem Política e Social (Dops), órgãos criados nos anos 1920 e 1930, subordinados às Secretarias de Segurança Pública dos estados, para manter a "ordem social" em um contexto de greves e de organização do Partido Comunista do Brasil (PCB), em 1922, que mais tarde adotaria o nome Partido Comunista Brasileiro. Nos anos 1940-1950, no âmbito da ditadura do Estado Novo e, posteriormente, no quadro da Guerra Fria, os Dops tiveram seus efetivos aumentados, tornando-se referência no combate à dissensão política, aos movimentos dos trabalhadores e ao comunismo. Dentro das Forças Armadas, o único órgão de informações a possuir uma estrutura inteiramente voltada para a área de inteligência era o Serviço de Informações da Marinha, fundado em 1955 e reformulado no Centro de Informações da Marinha (Cenimar), em 1957.

Essas instituições foram consideradas insuficientes para fazer frente aos desafios representados pela conjuntura do início dos anos 1960: manifestações populares exigindo reformas de base, crescimento do movimento sindical e estudantil, articulação dos camponeses em ligas e sindicatos rurais. A Polícia Civil, além de limitada à esfera estadual, não conhecia bem os meandros da política e era considerada corrupta e ineficiente pelos militares. Os Dops foram amplamente aproveitados pelo sistema repressivo, mas, por seu caráter policial e por sua jurisdição restrita, teriam um papel auxiliar na máquina repressiva. Combater na guerra interna seria atribuição dos militares, em especial do Exército. Portanto, era necessário, do ponto de vista dos artífices da ditadura, criar novos órgãos, diretamente controlados pela Presidência da República e cujo raio de ação extrapolasse o âmbito estadual.

Arquitetura

Assim, uma das primeiras preocupações do governo que se autointitulava "revolucionário" foi erigir um órgão que reunisse informações acerca de indivíduos e organizações potencialmente perigosos. O Serviço Nacional de Informações (SNI) foi criado pelo presidente general Humberto de Alencar Castello Branco, em 13 de junho de 1964, e dirigido pelo general Golbery do Couto e Silva. Em pouco tempo ramificou-se, possuindo agências regionais em diversos pontos do país. A partir de julho de 1967, passou a contar também com as informações recolhidas pelas Divisões de Segurança e Informações (DSIs), ligadas aos ministérios civis, e pelas Assessorias de Segurança e Informações (ASIs), que atuavam junto às universidades e empresas estatais. Completava a estrutura o Centro de Informações do Exterior (Ciex), instituído em 1966 com a função de monitorar as atividades políticas de brasileiros fora do país e dos estrangeiros dentro das fronteiras nacionais, chefiado pelo conselheiro diplomático Marcos Henrique Camillo Cortes, filho de um general.

Alguns elementos devem ser postos em relevo. SNI e DSIs substituíram órgãos de semelhante teor, criados na administração de Eurico Gaspar Dutra (1946-1950). Sua existência testemunha a preocupação com a dissidência política e a aposta na coleta de informações como instrumento de controle. Por outro lado, sua reformulação pelo governo militar denota que eles não funcionavam a contento dentro dos novos parâmetros estabelecidos pela geração de 1964. Esses órgãos não atuavam propriamente na repressão política. Entretanto, forneciam dados sobre indivíduos perseguidos, oferecendo instrumentos para uma condução mais eficaz dos interrogatórios realizados sob tortura pelos agentes repressivos. Enfim, conquanto funcionassem junto a ministérios e autarquias civis, eram todos comandados por oficiais superiores, em sua maioria pertencentes ao Exército, com exceção do Ciex.

À coleta e ao armazenamento de informações sempre foi atribuída grande importância na esfera das tomadas de decisão governamentais. Nos anos 1960, porém, houve uma multiplicação dos esforços nesse sentido, derivada da centralidade que a guerra contrarrevolucionária assumiu na legitimação do novo regime. Dois aspectos do contexto internacional tiveram alguma influência na maneira como os militares no poder estruturaram o aparato que lhes daria força para se manter 21 anos no comando do país: a independência das ex-colônias europeias situadas na

África e na Ásia, e a Guerra Fria. Foi no âmbito da guerra da França contra a Indochina (1946-1954) que a força de ocupação começou a elaborar um conjunto de estratégias para vencer a chamada "guerra revolucionária". Os métodos foram desenvolvidos com maior sucesso durante a guerra da Argélia (1954-1962), embora o país do norte da África, assim como a Indochina, tenha por fim conquistado a independência. Esse corpo de noções foi disseminado no Brasil por intermédio da Escola Superior de Guerra (ESG).

De acordo com a concepção dos militares, essa nova forma de combate possuía como eixo a necessidade de fazer frente a um tipo de ameaça que se diferenciava dos conflitos tradicionais: ela provinha de cidadãos comuns, imbuídos de ideais comunistas, e empregava métodos como persuadir a população pela propaganda revolucionária, organizar ações de desestabilização do governo, preparar a guerrilha, criar zonas deflagradas. O inimigo era interno, a guerra, não convencional, as estratégias, difusas e disseminadas no seio da população civil. Portanto, era preciso agir unificando os comandos políticos e militares, atuar também por meio da ação psicológica e ter controle das informações que levassem a um conhecimento profundo do inimigo, para prever e neutralizar suas ações.

Às concepções francesas sobre a guerra de guerrilha foram acrescentados os preceitos da "doutrina de segurança nacional", desenvolvidos pelo National War College, nos Estados Unidos, e também apropriados pela ESG. Sob essa ótica, o Brasil seria um aliado natural dos Estados Unidos na Guerra Fria movida contra as potências comunistas. A natureza do conflito levava à necessidade de controlar o território nacional, já que as políticas interna e externa passavam a se mesclar, e a segurança estava ameaçada pela ação dos próprios cidadãos do país, influenciados pelo comunismo internacional. Assim, havia uma indistinção entre as necessidades da segurança externa e da interna, bem como entre a violência preventiva e a repressiva. A segurança nacional passava a ser responsabilidade de todos os cidadãos. Dessa forma, as Forças Armadas foram convocadas a atuar na frente da segurança pública, e as forças policiais militarizaram-se.

Na área militar, foi criado em 1967, ano da outorga de uma Constituição que incorporava a legislação autoritária dos Atos Institucionais, o

Centro de Informações do Exército (CIE), por iniciativa do então ministro do Exército, general Aurélio Lira Tavares, que entregou o comando do novo órgão ao general Milton Tavares. No ano seguinte, a Aeronáutica foi igualmente dotada de um órgão semelhante pelo então coronel João Paulo Moreira Burnier; em 1970 ele foi reformulado com o nome de Centro de Informações de Segurança da Aeronáutica (Cisa), sob a chefia do brigadeiro Carlos Afonso Dellamora. Em 1971, o Cenimar foi reestruturado, também com o intuito de adequar-se às necessidades da perseguição de militantes políticos. No mesmo ano, visando à formação de quadros destinados a operar os órgãos de inteligência, foi instituída a Escola Nacional de Informações (Esni), em Brasília, dirigida pelo coronel Ênio dos Santos Pinheiro.

Com o início das ações praticadas pela esquerda armada, na transição do governo de Castello Branco (1964-1967) para o de Arthur da Costa e Silva (1967-1969), foi criado em São Paulo o primeiro núcleo militar especializado na ação repressiva, comandado pelo então major Waldyr Coelho, no quartel da Polícia do Exército (PE). A 2ª Companhia da PE ficou encarregada de ocupar-se exclusivamente de ações ligadas à "subversão" e ao "terrorismo". Em julho de 1969, o núcleo ampliou-se com um plano de combate às organizações de esquerda, conduzido pelo Exército e financiado por empresários, batizado de Operação Bandeirante (Oban). Ela consistia em conjugar energias das forças militares, das corporações policiais e dos órgãos de informação para localizar e destruir as organizações clandestinas. Seu comando competiu ao coronel Antônio Lepiane. Nesse mesmo ano, o Ministério do Exército, tendo à sua frente o general Orlando Geisel, assumiu o controle operacional das Polícias Militares – principal força de choque contra os protestos de rua de 1968 –, e não raro as secretarias de Segurança Pública passaram às mãos de oficiais superiores das Forças Armadas.

A Oban beneficiou-se amplamente do Ato Institucional n.5 (AI-5), que decretou o fim do habeas corpus para crimes políticos e permitiu a simplificação dos trâmites necessários à prisão de suspeitos. Ela constituiu o paradigma sobre o qual seria erigida uma rede de órgãos repressivos por todo o país: os Destacamentos de Operações de Informações (DOIs), unidades ágeis de perseguição e interrogatório de suspeitos, e os Codis, aos quais cabia a coordenação dos DOIs. Os dados do projeto Brasil: Nunca Mais apontam o protagonismo do Exército, dos DOI-Codis e da polícia política nas operações de perseguição e prisão de suspeitos de "subversão". Em um total de 3.613 réus arrolados nos processos da Justiça Militar entre 1964 e 1979, 29% foram presos pelo Exército, 24% pelos DOI-Codis e 23% pelos Dops e congêneres. O restante ficou a cargo das polícias Civil, Militar e Federal, e dos centros de informações das outras forças militares.[2]

A arquitetura do sistema de segurança interna completou-se no início da década de 1970, com a divisão do país em zonas, áreas e subáreas de defesa interna, a cargo de um comandante do Exército, e com a instalação dos DOI-Codis em capitais do país.

De toda essa estrutura podemos depreender as características principais do sistema repressivo da ditadura militar. Em primeiro lugar, a militarização: membros do Exército ocuparam variados cargos ligados à segurança pública e à área de informações, com a particularidade de que os cargos de chefia foram todos preenchidos por oficiais superiores. Em segundo, a especialização na montagem de um sistema coercitivo voltado especificamente para o combate ao crime político: comparada ao conjunto das Forças Armadas e policiais sua estrutura era enxuta, mas congregava diversos saberes e permitia que fossem ativados, quando necessário, efetivos de diferentes unidades policiais e militares, sempre sob a direção de militares. Em terceiro lugar, a centralização das operações repressivas em órgãos criados para esse fim. Por fim, a sistematização dos esforços de repressão à dissidência, com a montagem de um conjunto de instituições de informação e segurança, o que denota a importância atribuída ao crime político durante a ditadura militar.

Além dos órgãos já mencionados, o sistema tinha ainda a seu dispor toda a estrutura das Forças Armadas e das polícias. Foram realizados interrogatórios e torturas nas sedes de batalhões da Polícia do Exército, em regimentos de infantaria, em companhias de guardas, em delegacias de polícia, em presídios e outras unidades. Também funcionaram centros clandestinos de detenção, estabelecidos pelos centros de informações das

Forças Armadas, pelos Dops ou por estruturas paramilitares criadas no seio desses órgãos. A rede era ainda composta por uma miríade de instituições complementares, cúmplices do que se fazia nos órgãos repressivos: institutos médico-legais, hospitais, auditorias da Justiça, cemitérios etc.

Métodos

Do ponto de vista da cronologia da ditadura, os 21 anos costumam ser divididos em três fases distintas. O primeiro período vai do golpe de 1964 até a decretação do AI-5, em dezembro de 1968, momento em que houve denúncias de prisões arbitrárias, violências e até torturas e assassinatos. O segundo vai do AI-5 até 1974, época em que a tortura e o assassinato político tornaram-se política de Estado, de maneira metódica, coordenada e generalizada. O terceiro segue de 1975 em diante, quando, em face do desgaste do regime militar e das pressões crescentes da sociedade civil, o general Ernesto Geisel (1974-1979) iniciou a "distensão", seguida pela "abertura" do general João Batista Figueiredo (1979-1985). Para efeitos da repressão política, no entanto, a segunda fase pode ser estendida até 1976, quando parte da cúpula do Partido Comunista do Brasil (PCdoB) foi exterminada pelos órgãos de segurança e informação do Exército.

Nos primeiros momentos que se seguiram ao golpe de 1964, os setores mais visados foram os militares fiéis ao governo deposto, sindicalistas, estudantes, parlamentares ligados a partidos de oposição ao governo militar, jornalistas e indivíduos oriundos dos movimentos sociais. Os testemunhos de presos desse período referem-se a uma repressão brutal, mas pouco metódica, descoordenada, frouxa e desinformada quanto a aspectos ideológicos e organizacionais daqueles que estavam perseguindo.

No final dos anos 1960 houve um refluxo dos movimentos operário, sindical e estudantil e o crescimento das ações armadas por parte de grupos clandestinos de esquerda. A repressão dirigiu-se em cheio para esse novo alvo, sem contudo descuidar dos outros setores mencionados. Com o fim do habeas corpus, em dezembro de 1968, e a criação de órgãos especializados para a repressão política, como a Oban, em 1969, e os DOI-Codis, nos anos seguintes, a repressão deu um salto qualitativo importante. Esses núcleos repressivos trabalhavam com equipes formadas por indivíduos de diferentes instituições. Os membros da Polícia Civil traziam a experiência das torturas contra prisioneiros comuns, e os integrantes do Dops tinham um saber acumulado de perseguição política que remontava ao Estado Novo. Ambos auxiliaram os militares em sua missão de transformar a segurança pública em uma "guerra interna".

Os métodos de vigilância, detenção e obtenção de informações não eram convencionais. Os trabalhos normalmente se dividiam nas tarefas de busca e captura de militantes políticos, interrogatório dos detidos e análise das informações coletadas. Os agentes não utilizavam farda ou carros oficiais, mesmo os militares eram instruídos a deixar de lado os elementos distintivos que os caracterizavam. Lançavam mão de disfarces variados, normalmente de funcionários de serviços públicos, como telefonia, recolhimento de lixo, saneamento básico ou manutenção da rede elétrica. Operavam frequentemente além da fronteira da legalidade, desrespeitando a legislação autoritária erigida pelo próprio regime. Importa dizer que os métodos violentos nunca foram aberta e publicamente defendidos pela hierarquia militar, mas empregados de forma ampla, com o aval e sob orientação da alta cúpula.

O interrogatório sob tortura foi uma das linhas mestras da repressão política. A violência dos tapas, socos e pontapés dos primeiros tempos sofisticou-se em torturas que seguiam uma ordem de intensidade crescente: palmatória, afogamento, "telefone", pau de arara. Entre os instrumentos aplicados, ficaram célebres as máquinas de choque importadas dos Estados Unidos; a cadeira do dragão, que servia, no DOI paulista, para imobilizar as vítimas durante as descargas de energia elétrica; e a caixa conhecida pelo nome de "geladeira", empregada pelo DOI carioca, dentro da qual os prisioneiros eram submetidos a intensas variações de temperatura combinadas com períodos sucessivos de silêncio completo e ruído em altos decibéis. Foram inventariadas pela equipe do Projeto Brasil: Nunca Mais, em todo o país, 310 variações de tortura, catalogadas em nove categorias usadas contra presos políticos e, por vezes, seus familiares.

Outra estratégia comum para obter informações foi o emprego de informantes, selecionados em diversas esferas da sociedade. Mais eficaz foi o recurso aos "infiltrados", agentes treinados em informação que se misturavam entre os ativistas de movimentos sociais para ser recrutados pelas organizações de esquerda e fornecer dados importantes sobre seu funcionamento e suas ações. Alguns desses infiltrados, especialmente valiosos, eram os chamados "cachorros", militantes da esquerda que os agentes repressivos prendiam, torturavam e em seguida instrumentalizavam para vigiar e delatar os ex-companheiros, fosse sob ameaça de violências mais terríveis, fosse por meio de benefícios especiais.

A repressão praticou uma política de eliminação seletiva. Foram particularmente visados os líderes dos movimentos civis e sobretudo da esquerda armada. Nos anos mais duros, durante o governo do general Emílio Garrastazu Médici (1969-1974) e no início da gestão do general Geisel, houve uma política deliberada de extermínio de dirigentes das organizações clandestinas de esquerda, iniciada com o assassinato do comandante da Ação Libertadora Nacional (ALN), Carlos Marighella, em novembro de 1969, passando por dirigentes de vários agrupamentos e encerrando-se com a Chacina da Lapa, em dezembro de 1976, quando liquidaram-se integrantes da cúpula do PCdoB. Foram exterminados em quase sua totalidade os guerrilheiros do Araguaia, também pertencentes ao PCdoB, e os membros do Movimento de Libertação Popular (Molipo), organização criada em Cuba por militantes que fizeram treinamento de guerrilha na "Ilha" e depois retornaram ao Brasil. Pouco antes do período da distensão iniciou-se uma sistemática perseguição aos comunistas que levou ao assassinato de vários membros da cúpula do PCB.

O segredo recobria prisões, torturas e mortes. Os familiares não eram comunicados sobre as detenções e percorriam uma via crucis pelos órgãos repressivos, no mais das vezes sem sucesso. As mortes provocadas pelos agentes repressivos, fossem elas "acidentais", sob tortura, ou propositais, eram encobertas com versões de atropelamento, suicídio, enfrentamento com agentes ou choque com os próprios companheiros de organização. O desgaste provocado ao longo dos anos pela sucessão de histórias forjadas levou à adoção de outra prática repressiva, o desaparecimento. Os corpos passavam a ser sepultados em locais desconhecidos ou em valas comuns destinadas a indigentes. O número de desaparecidos apresenta crescimento constante de 1971 a 1974, momento em que atinge o auge pela eliminação da guerrilha do Araguaia.

Geografia

A extensão territorial da repressão política foi considerável. Os DOI-Codis foram instalados, de 1970 em diante, no Rio de Janeiro, em São Paulo, Recife, Curitiba, Belo Horizonte, Salvador, Belém, Fortaleza e Porto Alegre. Os Dops, muito anteriores, exerciam suas funções em praticamente todos os estados do país. Não há levantamentos disponíveis para verificar a distribuição numérica das torturas e detenções entre as capitais e as cidades do interior. Graças à centralização e especialização do sistema repressivo, pode-se supor com certa segurança que houve uma tendência a transferir os presos de alguma importância política das cidades do interior para os órgãos repressivos das capitais, mais bem preparados para interrogá-los. O que não significa que não fossem antes detidos com violência e mesmo interrogados nas delegacias e unidades militares locais.

Mas houve diferenças regionais significativas. O DOI-Codi e o Dops de São Paulo eram, entre seus congêneres, os mais bem-aparelhados e os que agrupavam maior efetivo. Em compensação, o Rio de Janeiro concentrava um número mais expressivo de unidades militares, como as do Cenimar e do Cisa, de modo que, nessa cidade, os tentáculos da repressão eram numerosos. Porto Alegre possuía uma Divisão Central de Informações, criada em 1969, substituída pelo DOI-Codi apenas em 1974.

Em termos nacionais, houve concentração da violência registrada nos estados do Rio de Janeiro e de São Paulo, seguidos, em menor escala, por Minas Gerais, Paraná, Pernambuco, Ceará, Rio Grande do Sul e Distrito Federal.[3] Os dados disponíveis, porém, refletem apenas uma parte reduzida do que foi o fenômeno da tortura no país durante a ditadura militar. Eles provêm do levantamento do projeto Brasil: Nunca Mais, que se baseou nas informações contidas nos processos do Superior Tribunal Militar. Ora, apenas uma parcela dos detidos e torturados foi condenada nessa instância. Dessa parcela, o universo dos denunciantes é ainda menor. Ainda assim, são informações significativas para se ter ideia de como se distribuiu a violência política no país.

No meio rural, a repressão abateu-se preferencialmente sobre membros e lideranças das Ligas Camponesas, que se expandiram nas décadas de 1950 e 1960, e também sobre militantes dos sindicatos dos trabalhadores do campo. Nessa área houve igualmente um primeiro surto de violência logo após o golpe, com intervenção em sindicatos rurais e detenção de lideranças por forças militares. Embora a repressão política urbana e rural tenha uma área de interseção, as características foram no mais das vezes distintas.

No campo, os grandes proprietários, por intermédio de suas milícias privadas, uniram esforços com as forças policiais e militares do Estado para perseguir, prender, torturar e, em alguns casos, assassinar camponeses que procuravam organizar-se para melhorar suas condições de trabalho. As vítimas da luta pela terra, em geral mortas por jagunços, foram num crescendo que se prolongou para além da ditadura, até 1987. No que tange à repressão propriamente política, ela foi em particular intensa contra os camponeses do sul do Pará e da região do Bico do Papagaio, acompanhando o combate à guerrilha do Araguaia (1972-1975).[4]

Fissuras

Conquanto a repressão política tenha sido no mais das vezes eficaz, houve discordâncias e conflitos em sua implementação. Ao mesmo tempo que membros de distintas forças militares e policiais conviviam nos DOI-Codis, os diferentes códigos de conduta produziam desconfiança mútua entre civis e militares. Idealmente, a divisão de tarefas entre os DOI-Codis e os Dops consistia na detenção e interrogatório pelo primeiro e oficialização da prisão, até então clandestina, e abertura de um inquérito, pelo segundo.

Na prática, porém, houve disputa por prisioneiros dos altos escalões das organizações de esquerda, sobretudo em regiões nas quais os Dops tinham uma estrutura sólida. Nem sempre seus agentes, acostumados com a atividade de vigilância política, viam com bons olhos a atuação de militares em seu domínio.

No meio militar, o Exército preponderou em todos os domínios, o que causou certo mal-estar com as outras forças. O cuidado em não desrespeitar as áreas de atuação dos serviços de informação e segurança da Marinha e da Aeronáutica algumas vezes produzia sobreposição e duplicação de funções. Presos políticos relatam ter sido interrogados sobre os mesmos assuntos em órgãos diferentes.

Incidentes relacionados à quebra de hierarquia e aos métodos de atuação dos órgãos repressivos também criaram atritos entre as forças militares e policiais que não estavam envolvidas no combate à repressão e os membros da comunidade de informação. Em determinados contextos, os assuntos relacionados à perseguição política tiveram primazia sobre outros, de modo que as informações não seguiam necessariamente o devido fluxo hierárquico. E nem sempre a cadeia de comando era respeitada, pois os membros do sistema de informação e segurança gozavam de um regime, em vários aspectos, especial. Isso valia também para promoções e condecorações, o que não raro desagradava os colegas de farda.

Além disso, o grupo que se especializou no combate ao crime de "subversão" possuía, por interesses corporativos e por formação ideológica, um projeto político que colidiu, em determinado momento, com a cúpula dirigente, ainda que todos partilhassem um universo comum de concepções sobre o mundo. No longo processo de crepúsculo da ditadura houve conflitos importantes entre os adeptos da "distensão lenta, gradual e segura" e aqueles que desejavam perpetuar a linha de combate sem tréguas ao "inimigo interno". Foi nesse ínterim que os últimos praticaram uma série de atentados contra lideranças e entidades da sociedade civil que se organizavam na denúncia à ditadura e reivindicavam a anistia dos presos políticos, a punição dos torturadores, o retorno dos exilados e a restituição das liberdades democráticas. Não obstante, na transição para a democracia, os setores mais radicais de direita foram protegidos de várias formas: garantiu-se sua impunidade, manteve-se silêncio oficial sobre as violências perpetradas pelas Forças Armadas e pelas polícias, conservou-se a unidade militar.

Arremate

Alguns dos órgãos que compunham a estrutura repressiva aqui descrita foram desmontados, enquanto outros tiveram sua função modificada ao longo dos anos. Os Dops foram extintos em diversos estados, no início da década de 1980, conforme assumiram os candidatos civis escolhidos nas primeiras eleições diretas para governador desde o golpe, em 1982. O Cisa passou a se chamar Centro de Informações da Aeronáutica, em 1980, mas manteve a mesma sigla, e foi abolido apenas em 1988. Os Doi-Codis foram suprimidos durante o governo Figueiredo. O Cenimar, em 1986, no governo civil de José Sarney, alterou a sigla para CIM, Centro de Informações da Marinha, mas manteve o nome.[5]

Cinquenta anos após o golpe, os responsáveis por sequestros, torturas, assassinatos e demais violências, fosse na arquitetura do sistema repressivo, fosse na execução das tarefas do dia a dia, continuam impunes. Alguns já morreram. Outros, em reportagens e entrevistas, relatam algumas de suas ações, com doses variadas de arrependimento. Outros, ainda, rememoram os velhos tempos em comemorações extemporâneas do golpe no Clube Militar, escrevem e publicam suas "verdades" e destilam seu ódio ao Brasil pós-ditadura em sites na internet.

Viveram o suficiente para testemunhar a população brasileira alçar ao cargo mais importante do país – sucessivamente, um intelectual exilado, um líder sindicalista preso e uma guerrilheira torturada. Todos eles ofereceram ministérios e importantes cargos públicos a personalidades políticas com atuação intensa no lado perseguido durante a ditadura. Na historiografia sobre o tema admite-se a tese de que os articuladores do sistema repressivo venceram a guerra contra a oposição política e sobretudo contra as organizações clandestinas da esquerda armada, mas teriam perdido a "luta pela memória histórica",[6] uma vez que a versão socialmente aceita do conflito não é a das Forças Armadas. Talvez possamos ir além e afirmar que não foi apenas a guerra da memória que os artífices da repressão política perderam, mas a própria guerra do futuro. As "moscas" venceram.

10. A Anistia de 1979 e seus significados, ontem e hoje[1]

Carla Simone Rodeghero

Este artigo se debruça sobre a Anistia de 1979, um dos temas relativos à ditadura que mais têm recebido atenção hoje. Na medida em que ocupou lugar central no processo de transição para a democracia, a anistia ainda está na raiz dos entraves para a responsabilização judicial dos agentes da repressão. Nas páginas que se seguem, irá se desenvolver uma reflexão sobre as relações entre anistia e esquecimento, a qual atentará para os significados que diferentes atores atribuíram à anistia ao longo dos quinze anos que se seguiram ao golpe de 1964. Depois de rápida apresentação sobre as campanhas em prol da medida, se faz uma contraposição entre a proposta governamental e aquela defendida pelas entidades pró-anistia. O foco, finalmente, irá se concentrar na questão da anistia dos crimes conexos, instrumento utilizado para garantir o caráter recíproco da lei. Para tanto, será feita uma comparação entre as anistias de 1945 e de 1979.

Anistia e esquecimento

Rui Barbosa teorizou sobre a relação entre a anistia e o esquecimento em escritos da época da consolidação da República brasileira, na passagem do século XIX para o XX, ora na condição de senador, ora na de jurista. Foi autor de alguns projetos de anistia, severo questionador do texto de outros e da propriedade ou não de sua aplicação, em circunstâncias específicas, nas duas primeiras décadas da República. Para o advogado baiano, a anistia era vista como "o véu do eterno esquecimento" que cicatriza as feridas e repõe as coisas no lugar em que se encontravam antes dos conflitos políticos. Sua abordagem enfatizava os pontos positivos do esquecimento, ao mesmo tempo que questionava os momentos mais propícios – do ponto de vista do poder – para tal concessão.

As proposições de Rui Barbosa sobre a anistia foram retomadas em vários momentos da história brasileira, entre os quais podemos destacar as campanhas pela anistia de 1945 e a de 1979. Nesta última, "o véu do eterno esquecimento" foi expressão utilizada por diversos atores políticos. A própria trajetória de Rui em defesa da anistia foi destacada no livro *Liberdade para os brasileiros: anistia ontem e hoje*, de Roberto Ribeiro Martins, obra publicada em 1978 e engajada na luta dos Comitês Brasileiros pela Anistia (CBAs), que começavam a ser montados.

Três décadas depois de publicado o livro, em torno do 30º aniversário da Lei da Anistia de 1979, começou a ganhar força no Brasil o debate a respeito das possibilidades de reinterpretação da lei, tendo em vista a necessidade de suprimir dela a menção aos "crimes conexos aos políticos". Sendo esses crimes compreendidos como aqueles praticados pelos agentes da repressão, e tendo presente que a Constituição de 1988 definiu a tortura como crime inafiançável e insuscetível de graça e anistia, a Ordem dos Advogados do Brasil (OAB) ingressou junto ao Superior Tribunal Federal (STF) com uma Arguição de Descumprimento de Preceito Fundamental da Constituição, a ADPF 153. Solicitou-se a manifestação do órgão sobre a constitucionalidade da anistia dos crimes conexos, a qual foi confirmada pelo STF.

Desde sua aprovação, em 1979, a lei vem sendo aplicada de maneira a impedir a abertura de processos judiciais contra civis e militares que reconhecidamente foram responsáveis por sequestros, torturas, desaparecimentos, mortes de pessoas consideradas inimigas do regime pós-1964. A lei hoje em vigor não é exatamente a sancionada em 1979, pois, em diferentes momentos, por votação do Congresso Nacional, artigos seus foram suprimidos ou modificados. Uma das alterações garantiu o pagamento de indenizações aos familiares de mortos e desaparecidos (Lei n.9.140, de 1995) e aos perseguidos políticos (Lei n.10.559, de 2002). Nunca se tocou, no entanto, na menção aos crimes conexos, o que tem dificultado a efetiva implantação das medidas conhecidas como "justiça de transição". Essas medidas dizem respeito ao esclarecimento dos crimes do passado, à reparação das vítimas, à valorização da memória dos que lutaram contra o regime, à consolidação de uma cultura de respeito aos direitos humanos e à responsabilização judicial dos perpetradores. A anistia aos crimes conexos se erige como barreira especialmente à efetivação do último aspecto.

Setores governamentais – ligados em particular à Comissão de Anistia do Ministério da Justiça e à Secretaria Especial dos Direitos Humanos da Presidência da República –, desde 2008, têm fomentado ações de justiça de transição. Entre elas, podem-se mencionar o projeto Memórias Reveladas, a criação das Caravanas da Anistia e o projeto Marcas da Memória (estes últimos no âmbito da Comissão de Anistia), a pressão para se criar a Comissão Nacional da Verdade (em funcionamento desde abril de 2012), as mudanças nas leis de acesso à documentação. Tais iniciativas têm tido ora o apoio, ora a crítica e sempre a cobrança de entidades da sociedade civil ligadas à defesa dos direitos humanos ou às pessoas diretamente atingidas pela repressão da ditadura. Em praticamente todas elas é rechaçada a associação entre anistia e esquecimento, é denunciada a anistia concedida a "ambos os lados" e nega-se que em 1979 tenha sido selado um acordo de esquecimento mútuo das violências do passado. Por outro lado, há setores governamentais e da sociedade civil menos favoráveis a essas iniciativas, por considerar que toda a movimentação fere o sentido da Lei da Anistia de 1979 e alimenta o ressentimento e o revanchismo. Em boa parte dos debates e enfrentamentos está em jogo a interpretação dada à lei e ao processo de sua aprovação. Está em disputa também se anistia é ou não esquecimento, e se esquecer faz bem ou mal para o presente e o futuro do país.

A reflexão de Rui Barbosa sobre anistia e esquecimento ainda dá suporte a argumentos que impedem o enfrentamento das heranças da ditadura. No entanto, há outro autor que, contemporaneamente, tem ajudado a pensar os processos de justiça de transição. Trata-se do filósofo Paul Ricoeur, que analisou em seus trabalhos temas como memória, esquecimento, perdão, reconciliação, usos do passado e também anistia. As reflexões de Ricoeur contribuem para que se entenda o esquecimento em suas diferentes formas. O filósofo defende a existência de um esquecimento libertador, aquele que é resultado de um trabalho de luto, para o qual é indispensável um trabalho de memória, passos necessários para a superação das situações traumáticas – tomadas pelo filósofo no plano coletivo. No seio desse debate, o autor encara a anistia como o esquecimento comandado, imposto, uma medida que pretende forçar uma coletividade a esquecer. Sob a anistia, seria como se não existissem os crimes do passado, o que teria resultados eficazes a curto prazo, mas seria daninho como política de gestão do passado.

Ricoeur escreve na passagem do século XX para o XXI, e, assim como Rui Barbosa, associa anistia a esquecimento. Essa associação, no entanto, é marcada pela crítica, e não pela positividade presente na análise do pensador brasileiro. Há de se levar em conta que os escritos dos dois autores estão separados temporalmente por um século de história, um século marcado por grandes conflitos mundiais, pela violência, pelo Holocausto e pela consolidação de certos valores, como aqueles relacionados à democracia e aos direitos humanos. Se os estudos de Ricoeur têm inspirado parte dos atores sociais que lutam por medidas voltadas a esclarecer e a julgar os crimes da ditadura brasileira e de outros regimes, os de Rui Barbosa parecem ter se diluído numa interpretação de que o esquecimento (visto de forma positiva) estaria inscrito na lei de 1979. Ela seria o resultado de um consenso a que a sociedade brasileira conseguiu chegar para caminhar rumo à democracia.

A anistia como demanda dos perseguidos pela ditadura

A menção à necessidade de anistia aos opositores do regime instaurado em 1964 já veio a público nos primeiros dias após o golpe. Diante da onda repressiva que se seguiu ao primeiro Ato Institucional, algumas vozes, no Congresso e na imprensa, manifestaram-se pela revisão dos processos e pela anistia. O jornalista Carlos Heitor Cony, por exemplo, em crônica publicada no *Correio da Manhã*, em 18 de abril, clamava pela medida, ao mesmo tempo que denunciava a truculência do grupo que tinha chegado ao poder. Um editorial da *Folha de S.Paulo*, em 29 de dezembro de 1964, tratava da necessidade de uma anistia parcial que pudesse sanar os excessos resultantes das "condições excepcionais dos momentos que se seguiram à Revolução". No primeiro dia do ano de 1965, o filósofo Alceu Amoroso Lima, em crônica publicada no mesmo jornal, pedia o "fim da fase punitiva da Revolução de Abril", para o que seriam necessários "a esponja no passado, a anistia política geral, a pacificação dos espíritos", o restabelecimento do diálogo e a "distensão dos nervos".

Muitos acreditavam que Castello Branco garantiria a normalização política do país no fim da vigência do AI-1. Tais expectativas, no entanto, se chocavam com as dos setores mais radicais das Forças Armadas, que queriam a prorrogação dos poderes excepcionais do presidente. Estes últimos acabaram vitoriosos com a decretação do Ato Institucional n.2, em outubro de 1965. Da parte do governo, naquele momento, não havia interesse em aproximar-se da oposição ou dialogar com ela, o que tornava desnecessário se pensar em anistia. Uma parte dos cassados, dos que perderam direitos políticos, dos que foram expurgados ou dos que começaram a ser perseguidos partiu para o exílio, sobretudo no Uruguai. Ali, os debates políticos se concentravam nas possibilidades de voltar ao Brasil e derrubar o governo militar. Isso praticamente inviabilizava a demanda de anistia, pois para tanto era preciso ver legitimidade no governo da "Revolução" e ter forças para negociar com ele.

Em janeiro de 1966, o general Peri Bevilacqua, ministro do Superior Tribunal Militar, também se referiu à necessidade de anistia ao conceder uma entrevista à revista *Manchete*. Em 1969, Bevilacqua novamente se manifestou em favor dos atingidos pelos dois primeiros Atos Institucionais. Seus discursos contestatórios serviram de justificativa para afastá-lo do cargo. Em 1967, a anistia constou do manifesto de lançamento da Frente Ampla, que reunia antigas lideranças atingidas pelo golpe, como Carlos Lacerda, João Goulart e Juscelino Kubitschek. A possibilidade de anistia também foi sugerida em favor dos grupos atingidos pela repressão em 1968. O deputado Paulo Macarini, do Movimento Democrático Brasileiro (MDB), apresentou ao Congresso um projeto de lei que anistiava os punidos por atos relacionados às manifestações populares que se seguiram ao assassinato do estudante Edson Luís, no Rio de Janeiro – o qual foi rejeitado.

Com o Ato Institucional n.5, em dezembro de 1968, o governo deixou clara a opção pelo fechamento político. Iniciou-se o período de mais intensa repressão da ditadura, no qual também foram colocadas em prática tentativas de enfrentamento armado ao regime por parte de diversos grupos clandestinos de esquerda. Nesse quadro, a anistia não se impunha mais como demanda dos grupos de esquerda nem da oposição consentida, representada pelo MDB. Não surgia tampouco como projeto governamental, já que a aposta era no endurecimento.

Entre 1968 e 1974 formou-se uma nova leva de atingidos pela repressão, parte da qual tinha relação com o movimento estudantil e com as mobilizações que marcaram o ano de 1968. Esses jovens, juntamente com "velhos" militantes, passaram a integrar organizações de esquerda, várias das quais realizaram ações armadas contra o regime. As experiências de vida clandestina, prisão, desaparecimento, exílio e expulsão resultaram do aprimoramento dos órgãos repressivos de uma ditadura cada vez mais disposta a vencer "os processos subversivos". A denúncia da situação desses militantes era feita, em geral, a partir do núcleo doméstico, com o auxílio de alguns advogados. Eram os familiares que iam ao encalço das autoridades em busca de informações sobre os seus parentes; tentavam localizá-los em delegacias e quartéis; procuravam oficializar e divulgar as prisões como forma de garantir a sobrevivência dos presos; mantinham a rotina de visitas; passavam informações para companheiros ainda militantes; vendiam o artesanato produzido na prisão; etc.

Alguns candidatos do MDB na campanha eleitoral de 1974 começaram a falar em anistia, como Lysâneas Maciel, no Rio de Janeiro, e Mila Cauduro, em Porto Alegre. Em março daquele ano, iniciava-se o mandato presidencial do general Ernesto Geisel. Em agosto, ele propôs uma política de distensão e afrouxamento do regime, o que deveria ocorrer de forma lenta, gradual e segura. Em novembro se deram as eleições legislativas, nas quais o MDB conquistou maior número de cadeiras no Senado que a Aliança Renovadora Nacional (Arena). A partir daí, o MDB começou a parecer um canal viável de oposição.

A distensão proposta por Geisel foi vista por algumas mulheres como uma brecha para a campanha a favor da anistia. Em 1975, a advogada Therezinha Zerbine criou em São Paulo o Movimento Feminino pela Anistia (MFPA) e impulsionou a montagem de núcleos em diversas cidades brasileiras. Ela aproveitou a proposta da Organização das Nações Unidas de comemoração do Ano Internacional da Mulher e as pregações do papa Paulo VI em prol da paz para defender a necessidade de uma "anistia ampla e geral para todos aqueles que foram atingidos pelos atos de exceção". Essa anistia tornaria possível a "pacificação da família brasileira" e atualizaria uma tradição política já existente no país, que apelara para essa medida em diversos momentos de sua história.

De acordo com a lógica dessa tradição, panfletos do MFPA aproximavam graficamente as datas de 1945 e 1975, referindo-se o primeiro ano à anistia decretada por Getúlio Vargas no fim do Estado Novo, e o segundo à criação do Movimento, que tinha a pomba da paz como logotipo. A tradição brasileira de anistias também foi lembrada, nos anos seguintes, por outros envolvidos na campanha, como o general Bevilacqua, que chamava atenção para as anistias concedidas no período imperial; ou pelo jornalista Roberto Ribeiro Martins, que retomava em seu livro *Liberdade para os brasileiros* o legado de Rui Barbosa, montando um panorama das anistias concedidas no Brasil desde a Independência.

Nos anos de 1975, 1976 e 1977, os núcleos do MFPA buscaram apoio dos parlamentares do MDB, de setores da Igreja católica, do movimento estudantil e de entidades de profissionais liberais, como a Ordem dos Advogados do Brasil (OAB). Houve, inclusive, tentativas de sensibilizar o governo norte-americano, então sob a administração de Jimmy Carter. Nesse período, apesar da promessa de distensão, estavam em funcionamento todos os mecanismos repressivos criados ou transformados a partir do AI-5. A impossibilidade de requerer habeas corpus tornava perigoso expor-se publicamente. No entanto, essa exposição se impunha, já que era imprescindível tornar pública a bandeira da anistia. Casos como os assassinatos de Vladimir Herzog e Manuel Fiel Filho, em 1975 e 1976, respectivamente, e da Chacina da Lapa, também em 1976, indicavam a fraqueza do governo na tarefa de levar adiante a abertura. Situações como a decretação do Pacote de Abril, em 1977, que fechou o Congresso, mostravam, por sua vez, quanto era limitado o afrouxamento proposto pelo governo.

Aos poucos, a anistia passou a fazer parte do conjunto das "liberdades democráticas" que cumpria reconquistar. A luta pelos direitos de reunião, de expressão, pelo fim da censura, contra os decretos que afetavam as entidades estudantis e impediam os estudantes de se manifestar politicamente e pela revogação do AI-5 se mesclou à luta pela anistia. O ano de 1977, por exemplo, foi marcado pela reconquista das ruas pelos estudantes, que, mesmo sob forte repressão, voltaram a fazer passeatas.

No exterior, entre os exilados, também foram organizadas ações em prol da anistia. Em contraste com aqueles que partiram para o exílio logo após o golpe, os militantes que tiveram de deixar o país depois do AI-5 e tinham vivenciado a derrota da luta armada começaram a ver na bandeira da anistia uma possibilidade de luta contra o regime, denunciando as violações aos direitos humanos e contribuindo para a retomada da democracia. Entre as ações empreendidas e que tiveram a participação de exilados brasileiros, em conjunto com apoiadores de outros países, podem-se destacar a realização do Tribunal Bertrand Russell II (entre 1974 e 1976) e a criação de vários comitês.

O Tribunal Bertrand Russell foi um espaço de denúncia das ditaduras latino-americanas que destacou o papel do Brasil como centro fomentador desses regimes e produziu orientações visando a influir no ordenamento jurídico internacional. Os comitês foram criados a partir de 1975, e já chegavam a três dezenas em meados de 1979, tendo destaque os de Portugal, França e Suíça. A luta pela anistia teve papel agregador dos exilados. Segundo relato de Fernando Gabeira, que tinha sido militante do MR-8 e estava exilado na Suécia, tal luta permitia que estivessem lado a lado, pela primeira vez, militantes de diferentes orientações políticas, os quais tinham encontrado na militância pela anistia "um modo de convivência". Outro momento de destaque da luta no exílio foi a realização, entre junho e julho de 1979, de uma conferência sobre anistia em Roma. A medida interessava particularmente aos exilados, alguns dos quais chegaram a ficar fora do Brasil por quinze anos.

Em 1978, começaram a ser criados os Comitês Brasileiros pela Anistia em diversas cidades brasileiras. Os CBAs eram entidades que congregavam indivíduos e entidades dispostos a lutar pela anistia, entre elas os núcleos do MFPA, que já tinham uma articulação nacional. O relacionamento entre MFPA e CBAs variou de cidade para cidade, com momentos de conflito e de aproximação. O discurso mais conciliador do MFPA, possível durante a vigência do AI-5, foi o que colocou na rua o tema da anistia. O discurso mais radical dos CBAs, surgido contemporaneamente a outras manifestações contra a ditadura – como o movimento estudantil e, logo depois, o sindical –, rompia com a lógica da conciliação. Ao mesmo tempo que reivindicava anistia para os presos políticos (a maioria deles ligada aos grupos de esquerda armada), volta dos exilados, reintegração dos expurgados e dos alunos expulsos das universidades, aprofundava as denúncias dos crimes da ditadura, pedia punição dos responsáveis e demandava esclarecimentos sobre militantes mortos e desaparecidos. A abertura proposta pelo regime não era considerada justificativa para a concessão da anistia. Ao contrário, era denunciada e desmascarada.

Da parte do governo Geisel havia recusa em reconhecer a existência da reivindicação de anistia. Admitia-se, no máximo, a implantação de algumas reformas, entre as quais a revogação do artigo n.185 da Constituição (ele incorporava o AI-5 à Carta); a revisão das punições pela Justiça Militar e a revisão da Lei de Segurança Nacional. O general Figueiredo, que assumiu a Presidência da República em março de 1979, admitiu apresentar um projeto ao Congresso, o que aconteceu em junho daquele ano. Desde 1978, porém, já se falava na intenção do governo de conceder uma anistia parcial (que excluísse, por exemplo, os presos ou exilados considerados terroristas) e recíproca (que atingisse, além dos perseguidos políticos, os agentes da repressão).

Outra frente de luta contra a ditadura e pela anistia surgiu nas prisões de diferentes cidades brasileiras. Ações como greves de fome pressionavam as autoridades para que reconhecessem a condição particular dos presos políticos, que eram tratados pelo regime como terroristas. Manifestos escritos por presos e divulgados por familiares denunciavam os maus-tratos recebidos. Foram organizadas greves de fome nacionais, sendo uma delas realizada durante a votação da Lei da Anistia, como forma de pressão. Essa greve levou a que congressistas visitassem as cadeias e dessem visibilidade à situação dos presos políticos, um dos grupos para o qual se solicitava o benefício da medida.

Os projetos em disputa

O projeto governamental foi apresentado a um Congresso Nacional no qual a Arena tinha ampla maioria, facilitada pela eleição indireta de um terço dos senadores no final de 1978. A partir daí, a orientação assumida pelas organizações pró-anistia, capitaneadas pelos CBAs, foi instrumentalizar os parlamentares do MDB na apresentação de anteprojetos ou de emendas à proposta do governo, a qual não dava conta dos propósitos associados ao slogan de "anistia ampla, geral e irrestrita". O projeto definia que seriam anistiados os que cometeram crimes políticos e conexos, e que tivessem sido punidos com base nos Atos Institucionais e Complementares, com exclusão dos que foram condenados por terrorismo, assalto, sequestro e atentado pessoal. A medida abrangia também os que perderam direitos políticos, os funcionários públicos e líderes sindicais que haviam sido afastados em decorrência da mesma legislação. A reintegração ao serviço público seria condicionada à existência de vagas e ao interesse da administração, sendo que os funcionários civis e militares afastados teriam seus requerimentos avaliados por comissões ligadas aos respectivos ministérios.

Em diferentes registros do período – como panfletos do movimento estudantil, manifestos de CBAs, discursos de parlamentares do MDB, jornais produzidos por exilados, documentos conclusivos de eventos nacionais das entidades pró-anistia, por exemplo –, pode-se perceber que a proposta do governo foi rechaçada pelos movimentos e também pelo partido de oposição. Isso porque ela excluía de seus benefícios parte dos perseguidos e incluía os agentes da repressão; também não previa a automática reintegração dos expurgados. Na forma apresentada pelo governo, a anistia seria parcial e recíproca.

A correlação de forças no Congresso Nacional no momento da votação fez com que fossem derrotadas praticamente todas as emendas ao projeto do governo e o substitutivo apresentado pelo MDB. As avaliações sobre a aprovação da anistia do governo Figueiredo foram marcadas pela tensão entre a meia vitória conquistada e a meia derrota sofrida. Mesmo que, na oposição, entre os que defendiam a concessão de anistia, houvesse divergências e diferentes graus de radicalização na crítica ao regime, depois de junho de 1979 foi geral a denúncia das limitações do projeto vitorioso. Denunciou-se também o uso da expressão "crimes conexos", entendido como estratégia para garantir a impunidade dos que sequestraram, prenderam ilegalmente, torturaram e mataram, sob a capa de serviço à nação e de luta contra os subversivos.

Para melhor entender a aproximação realizada entre crimes conexos e reciprocidade é elucidativo voltar no tempo e acompanhar a presença desses dois elementos em anistias anteriores. A expressão "crimes conexos aos políticos" faz parte do texto de três anistias decretadas por Getúlio Vargas, em momentos de governo provisório (1930 e 1934) ou de ditadura (1945). A primeira abrangeu os participantes dos movimentos tenentistas e da própria Revolução de 1930, e incluía "todos os crimes políticos e militares, ou conexos com estes". Em maio de 1934, o decreto de Vargas isentava de "toda responsabilidade os participantes do surto revolucionário verificado em São Paulo, em 9 de julho de 1932, e suas ramificações em outros estados". A isenção dizia respeito a "qualquer outro crime político e [a]os que lhe forem conexos, praticados até esta data".

Em 1945, também por meio de decreto, foi "concedida anistia a todos quantos tenham cometido crimes políticos desde 16 de julho de 1934 até a data da publicação deste decreto-lei". Além dos crimes políticos, eram abrangidos os crimes conexos, definidos como "crimes comuns praticados com fins políticos e que tenham sido julgados pelo Tribunal de Segurança Nacional". Como se vê, em todas as ocorrências, os crimes conexos seriam outros crimes praticados no período e associados àqueles que eram alvo da anistia.

Na campanha de 1945, manifestos de entidades e discursos de oradores – que podem ser encontrados em jornais como *Correio da Manhã*, do Rio de Janeiro, e *Folha da Manhã*, de São Paulo – se referiam à necessidade de "anistia ampla, geral e imediata" para os crimes políticos e conexos. Nesses e em outros registros que permitem reconstituir a luta pela anistia para os envolvidos no levante comunista de 1935 e os adversários do Estado Novo, é comum a menção à anistia aos crimes conexos. Basta lembrar que um dos principais alvos da anistia, Luiz Carlos Prestes, cumpria condenação por um crime comum associado a um crime político. Em manifesto mandado publicar no *Correio da Manhã* em 4 de abril de 1945 pela União dos Trabalhadores Intelectuais, por exemplo, lê-se: "Queremos a anistia ampla e irrestrita para quantos se encontram no cárcere ou no exílio, por *crimes políticos e conexos*" (grifos meus).

Mesmo que, em panfletos e manifestos – recolhidos pela polícia e atualmente no acervo do Arquivo Público do Rio de Janeiro –, em discursos de comícios e em matérias pagas nos jornais mencionados, os defensores da anistia denunciassem a violência do Estado Novo, isso não significava que tipificassem as ações da polícia política de Vargas como crimes, especialmente como crimes conexos. A noção de crimes conexos não era associada – como passou a ser no final dos anos 1970 – à reciprocidade da anistia. Além disso, como se pode constatar nos jornais citados, na mobilização que marcou o início do ano de 1945 e a queda do Estado Novo, as denúncias se voltavam mais para o ditador do que para a ditadura, e não eram necessariamente acompanhadas por demandas de punição do governo e de seus agentes.

Tanto em 1945 quanto no período de 1975 a 1979, os diferentes atores envolvidos nas campanhas pró-anistia falavam em anistia ampla e geral ou em anistia ampla e irrestrita, louvavam os benefícios do esquecimento, defendiam que a medida iria pacificar a família brasileira e que seria o primeiro passo para a redemocratização. Vistos a distância, os slogans eram os mesmos. Acompanhando mais de perto os atores políticos e sua compreensão sobre a medida, percebem-se as diferenças. No fim da década de 1970, mesmo que permanecesse a equação "anistia = esquecimento", entre a oposição já era majoritária a visão de que o Estado tinha cometido crimes, e que estes não eram passíveis de anistia; que a medida deveria ser acompanhada de esclarecimento e de punição; e que o esquecimento não era o melhor caminho para a construção da democracia.

Claro que havia os mais e os menos radicais na defesa de cada um desses pontos. Ao mesmo tempo, da parte dos formuladores do projeto governamental, parecia indispensável precaver-se contra futuras tentativas de julgamento dos membros do aparato repressivo. Afinal, as campanhas de denúncia dos crimes da ditadura começaram nos primeiros dias depois do golpe e foram muito intensas dentro e fora do país. Por isso, os formuladores do projeto do governo deram novo significado à noção de crimes conexos, a qual fazia parte da "tradição das anistias do Brasil" e carregava a vantagem de não deixar explícita a faceta de autoanistia presente no projeto.

Resta refletir sobre os motivos que fizeram com que, em 1945, se tornasse praticamente um consenso que anistia significava esquecimento, e fossem raras as vozes propondo punição aos crimes do Estado, enquanto em 1979 a lógica do esquecimento foi denunciada, e o propósito de fazer justiça aos crimes da repressão acompanhou as campanhas pela anistia. Esses motivos parecem ser também os que explicam por que o governo Vargas não tomou precauções em relação a futuros julgamentos de seus agentes repressores, enquanto o governo Figueiredo quis garantir-se contra isso. Mesmo que houvesse, em ambos os casos, a certeza de continuidade da ação dos atores políticos centrais da ditadura no novo regime, havia algo que diferençava os dois momentos: trata-se do processo que, entre 1945 e 1979, levou à consolidação da noção de crimes contra a humanidade e à adoção, pela esquerda, de um discurso de defesa dos direitos humanos. Esse discurso e aquela noção praticamente não tinham peso no debate político que antecedeu a anistia decretada em 18 de abril de 1945.

Em 1945, menos de um mês após assinado o decreto, teve fim a Segunda Guerra Mundial, e começaram a ser denunciados os crimes do Eixo, em especial as deportações e os horrores dos campos de concentração. Os governos de França, Estados Unidos, Grã-Bretanha e União Soviética criaram, ainda no mesmo ano, um fórum para julgar crimes de guerra, contra a paz e contra a humanidade, o Tribunal de Nuremberg. A partir daí se tornou possível pensar, no caso brasileiro, a atuação da polícia política de Vargas como criminosa e a necessidade de julgar seus agentes e mandantes. Um indício dessa mudança de perspectiva pode ser retirado das reflexões de David Nasser na obra *Falta alguém em Nuremberg*, publicada sob a forma de reportagens na revista *O Cruzeiro*, desde outubro de 1946. Segundo Nasser, não houve empenho no final da ditadura para denunciar, julgar ou punir os envolvidos na violência promovida pelos agentes do governo nos anos anteriores. A denúncia dessa falta de empenho teve Nuremberg como referência. A criação da noção de "crimes contra a humanidade", associada à ideia de direitos humanos, se deu no período entre as duas anistias brasileiras em questão e teve como marco, além do Tribunal de Nuremberg, a Declaração Universal dos Direitos Humanos, de 1948. Para a década de 1970, outros marcos poderiam ser apontados para entender a adoção do discurso de defesa dos direitos humanos pela esquerda.

O que parece ter acontecido em 1979 foi que os formuladores do projeto de anistia perceberam o potencial conciliador da medida, o reconhecimento da existência de uma tradição de anistias como forma de pacificação dos conflitos e, ainda, a possibilidade de explorar a dimensão de esquecimento. Acredito que esses formuladores também levaram em conta a noção de crimes contra a humanidade. Ao se apropriarem da expressão "anistia aos crimes conexos", e ao lhe darem um sentido diverso daquele de anistias anteriores, tentaram proteger o Estado e seus agentes de uma culpabilização que, naquele momento, em contraste com 1945, já era possível e era demandada.

Hoje, à luz das reflexões de Paul Ricoeur, que condena a anistia como esquecimento comandado, diferentes atores políticos têm procurado denunciar a reciprocidade presente na Lei da Anistia de 1979, sem contudo desconsiderar a dimensão de luta que a ela esteve e está associada. Se, nos anos 1970, ao se lutar pela anistia, já se criticava a proposta de cobrir o passado ditatorial com o "véu do eterno esquecimento", no presente, impõe-se o desafio de entender quanto dessa tradição ainda incide sobre o processo de construção de um novo significado para a anistia e de consolidação da democracia.

11. Por que lembrar? A memória coletiva sobre o governo Médici e a ditadura em Bagé[1]

Janaína Martins Cordeiro

Redemocratização e ostracismo: a construção do silêncio coletivo sobre Médici e a ditadura

Em 1982 fazia oito anos que o ex-presidente Emílio Garrastazu Médici havia deixado o cargo para o qual fora indicado em 1970. Desde então, ele passou a viver em completo recolhimento e quase absoluto anonimato. Passava o tempo vendo TV e recebendo poucos, raros amigos que ainda o visitavam vez ou outra.

Médici não gostava de falar. De temperamento taciturno e retraído, nunca fora conhecido como grande orador, mas as pessoas próximas sempre o definiram como "bom ouvinte". Era, na feliz expressão utilizada por Elio Gaspari para definir sua carreira militar e sua participação nas agitações golpistas de 1964, "o silêncio da orquestra".[2] A mesma expressão pode ser utilizada para definir o comportamento adotado pelo general no decorrer do longo processo de abertura política no Brasil: enquanto setores mais radicais das Forças Armadas vociferavam contra o projeto iniciado pelo presidente Ernesto Geisel, enquanto, por outro lado, aqueles segmentos ligados à distensão tentavam se situar como podiam no jogo político, Médici seguia como "o silêncio da orquestra".

No entanto, o "silêncio" ao qual Médici se recolheu após o fim do mandato não está ligado apenas às características de sua personalidade. Para além desse aspecto, o general se dizia "injustiçado".[3] Em primeiro lugar, pelo próprio regime, que, como se ressentiam o ex-presidente e sua família, relegara-o ao ostracismo. Para ele, seus sucessores teriam assumido os méritos pela abertura e lhe reservado o peso e a responsabilidade de uma "herança maldita". Diante disso, calava-se: "Não, eu não posso dizer nada. Tenho que ficar calado. Eu sou o arbítrio, eu sou a ditadura. A ditadura não fala."[4]

Simultaneamente, ele sentia-se injustiçado pela sociedade que não mais reconhecia "sua obra", mas representava-o cada vez mais como *ditador, o carrasco de terríveis anos de chumbo.* O general percebia a lenta transformação pela qual passava a sociedade e respondia, mais uma vez, com o silêncio: "Gostaria de desfazer alguns equívocos, colocar tudo em seu devido lugar, responder a algumas críticas, separar o gado. Mas ainda prefiro a lição do velho [Eurico Gaspar] Dutra. Aqui é minha rua do Redentor, a aguardar o julgamento da História. Só este me interessa."[5]

Em silêncio, Médici notava que, se seu governo era já há alguns anos qualificado como o mais duro *e* o mais popular de toda a ditadura, com o passar do tempo a memória dos "anos de chumbo" ia prevalecendo sobre a dos "anos de ouro",[6] e cada vez menos as pessoas se lembravam do "popular" presidente Médici. A rigor, a grande maioria da sociedade não queria lembrar. Assim como o ex-presidente, mas por razões diversas, optou-se pelo silêncio sobre o passado. Não o "esquecimento" puro e simples, mas o "silêncio",[7] a escolha coletiva por não mais falar dos "anos dourados" que o governo Médici representou para parcelas expressivas da sociedade.

Assim, à medida que o processo de redemocratização se consolidava, o "milagre brasileiro" – que outrora mobilizara os espíritos e difundira uma otimista sensação de "construção do Brasil potência" – passava a ser visto como mero instrumento de manipulação de uma propaganda todo-poderosa e mal-intencionada. As grandes obras, como a Transamazônica e a ponte Rio-Niterói, apresentadas como "vitrines de um Brasil moderno", eram chamadas agora, de modo irônico e anedótico, de "faraônicas", em referência, poderia ser dito, à sua falsa magnificência. Como se tais obras lembrassem à nação, no contexto de crise econômica da década de 1980, não mais sua pretensa grandeza, mas os dramas e traumas do "eterno país do futuro" e as promessas da potência que jamais se realizava.

Enfim, quando, por trás dos tons dourados que o milagre prometia, começaram a aparecer as sombrias tonalidades e o peso do chumbo, a euforia desenvolvimentista dos primeiros anos da década de 1970 tornou-se um incômodo, passou a constranger a sociedade. A imagem de Médici estava – do chumbo da repressão às falsas promessas do milagre – indissociavelmente ligada a tudo sobre o que a memória coletiva nacional queria então silenciar. Dessa forma, à medida que avançava o processo de transição democrática e se consolidava a "memória da sociedade resistente",[8] o lugar reservado a Médici pela memória coletiva oscilava entre o de grande carrasco e o silêncio.

As demandas do tempo presente e o lento caminhar do país em direção à reconstrução democrática exigiam uma sorte de reorganização da memória e do silêncio coletivos em relação ao passado. Portanto, se a nova ordem democrática, quando chegou, encontrou Médici em silêncio, coube a ela aprofundar e consolidar essa condição, da qual o ex-presidente somente seria retirado para ocupar o lugar de "grande carrasco da velha ordem".

Assim, angustiado, amargando a solidão à qual estão destinados os derrotados – embora, paradoxalmente, tivesse vencido a batalha contra os "inimigos do regime"[9] –, Médici recolheu-se a um silêncio quase sepulcral. Não gostava de jornalistas, abominava a ideia de conceder entrevistas. Causava-lhe ainda mais horror a possibilidade de opinar ou participar dos processos políticos então em curso, embora os seguisse minuciosamente pela TV. Naquele ano de 1982, por exemplo, acompanhava o processo eleitoral e, entre apreensivo e indignado, surpreendia-se com os rumos que a abertura tomava e as transformações pelas quais passava a sociedade brasileira:

> Veja aqui o Rio de Janeiro. Está aí na televisão o Vladimir Palmeira dizendo que foi banido, exilado etc. Eu o mandei embora do Brasil porque ele foi trocado por um embaixador que seus amigos sequestraram. Agora ele é candidato e fica aí na televisão dizendo essas coisas, cheio de orgulho. E o Brizola? Também está aí. … Os cassados viraram heróis, mas isso é um absurdo, não pode ser.[10]

Diante de um quadro no qual, como ele próprio observava, consolidava-se uma posição de hostilidade à ditadura e aos militares, Médici preferia o recolhimento. Recusava-se mesmo a comparecer a determinadas – e cada vez mais raras – homenagens. Julgava que sua presença poderia ser impertinente, polêmica, ensejando acusações que correntemente afloravam, a respeito de torturas, perseguições e assassinatos políticos sob seu mandato.

Foi nesse contexto, quando as batalhas de memória travavam-se com particular intensidade, que veio à tona uma notícia inesperada, à qual, todavia, a imprensa nacional deu pouca ou nenhuma atenção. Naquele mesmo ano de 1982, quando o presidente, estarrecido, via "os cassados viraram heróis" e a sociedade esforçar-se para se dissociar das incômodas lembranças da ditadura, chegou de Bagé, sua cidade natal, no Rio Grande do Sul, a notícia de que lá seria criada a Fundação Emílio Garrastazu Médici.

O espaço, que começaria a funcionar a partir de março de 1983, deveria ser um centro de estudos sobre o governo do "ilustre bajeense", responsabilizando-se pela guarda de textos e documentos produzidos *no* e *sobre o* período em que ele exerceu a Presidência, os quais, até aquele momento, Médici guardava em seu acervo pessoal, no apartamento da rua Júlio de Castilhos, em Copacabana. A Fundação abrigaria ainda um pequeno museu constituído de objetos e documentos pessoais do ex-presidente.[11]

Poderia parecer estranho o relativo empenho por parte do ex-presidente em constituir uma fundação daquele tipo, cuja finalidade era a guarda e preservação de documentos e que, em última instância, pretendia ser uma espécie de repositório da memória de seu governo. Justo ele, que não gostava de falar sobre o passado, que muito depressa optara pelo silêncio. Não obstante, a Fundação foi criada e passou a ocupar um dos prédios mais belos e imponentes da cidade.[12] Médici, por sua vez, contrariando as regras de seu autoexílio, em raríssima aparição pública, compareceu à inauguração e ouviu atento as homenagens de seus conterrâneos.[13]

A partir de 1983, a Prefeitura de Bagé disponibilizou professores da rede municipal de ensino, em regime de urgência, para que a Fundação começasse a funcionar, assinou um convênio com a Universidade da Região da

Campanha (Urcamp), localizada em Bagé, e criou uma Comenda Emílio Médici. Os objetivos eram ousados. Mais que a guarda e preservação do acervo e da memória do governo Médici, a instituição pretendia constituir um centro de estudos sociológicos e econômicos sobre a cidade e a região,[14] que, aliás, tinham sido bastante beneficiadas por obras de diversos tipos durante os quatro anos em que o general ocupou a Presidência.

Bagé entre os *anos de ouro* e os *anos de chumbo*

Cabe aqui se questionar a respeito de Bagé: afinal, que lugar era aquele onde se empreendia um esforço no sentido de preservar a memória do "presidente do arbítrio" justamente no momento em que a maior parte da sociedade se propunha a deixar o passado para trás e virar a página da ditadura? Que tipo de relações com o passado se tecia naquela cidade no exato momento em que a sociedade brasileira, em sua maior parte, elegia como memória oficial a resistência contra a ditadura?

No início da década de 1980, Bagé, a Rainha da Fronteira, era uma cidade de aproximadamente 70 mil habitantes. Distante apenas 60 quilômetros da fronteira com o Uruguai, foi declarada área de segurança nacional pela Lei n.5.449, de 4 de junho de 1968. Desde 1969, portanto, e até 1985, as eleições municipais ali e nas demais áreas abrangidas por essa lei foram suspensas, e os prefeitos passaram a ser nomeados pelos governadores dos respectivos estados, "mediante prévia aprovação do presidente da República".[15]

A especificidade da situação de área de segurança nacional em um estado de fronteira e, portanto, de forte presença militar, mas também onde a tradição trabalhista ainda era expressiva, precisa ser levada em consideração se quisermos compreender as transformações políticas e sociais pelas quais a cidade passou nas últimas décadas.

Em 1982, ano em que foi criada a Fundação Emílio Médici, estava em curso aquele que seria o último mandato municipal indireto desde a transformação da cidade em área de segurança nacional. O então prefeito, Carlos Azambuja, era antigo político da Aliança Renovadora Nacional (Arena) e filiara-se ao Partido Democrático Social (PDS) – sucessor da Arena – tão logo a reforma partidária de 1980 extinguira o bipartidarismo.[16] Hoje, aos olhos de muitos, a criação daquela entidade parece um último suspiro da "Bagé área de segurança nacional", algo que partiu muito mais do prefeito, antigo aliado de Médici, do que um reflexo dos anseios e expectativas da população.

Todavia, é importante destacar que, durante anos – particularmente enquanto Médici ocupou a Presidência da República –, os laços que Bagé procurou tecer com seu "filho ilustre" foram de proximidade e familiaridade. De modo geral, prevaleceu a sensação de "orgulho pelo presidente bajeense". Por exemplo, ainda em 1969, quando o general tomava posse no cargo, o jornal gaúcho *Correio do Povo* noticiava:

> Eram exatamente 8h, quando o espoucar de mais de quatro toneladas de foguetes, o troar dos canhões da 3ª Brigada de Cavalaria Mecanizada, ao som do hino nacional ... marcaram o início das festividades com que o povo desta cidade (de uma maneira tão vibrante que constituiu episódio jamais registrado aqui) saudava a posse de seu ilustre filho, que dentro de pouco mais de duas horas assumiria a Presidência da República.
>
> Às 9h, mais de 20 mil pessoas se concentravam ao longo da avenida Sete de Setembro para assistir [ao], e de certa forma participar do desfile de todas as entidades representativas da cidade, desde autoridades, sociedades religiosas e esportivas até clubes carnavalescos.[17]

Por outro lado, o advogado João Abero, à época militante do Partido Comunista Brasileiro (PCB), relembra com certa tristeza na voz as visitas presidenciais, o entusiasmo da população de Bagé e as decepções da oposição:

> Quando ele vinha, nós sentíamos uma amargura muito grande. ... Nunca se cogitou um protesto durante as visitas presidenciais, porque eles apelaram para uma condição de conterraneidade, e o país já vivia uma circunstância de desenvolvimentismo que tornaram as coisas difíceis para nós.[18]

Assim, orgulhosa do "conterrâneo ilustre" e partilhando a euforia desenvolvimentista que tomava conta do país, a cidade foi imensamente beneficiada por uma série de obras. Dentre elas, podem-se destacar a BR-293 – ligando Bagé a Pelotas – e a construção de um ginásio coberto, cujo nome homenageava seu patrono, Emílio Médici, conhecido ainda hoje como Militão. Aliás, eis aí um interessante aspecto das relações que parcelas expressivas da cidade de Bagé procuraram construir com o célebre conterrâneo. Ali ele não era o general ou presidente Emílio Médici, ali ele era Milito. Os jornais locais e os cartazes nas ruas por ocasião de suas visitas à cidade faziam questão de chamá-lo pelo apelido familiar de infância, intimidade da qual poucos desfrutavam, evidenciando assim a profundidade do laço que unia aquela terra àquele homem.

Em sua última visita como presidente, quando foi inaugurar uma série de obras, em março de 1974, um enorme cartaz fixado em uma das principais avenidas de Bagé dizia: "O presidente foi sempre Milito. O Milito será sempre presidente."[19] Dois anos após deixar a Presidência, Médici foi homenageado em sua cidade natal, na inauguração de novas obras do Ginásio Militão. Na época, o periódico local *Correio do Sul* reproduziu na íntegra o discurso de agradecimento lido por uma jovem estudante, intitulado "Obrigado, 'Tio Milito'". Eis um trecho:

> A juventude sabe expressar a sua gratidão àquelas pessoas que são amigas em todas as ocasiões e que acreditam nos jovens. Por isso, Tio Milito, em nome da juventude de nossa Terra, dedico esta mensagem ao senhor e à Tia Scylla, que são nossos grandes amigos e incentivadores.[20]

Bagé viveu de forma particularmente eufórica os primeiros anos da década de 1970. O entusiasmo desenvolvimentista que tomava conta do país somava-se, na cidade, ao orgulho de ser "a terra do presidente Médici", amada e querida por um homem que, segundo consideravam, estava "mudando o país". Em discurso proferido em homenagem ao general, ainda antes de se tornar presidente, o historiador local Tarcísio Taborda expressava bem a forma pela qual as relações entre Bagé e seu conterrâneo ilustre foram abordadas ao longo de todo o mandato presidencial:

> Quando um filho sai pelo mundo a galgar posição, a lhe dar glória e honra, toda a gente [na cidade] fica a admirar, a observar, a ver, para, afinal, estourar de vibração. Vibração que é manifesto sentimento de vaidade, de orgulho, por sentir que um pedaço seu, que uma parcela da terra, cresceu como ela toda e não desmereceu o berço de seu nascimento. É a vaidade e o orgulho maternal. Assim é, também com V. Ex.ª: Bagé está cheia daquele justo orgulho maternal, por ver que seu filho, de modesta origem, a quem viu cadete, é hoje general de Exército com missão de enorme importância para a segurança da nação.[21]

Assim, em razão dos fortes laços construídos no passado, em Bagé, parece que no primeiro momento o ex-presidente não foi abandonado. Ao longo dos anos que se seguiram ao fim de seu mandato, as homenagens prosseguiram: em 1974, pouco antes de deixar a Presidência, Médici esteve na cidade para a inauguração do Militão, da Escola Presidente Médici – financiada pela Fundação Bradesco – e de outras obras locais. Em 1976, na já mencionada homenagem organizada pela cidade, um dos articulistas do *Correio do Sul* anunciava: "Pelo tempo afora, Médici será o presidente perene dos bajeenses";[22] em 1982, inaugurou-se uma agência do Banco do Estado que levava seu nome;[23] finalmente, em 1983 começou a funcionar a Fundação Emílio Garrastazu Médici.

Não obstante, a partir de meados da década de 1980, o quadro se alteraria profundamente. Bagé vivia, naquele momento, com respeito ao passado então recente, uma relação bastante complexa, que tenderia a se acentuar à medida que avançava o processo de transição democrática. As batalhas de memória exacerbavam-se de maneira intensa, e ali o quadro se agitava de forma ainda mais expressiva em virtude do retorno das eleições para o Executivo municipal em outubro de 1985. Assim, com as transformações que o lento retorno da democracia impunha à cidade, os bajeenses puderam, como no restante do país, "reincorporar sua margem esquerda, reconfortando-se na ideia de que suas opções pela democracia tinham fundas e autênticas raízes históricas".[24]

A partir daquele momento, Bagé tenderia a acompanhar os processos nacionais de reconstrução do passado. Sobre o período Médici, da mesma forma, a memória dos anos de chumbo prevalecia sobre a dos anos de ouro. Veja-se, por exemplo, artigo publicado no jornal local *O Minuano*, por ocasião das rememorações dos 44 anos do golpe, em 31 de março de 2008. Intitulado "Bagé sob os anos de chumbo", explicava:

> No dia 31 de março de 1964 os bajeenses amanheceram sob o véu cinzento da ditadura militar. ... Bajeenses foram perseguidos e presos, e o último prefeito eleito democraticamente antes da revolução, Luiz Maria Ferraz, foi cassado, assim como seu vice, Frederico Petrucci. ... Nomes conhecidos sofreram a crueza do arbítrio dos anos de chumbo, entre os quais se destacam Frederico Petrucci, Ramon Wayne, Wilson dos Santos, Élida Costa, Ilka Pegas, Djalma Dias da Silva, João Bosco Abero e Walter Almeida, que era vereador e foi cassado, além do médico Paulo Passos, cujas convicções ideológicas resultaram em sérias consequências.[25]

É importante notar como em uma cidade onde os efeitos do milagre e a euforia desenvolvimentista por ele desencadeada foram sentidos de forma tão intensa, e em que a popularidade de Médici beirava o incontestável, a "memória da resistência" à ditadura tenha se consolidado tão fortemente. Sobretudo porque se trata de região na qual a presença militar é significativa. Aí se cultiva ainda uma memória positiva sobre o período e certa nostalgia do passado. Mas, a princípio, o movimento predominante na cidade é aderir à memória coletiva nacional, reforçando a participação de seus cidadãos na resistência à ditadura e silenciando sobre o fato de que, na década de 1970, Bagé viveu muito mais sob os anos de ouro que propriamente sob os anos de chumbo.

Sobre as batalhas de memória travadas na cidade, o professor e ex-secretário municipal de Educação e Cultura de Bagé, entre 1982 e 1985, Cláudio Lemieszek explica:

> Aqui, se você pegar as pessoas mais velhas, você vai ver uma memória muito mais positiva. A glorificação fica restrita aos mais velhos. O Médici aqui foi totalmente abafado por esses governos de esquerda. As novas gerações vão

> falar da história lida, e não vivida. O Getúlio também esteve aqui, andou pelas ruas, assim como o Médici. Mas você não vai ver aqui uma tentativa de apagar a memória do Getúlio, o que não é o caso do Médici.[26]

Ao contrário, os bajeenses não apenas não desejavam "apagar a memória de Getúlio", como, a rigor, a ascensão do Partido Democrático Trabalhista (PDT) à prefeitura, a partir de 1986, buscou retomar a longa e forte tradição trabalhista que havia na cidade e na região antes de 1964, e que fora massacrada pelo golpe. Isso ajuda a compreender as vias pelas quais os bajeenses, não sem conflitos, ao reconstruir suas relações com o passado recente, vêm silenciando sobre o "orgulho maternal" que sentiram pelo seu filho ilustre e buscando enfatizar a "memória da resistência" e dos sofrimentos impingidos a segmentos de sua população – sobretudo àqueles ligados à militância trabalhista e comunista – pela repressão. É a retomada dessas tradições na cidade que, de acordo com o professor Cláudio Lemieszek, ajuda a explicar as metamorfoses da memória local:

> Bagé não difere da memória nacional. A expressividade do Médici aqui desapareceu porque, pouco tempo depois da democratização, as eleições foram vencidas pela oposição. As eleições de 1985 já consagraram o PDT, e só depois, por dois mandatos, nos anos 1990, os partidos de esquerda foram interrompidos, para serem retomados depois pelo PT, que vai completar dezesseis anos de mandato. Os governos de esquerda procuraram apagar qualquer memória, qualquer vestígio que pudesse ter [das relações da cidade com Médici].[27]

Assim, um dos primeiros atos do PDT na Prefeitura de Bagé foi redirecionar os professores designados para trabalhar na Fundação Emílio Garrastazu Médici de volta para as escolas municipais. A Fundação foi logo esvaziada, e o prédio transformado em Casa de Cultura, com o nome de Pedro Wayne, em homenagem a um escritor e jornalista local falecido em 1951.[28]

Atualmente, são raros os bajeenses que se recordam que a atual Casa de Cultura já abrigou um centro de estudos sobre o governo do presidente

Médici. Cláudio Lemieszek, que chegou a trabalhar na Fundação, explica também o peso das disputas políticas locais para selar o destino da instituição: "E na comunidade, quando acabou, ninguém ficou decepcionado. Havia uma rixa muito grande entre o Azambuja [antigo prefeito] e o [Luis Alberto] Vargas [prefeito do PDT, a partir de 1986]. Ficou sendo uma ofensa muito mais ao Azambuja do que à memória do Médici."[29]

João Abero, por sua vez, afirmava, sobre a Fundação Emílio Garrastazu Médici: "Essa Fundação, eu já tinha até esquecido, se a senhorita não tivesse me lembrado. … Essa história de Médici tem um ou outro daquela época que lembra, mas, de resto…"[30] Da mesma forma que ocorreu com a Fundação, outros "lugares de memória" que evocavam a relação "maternal" da cidade com seu "filho ilustre" foram relegados ao abandono ou ao silêncio. Por exemplo, apesar da placa de informação turística indicando o local do casarão da família Garrastazu Médici, o prédio, atualmente ocupado pela loja popular VestSul, teve a fachada descaracterizada, bem como o interior. No colégio que leva seu nome, subsidiado pela Fundação Bradesco, a diretora foi enfática ao afirmar que a escola leva seu nome "porque foi inaugurada na época dele e porque ele era bajeense", mas hoje a identidade do colégio é relacionada muito mais à Fundação Bradesco do que ao homenageado.[31]

Por fim, um dos casos mais polêmicos e que mobilizou a opinião pública local diz respeito à obra mais popular que Médici deixou: o Ginásio Militão. Durante os dois primeiros mandatos do PT, o ginásio passou por grandes obras. No entanto, antes que as reformas começassem, a prefeitura cogitou a hipótese de retirar da entrada do ginásio uma grande placa, que datava da inauguração, em 1974, e na qual se lia "Obrigado, presidente Médici". As pretensões do prefeito de retirar a placa dividiram a sociedade: houve os que se indignassem com a proposta, afinal, Médici fora o grande incentivador do desenvolvimento de Bagé; houve os que, por indiferença, consideraram a proposta dispensável, uma vez que a placa "já estava plenamente incorporada àquele ambiente";[32] mas houve também quem concordasse com a iniciativa.

Nesse caso, no entanto, é curioso notar que, ainda assim, aparentemente não houve questionamento a respeito da mudança do nome do ginásio, este, sim – Militão –, definitivamente incorporado à identidade local. Por fim, houve aqueles que reagiram, como João Abero, embora certamente se tratasse de uma minoria:

> Mas não tem que tirar nada. … Essas coisas existem e têm que existir para essas pessoas serem odiadas. Eu sou contra tirar. Deixa ali o "Obrigado, presidente Médici" para servir de escárnio. Para que quem pergunte saiba que aquele homem foi um ditador sanguinário.[33]

Contudo, é interessante observar que, entre as pessoas com as quais pude conversar, ninguém – embora todos se lembrassem bem dos debates – soube dizer se a placa tinha sido afinal retirada ou não. Isso de certa forma é indicativo da indiferença com a qual os assuntos relacionados ao passado recente são tratados na cidade.

O caso do Ginásio Militão e o da cidade de Bagé, de maneira geral, situa o pesquisador diante daquilo que Alessandro Portelli chamou de "memória dividida" em seu sentido mais complexo. O autor explica que, em geral, entre uma aparente dualidade de memória "oficial e ideológica" e memória "comunitária pura e espontânea", "existe uma multiplicidade de memórias fragmentadas e internamente divididas, todas, de uma forma ou de outra, ideológica e culturalmente mediadas".[34]

No caso da memória construída sobre os anos Médici em Bagé, mais que observar a dualidade entre as antigas e as novas gerações, ou entre antigos partidários da Arena e os novos partidos de esquerda surgidos com a redemocratização, importa observar a multiplicidade de memórias, "internamente divididas", que se constroem sobre o passado recente: os inúmeros silêncios, as indiferenças e, sobretudo, a necessidade de continuar convivendo com pessoas que têm ainda importante papel na cidade, e que no passado conviveram bem com a ditadura e se orgulharam do "ditador bajeense".

Assim, entre aqueles que, como João Abero, manifestam franco repúdio à ditadura e os nostálgicos da antiga ordem predomina, como comportamento-padrão, certo cuidado na expressão das opiniões sobre o período, ou mesmo certo constrangimento público em falar a respeito do assunto. Festeja-se a "resistência bajeense" – muito bem localizada socialmente –, mas não se pode deixar de levar em conta, naquele microcosmo, a importância de conviver bem com os grupos militares locais, antigos políticos civis ligados à ditadura, e mesmo com os remanescentes da família Médici, ainda que sejam poucos.

No entanto, talvez o aspecto mais importante a pautar os cuidados e os silêncios em relação ao passado recente seja a dificuldade de lidar com aqueles – possivelmente a maior parte da sociedade – que circularam entre o que Pierre Laborie denominou "zonas cinzentas", ou comportamento *attentiste*.[35] Ou seja, aqueles que, diante de uma situação que se tornou difícil, procuraram se adaptar a ela e conviver do modo considerado possível com a realidade de seu tempo. Ou, de outra forma, como sugere o emprego do verbo francês *attendre*, preferiram "esperar" os desdobramentos daquela situação antes de tomar uma posição. É importante destacar, contudo, que o significado desse termo não representa, de maneira alguma, "oportunismo". Ao contrário, trata-se de um modo de se posicionar diante de determinada situação cujos desdobramentos pareciam imprevisíveis.

São dessas "memórias divididas" que nos fala Portelli. Ou seja, mais que a oposição pura e simples entre aqueles que cultivam uma *memória positiva* sobre o passado e aqueles que o querem *esquecer*, é preciso considerar, por exemplo, que entre os dois extremos há mediações importantes, responsáveis inclusive pela manutenção do equilíbrio da sociedade.

Por que lembrar?

As relações de Bagé com os anos de chumbo da ditadura civil-militar são extremamente complexas. Se, por um lado, a cidade mantém algumas das homenagens prestadas a seu conterrâneo famoso, vestígios de um tempo em que se festejaram os anos de ouro do milagre, em geral predominam a rememoração da resistência local e os silêncios sobre o forte apoio e admiração que Médici foi capaz de suscitar. Sob esse aspecto, Bagé é a perfeita síntese da nação, de seus complexos, limites e dificuldades para lidar com o passado recente.

Assim, se naquele microcosmo não era raro observar entre militares e pessoas mais velhas a manutenção de uma *memória positiva* sobre o passado recente, também era comum observar que tal memória se torna, com o passar dos anos, cada vez mais limitada a setores bastante específicos da cidade.

De todo modo, chamou minha atenção o fato de que, na cidade, ruas e instituições continuam exibindo o nome do ditador ou de sua família. Por isso, em conversa informal com uma moradora, insisti na pergunta: "Mas as pessoas aqui não falam mais sobre o governo Médici? Não se lembram mais do presidente?" Entre surpresa e indignação, minha interlocutora respondeu: "Por que lembrar? Não tem por que se lembrar do Médici. Ele não é uma figura para ser lembrada."

Em sua indignação, a entrevistada formula a questão fundamental para o historiador que lida com a memória e o fascínio exercido por líderes autoritários: afinal, *por que lembrar*?

A pergunta, de certa forma, está na base da *memória* e dos *silêncios* constituídos sobre as relações da sociedade com a ditadura e seus ditadores. Afinal, é essa pergunta que define o que *deve ser lembrado* e o que *deve ser silenciado* pela memória coletiva. Por que se lembrar dos anos de ouro da ditadura? Como lidar com sua lembrança? Como compreender, passados os anos, que a sociedade tenha convivido, por vezes sem conflitos, com um regime que exilava, prendia, torturava e matava seus inimigos? Por que falar de assuntos tão incômodos? Por que não virar a página? Por que tocar novamente no nome de um ditador? Por que lembrar que um dia ele fora não apenas temido, mas também, e simultaneamente, amado?

Sob esse aspecto, a posição do historiador que lida com as relações entre sociedade e regimes autoritários, bem como com as disputas de memória que os envolvem, é extremamente complicada. Pierre Laborie explica, falando sobre a história e o historiador francês da resistência ao nazismo, que ele possui um estatuto bastante específico: o de um "historiador sob vigilância", na medida em que precisa lidar ao mesmo tempo com seus testemunhos – e o controle que pretendem exercer sobre uma história que acreditam *lhes pertencer* – e com o "julgamento crítico tradicional da comunidade científica".[36]

De certa forma, pode-se dizer que algo muito semelhante se passa com o historiador brasileiro que se propõe investigar os meandros das memórias e dos silêncios coletivos em torno da ditadura. Debruçar-se sobre as complexas relações estabelecidas entre ditadura, sociedade e os processos de construção coletiva do regime pode situar o pesquisador sob constante *vigilância*, do ponto de vista político e acadêmico.

Assim, quando se elege como objeto de estudos um tema ou um personagem que passaram a encarnar, mais que quaisquer outros, as mazelas de um período que *deve ser esquecido*, sob pena de comprometer o novo pacto social, é preciso tomar certos cuidados, estar sempre pronto a se justificar. É preciso sobretudo estar preparado para ter de responder a questões do tipo: *Por que lembrar? Por que não virar a página?*

Porém, para além do *julgamento crítico tradicional da comunidade científica*, a respeito do qual é importante refletir, formulo o problema da situação do pesquisador diante de seus testemunhos. Alessandro Portelli fala que a busca da construção da entrevista como *um experimento em igualdade* deve constituir o objetivo do pesquisador, "como condição para uma comunicação menos distorcida". No entanto, como alcançar tal objetivo, já que a pretendida igualdade "não depende da boa vontade do pesquisador, mas de condições sociais"?[37] Particularmente, quando o pesquisador lida com temas espinhosos para as sociedades contemporâneas, como é o caso da memória coletiva daqueles que viveram experiências autoritárias recentes, como constituir esse experimento em igualdade? Como conquistar essa condição para tratar de um assunto sobre o qual se optou pelo silêncio? Como lidar com as diferentes memórias em disputa, sobre as quais as paixões políticas ainda estão vivas e atuantes?

Desse ponto de vista, o caso de Bagé é exemplar. Como, na cidade, a memória encontra-se bastante dividida entre as antigas gerações e as mais novas, o pesquisador nunca sabe que tipo de reação vai encontrar. Os saudosistas do regime e do presidente olham para o pesquisador – que é antes de tudo um *forasteiro*, um estranho – ao mesmo tempo com desconfiança – "Acho que estamos dando armas aos inimigos"[38] – e com certa satisfação, pois finalmente encontraram alguém interessado em suas (boas) lembranças, em seu passado. Outras vezes, essas pessoas enxergavam na jovem pesquisadora alguém que poderia, afinal, *fazer justiça* ao seu *herói*, que se tornou tão malquisto no país e, o que lhes parecia ainda mais grave, em sua própria cidade.

Por outro lado, era muito frequente encontrar em Bagé, sobretudo entre as gerações nascidas a partir da década de 1970, o mesmo *julgamento crítico* de que fala Pierre Laborie sobre a comunidade acadêmica. Em suas expressões ou em suas palavras, havia um incômodo latente, um questionamento incompreensível: afinal, por que uma jovem como eles estava interessada naquele homem, naquela história? Por que tocar em um assunto que a cidade se esforçava em deixar para trás?

Em suma, para os entrevistados, parecia sempre fundamental tentar *desvendar* as *verdadeiras intenções* da entrevistadora. Afinal, de que *lado* ela estaria? Em nome de quem falava? Não se trata aqui de advogar em defesa de uma pretensa *neutralidade científica*, mas de demonstrar como as paixões do passado jogam ainda um peso importante na vida cotidiana das pessoas e misturam-se, irremediavelmente, aos *partis pris* do presente,[39] dificultando, sob esse aspecto, a construção da entrevista como *um experimento em igualdade*.

Por fim, indissociavelmente ligada à pergunta "Por que lembrar?" está outra: "Por que Médici?" Por que falar dos "carrascos", dos ditadores? E, particularmente, por que recuperar a trajetória e a memória a respeito de Médici? Por que ele deve ser lembrado? Afinal, dentro de setores das próprias Forças Armadas, não são raras opiniões sobre ele similares à do presidente Geisel: "É verdade que não era um homem de grandes luzes, também não era de trabalhar muito."[40]

Além disso, hoje, as "grandes obras" de seu governo são consideradas "faraônicas", parte do "anedotário político sobre a ditadura",[41] reveladoras do grande "complexo de inferioridade" de uma nação que sonha em ser "potência", mas que não consegue superar problemas básicos. Assim, os esteios da popularidade de Médici são frequentemente contestados sob o argumento da falácia que teria sido o milagre e pelo papel desempenhado por sua propaganda, capaz de seduzir e ao mesmo tempo calar uma nação, tornando-a impotente diante dos horrores que se passavam nos porões.

Não obstante, acredito que a questão "Por que Médici?" deve ser formulada sob outros ângulos. Em vez da negação de sua popularidade, caberia questionar por que ele foi tão popular. Quais eram as bases de popularidade? Será mesmo que a dupla propaganda-repressão é capaz de tudo explicar? Por fim, por que se desfez tão rapidamente sua popularidade? Não estariam nos processos que resultaram na rápida ascensão de um presidente "de poucas luzes", nas paixões que ele foi capaz de suscitar e em seu rápido ostracismo as chaves para compreender as intensas transformações pelas quais passou a sociedade brasileira a partir da segunda metade da década de 1970?

12. O engajamento, entre a intenção e o gesto: o campo teatral brasileiro durante a ditadura militar

Miriam Hermeto

> "O teatro brasileiro é tema permanente de discussão de toda a classe teatral, que já sabe de cor relacionar seus principais pontos de estrangulamento e reivindicações. A ordenação desses pontos e reivindicações é que ainda não foi completamente efetuada."
>
> Oduvaldo Vianna Filho[1]

Dia 26 de dezembro de 1975. Já corria a (inconstante) abertura política quando, numa sexta-feira pós-Natal, a "tragédia brasileira" estreou no palco do teatro Tereza Rachel. Protagonizada por Bibi Ferreira, Roberto Bomfim e Oswaldo Loureiro, a *Gota D'Água* de Paulo Pontes e Chico Buarque aqueceu ainda mais aquele verão carioca. Aliás, esquentava já o outono daquele ano, quando sua redação começou a ser debatida na grande imprensa, e a primavera, quando sua liberação pela censura era comemorada na imprensa alternativa. E aquentou ainda muitas estações dos anos subsequentes daquela década. Críticos, jornalistas, intelectuais, artistas, censores e fiscais, militantes políticos, produtores culturais, dramaturgos e um público diverso – milhares de sujeitos atiçaram-se com o texto e sua repercussão no contexto de incerteza.

Poucos dias depois da estreia, em 2 de janeiro de 1976, o crítico de teatro Yan Michalski saudava a peça no *Jornal do Brasil*, afirmando que, ao produzi-la, "a dramaturgia brasileira despediu-se em beleza do sombrio 1975 e fez com que possamos encarar com alguma esperança o ano-novo que se inicia".[2] Na mesma data, no periódico alternativo *Opinião*, o crítico Macksen Luiz considerava que o panorama do teatro em 1975, apesar de manter certa precariedade, mostrava diferenças em relação aos anos anteriores, com alguma renovação de repertórios e atribuição de importância à "palavra". Elogiava *Gota D'Água*, que representaria a revivescência da dramaturgia nacional em momento de abertura de novas perspectivas.[3]

O sucesso não se restringiu à crítica teatral. Em um ano, a peça levou 200 mil pessoas aos teatros. Em menos de dois, na terceira temporada no circuito Rio-São Paulo, comemorava quinhentas apresentações. Ainda hoje, espectadores recordam-se da emoção de ter assistido ao espetáculo, com a memória viva de impressões diversas: um cenário arrebatador, a interpretação memorável de Bibi Ferreira, a obrigação de assistir à última "peça do Chico", a necessidade de participar da vida pública do país e da resistência ao arbítrio. Em comum, a lembrança da emoção daquela experiência coletiva.[4]

Mas *Gota D'Água* não foi só sucesso. Equilibrou-se entre a aceitação e as críticas, sendo ponto de partida para uma série de debates sobre as formas (novas e velhas) do engajamento no teatro brasileiro. O texto e suas formas de circulação podem ser considerados um "evento"[5] no "campo teatral"* brasileiro durante a ditadura militar.

A compreensão dos elementos que convergiam no evento *Gota D'Água* exige o exame de algumas questões: como se constituiu o engajamento político no campo teatral brasileiro, do início da ditadura militar até o fim da abertura política? Quais as diferentes configurações que o campo apresentou ao longo dessas duas décadas? Como se desenvolveram as relações de força entre os sujeitos e os projetos que compunham esse campo? Como

---

* A noção de campo é aqui mobilizada a partir das proposições de Pierre Bourdieu: uma categoria que se localiza entre os polos "interno" e "externo" da produção cultural, e significa "o universo no qual estão inseridos os agentes e as instituições que produzem, reproduzem ou difundem a arte, a literatura ou a ciência. Esse universo é um mundo social como os outros, mas obedece a leis sociais mais ou menos específicas" (cf. P. Bourdieu, 2004, p.20). O campo, intermediário entre o texto e o contexto, é um microcosmo com leis próprias e no qual se estabelecem relações de força específicas. Compreender seu funcionamento, portanto, passa pelo entendimento da cartografia dos *agentes* e das *relações objetivas* que se desenvolvem entre eles. Essas estruturas demarcam as possibilidades de ação dos agentes, por meio da criação de normas e regras, que podem ser consideradas os princípios mesmos do campo.

ele lidava com as pressões – imposições, solicitações, disputas e jogos de força – que se desenvolviam internamente? Em que circunstâncias determinados agentes chegaram ao protagonismo e à legitimidade social? Como o campo teatral lidou com pressões externas, advindas tanto dos órgãos de controle e repressão do Estado autoritário quanto das expectativas da sociedade?*

Tomando essas questões como referência, nossa análise pretende apresentar um panorama do campo teatral brasileiro durante a ditadura militar, identificando as diferentes tendências da dramaturgia nacional nele engendradas, com maior ênfase na proposta de um teatro engajado. Feito isso, será retomado o caso de *Gota D'Água*, buscando compreender, mais objetivamente, as transformações vivenciadas no campo no momento da abertura política.

O engajamento e o campo teatral na ditadura militar

Em meados da década de 1970, as avaliações dos críticos Michalski e Luiz sobre a crise do teatro brasileiro não eram isoladas. Esse diagnóstico, por muitos então chamado de "vazio cultural", era comumente feito por um grupo de artistas e intelectuais desde o final dos anos 1960. Para muitos, sua duração levava a crer que seria difícil surgir grandes produções nacionais que atingissem realmente o público.[6]

Já em 1968, Oduvaldo Vianna Filho (o Vianinha) tratava de aspectos dessa crise em um artigo (hoje clássico).[7] Inicialmente, nomeava dois setores do teatro brasileiro: o "engajado" (do qual ele próprio era um dos principais representantes) e o "desengajado(?)". Depois, no desenvolvimento do

* Em função do limite de espaço, não foi possível tratar das pressões externas sobre o campo teatral no período contemplado. Nessa categoria, deve-se considerar especialmente a (auto)censura e outras formas de repressão do Estado autoritário (como a ação dos órgãos de informação e as transformações da legislação vigente), bem como o poder das mídias e do público consumidor em tempos de crescimento e fortalecimento da indústria cultural.

texto, tratava de três tendências: teatro "de esquerda", teatro esteticista e teatro comercial. Ao nomeá-los dessa forma, ele fazia uma (auto)crítica, e, embora propusesse a articulação de todas as correntes, anunciava a vigência de uma divisão (até de uma cisão), contemporânea ao artigo, no campo teatral. Para compreender a situação, é necessário traçar um breve(íssimo) panorama histórico desses grupos e sujeitos* que compõem o que Tania Brandão[8] chama de "teatro moderno" – cuja realização teve como característica comum o encerramento progressivo no realismo, com algumas variações estéticas, políticas e comerciais.

A tendência identificada como teatro "desengajado(?)" ou comercial por Vianinha corresponde ao que Tania Brandão chama de "modernas companhias de atores", surgidas entre o fim dos anos 1930 e o início dos anos 1960, compostas por atores modernos, formados na tradição do Teatro do Estudante do Brasil (TEB),[9] e por um diretor que podia ser contratado por montagem. O capital desses grupos era constituído pelo trabalho dos atores ou por fortunas pessoais, sendo quase inexistente a figura do "puro empresário".[10] Nessa categoria de teatro, na qual a montagem de clássicos universais da dramaturgia era parte da proposta artística, a figura do primeiro ator era decisiva e delineava, em grande medida, a personalidade do trabalho.

O teatro "engajado", por sua vez, corresponde ao que Tania Brandão identifica como a segunda geração moderna, que propôs uma crítica aguda à própria ideia de moderno e ao fazer teatral proposto pelas companhias – a quem o "novo grupo" passou a chamar, informal e ironicamente, de "desengajadas". Com maior vigor entre o início da década de 1950 e o final dos anos 1960,** essa tendência tinha uma proposta em que os diretores desempe-

* Os estudiosos do teatro desse período analisam a produção basicamente a partir do eixo Rio-São Paulo. Segundo Tania Brandão, por exemplo, o século XX "não viu nascer um mercado teatral nacional no rigor dos termos. Assim, o sistema teatral brasileiro foi muito mais o teatro profissional praticado no Rio e em São Paulo" (T. Brandão, 2001, p.300). A mesma opção fazem: T. Pacheco, in M.A. Mello, 1986, p.95-106, e Rosângela Patriota in A.F. Ramos et al., 2008, p.26-58.

** São representantes importantes dessa tendência o Arena, os CPCs da UNE e o Opinião, entre outros.

nhavam liderança mais contundente, e o grupo de atores era mais anônimo, com produções de caráter coletivo e explicitamente político-ideológico (de esquerda, com forte influência de valores e práticas comunistas). Por isso, atribuía-se à palavra um papel de centralidade no fazer teatral, dado seu papel de formação da consciência política para a transformação social. Nessa tendência desenvolveu-se o que se costuma chamar de proposta nacional-popular* para a arte engajada, na qual o teatro – a arte da palavra, que acontece diante do público – teria papel importantíssimo, por meio da construção de uma dramaturgia nacional que tratasse dos problemas contemporâneos.

A segunda geração moderna de Tania Brandão contempla também o que passou a ser tratado como uma nova tendência pelo grupo engajado, e que ficou conhecida como "teatro de vanguarda", ou, ironicamente, "teatro de agressão". Nascida no seio dos grupos modernos, essa orientação guardava uma notável diferença em relação às anteriores: o foco das produções estaria mais na experimentação da linguagem corporal e no diálogo direto com o público – que era chamado a participar do espetáculo – que na palavra ou na estética do conjunto.**

O artigo de Vianinha tratava das relações entre essas tendências no fim dos anos 1960. Avaliava os ganhos obtidos pelas análises feitas, ao longo dos

---

* Uma concepção possível dessa matriz pensa o nacional como o anti-imperialismo e a capacidade de interpretar a realidade brasileira de forma não alienada, visando a transformá-la; e o popular, como crítica à tradição elitista nacional, visando à democratização da produção cultural (cf. C. Frederico, in J.Q. de Moraes, 2007, p.337-72). Outra identifica, no Brasil, um movimento constante de "ida ao povo" por parte de artistas e intelectuais, que atribuíam-se o papel de articular uma expressão de consciência nacional direcionada para a emancipação da nação – processo que não redundou na construção de uma contra-hegemonia almejada, em função da forte presença da indústria cultural no contexto (cf. M. Napolitano, 2001, p.12). Tais interpretações de natureza histórica foram feitas a posteriori. O espectro das discussões do período era ainda maior. Debatia-se, por exemplo, se o enfoque estaria na produção cultural a partir do povo ou no acesso do povo à produção cultural; se "ir ao povo" e produzir cultura a partir dele não era uma forma de idealizá-lo e/ou tutelá-lo; ainda, se o acesso do povo aos bens culturais seria a condição para a promoção da consciência nacional ou mero populismo. Para um panorama dos debates acerca dessa concepção no CPC, por exemplo, cf. Miliandre Garcia, 2007.

** O grupo considerado precursor dessa tendência é o Oficina, de José Celso Martinez Corrêa, em sua atuação no final dos anos 1960.

anos anteriores, pelo grupo do teatro engajado, tais como o nascimento de uma dramaturgia de autor nacional, o aparecimento de realidades populares no teatro ou o trabalho de equipe na esfera da interpretação. Mas considerava também, no calor dos acontecimentos, os equívocos de interpretação cometidos, como a construção da crença na ausência de uma tradição teatral no Brasil até meados da década de 1950. Analisava, ainda, os limites do projeto de engajamento construído: fracasso empresarial e retorno ao semiamadorismo da atividade teatral.

Como consequência desse exame, Vianinha considerava a necessidade de rever posições anteriores, inclusive porque "o teatro 'engajado' não pode reduzir-se, caracterizar-se como o teatro do desconforto estético".[11] Admitia que a prioridade da mensagem política sobre a estética do espetáculo fora uma realidade nessa tendência, chegando a criar um público "cúmplice", que tinha a ideologia como único critério de avaliação da arte – "que reduz a comunicação artística a quase nada" e "torna-se talvez o pior dos públicos".

Enfim, Vianinha propunha a aproximação das diferentes tendências para a superação da crise, o que explicava o título do texto, "Um pouco de pessedismo não faz mal a ninguém". Por exemplo, a aproximação com o teatro comercial poderia levar as outras tendências a profissionalizar-se e resolver um problema visceral de crise de público. O que ele propunha, portanto, era assumir o sistema capitalista e, nele, a condição de atividade produtiva e comercial do teatro como solução para a crise.

Já no século XXI, Luiz Carlos Maciel (representante do teatro de vanguarda, criticado por Vianinha no artigo mencionado), fez outra avaliação da crise do fim da década de 1960.[12] Para ele, no imediato pós-AI-5, o recrudescimento do autoritarismo atingiu bastante o "teatrão" e o teatro de vanguarda, mas recaiu mais fortemente ainda sobre o "teatro engajado". A ação da censura foi um dos motores para a experimentação de linguagens, de vez que era preciso "desconstruir" os espetáculos montados e recusados a fim de tentar promover sua aprovação na Divisão de Censura de Diversões Públicas do Departamento de Polícia Federal (DCDP/DPF). Daí o avizinhamento da intenção política com a pesquisa de vanguarda ter se tornado um dos desenvolvimentos quase naturais do teatro brasileiro nos anos 1970. Tanto os diretores quanto a crítica passaram a buscar (e elogiar) um teatro em que a importância do texto fosse menor que a expressão corporal, que procurasse o "espetáculo puro", e a geração que se ocupava de um teatro de participação social enveredou em pesquisas sobre a linguagem do espetáculo.

Marcos Napolitano observa a crise do teatro no final dos anos 1960 a partir de diferentes critérios.[13] Para o historiador, ela começou antes mesmo do AI-5, sobretudo em função de um conflito entre as produções de vanguarda e o público do teatro engajado. Este havia aumentado no imediato pós-1964, incorporando em sua fruição um elemento de catarse, ligado à construção da consciência pela emoção própria do engajamento dramático, mas que tinha uma dimensão de resistência forte. Contudo, no fim de 1967, uma nova radicalização política surgiu, acompanhada de mudanças no campo intelectual de esquerda e no meio estudantil. Assim, com uma linguagem cênica que propunha a participação compulsória do público, os espetáculos vanguardistas teriam promovido uma espécie de "implosão ideológica" do público, afastando-o das salas de teatro. Esse processo, acrescido da grande repressão sobre o segmento teatral após o AI-5, culminou numa crise de público.

As interpretações de Maciel e Napolitano não são excludentes; ao contrário, podem ter traços de complementaridade. É possível considerar a implosão do público de teatro engajado antes mesmo do AI-5, em função da recusa da linguagem da vanguarda por parte de sujeitos habituados a (e desejosos de) espetáculos de caráter nacional-popular; e também a aproximação dos produtores de teatro engajado com o teatro experimentalista no pós-AI-5, criando uma linguagem teatral menos afeita à palavra e mais à expressão corporal – o que afastou ainda mais o habitual público das salas até o início da década de 1970.

Diante desse quadro, em meados da década de 1970, a produção teatral no Brasil transformava suas feições. Atualmente – aliás, desde as análises de trajetória feitas na década de 1980[14] –, a noção de "vazio cultural" vem sendo questionada, em favor da busca do entendimento das especificidades daquela produção. Em vez de falar em "vazio" de conteúdo político ou de uma produção original e brasileira, tem-se tentado apreender as modificações pelas quais passou a produção cultural, em consequência da ação do Estado autoritário e do desenvolvimento da indústria cultural.[15]

Na busca de compreender as configurações do campo teatral na década de 1970, é comum se tratar de duas grandes vertentes, simultâneas e de grande relevância: a ligada ao chamado teatro comercial, feito por empresários, produtores e companhias profissionais; e o teatro alternativo, que pretendia continuar promovendo a reflexão sobre a realidade brasileira, desvinculando-se de instituições.

A produção empresarial parece ter tido na atividade da Associação Carioca de Empresários Teatrais (Acet) importante elemento para construir uma identidade no que se refere ao vínculo com a política de modernização conservadora do Estado, com os atores e demais profissionais do teatro, e, ainda, às posturas políticas e escolhas estéticas.

Em entrevista de 1973, como representante da Acet, Paulo Pontes dissertou sobre os propósitos da ação da entidade naquele momento, fornecendo pistas dos caminhos pretendidos pelo teatro comercial.[16] Falou da busca de uma saída para a suspensão repentina, pelos órgãos de censura, de espetáculos que estavam em cartaz, sob a desculpa de terem sofrido mudanças textuais após a estreia. A volta das montagens estava condicionada à assinatura, pelos produtores, de uma declaração de que estariam de acordo com as novas normas de liberação de espetáculos – normas às quais eles pediam acesso, pois as desconheciam. Ele contava também que empresários e produtores haviam elaborado um documento de diagnóstico do teatro brasileiro, entregue ao ministro da Educação, com arrazoados acerca do problema do financiamento para o setor e propostas importantes para o Plano de Ação Cultural que entraria em vigor.

As atividades da Acet em 1973 demonstravam uma tentativa de inserção na lógica capitalista da produção por parte da diretoria da entidade classista, que vinha a par com a instauração do diálogo no relacionamento com a estrutura do Estado, mas com uma proposta de resistência à ação em curso. O que se anunciava era o propósito de diminuir a atividade fiscalizadora e coercitiva do Estado, sem retirar suas obrigações no processo de produção cultural.

Por outro lado, T. Pacheco[17] analisa o desenvolvimento da produção do teatro alternativo, na segunda metade da década de 1970, a partir dos anuários de teatro publicados pelos órgãos fluminenses responsáveis.[18] Em 1973, de trinta espetáculos que estrearam, apenas um o fez em sala de espetáculo alternativa. Em 1975, estrearam 45 espetáculos comerciais e dezoito montagens na categoria "teatro não empresarial" (novidade nos anuários). Em 1976, que ela considera o "ano do teatro alternativo", foram 46 "lançamentos profissionais" (alguns dos quais expressamente de companhias experimentais) e 53 montagens "não empresariais". Em 1977, foram 45 lançamentos profissionais (dos quais alguns de grupos considerados experimentais, como o Asdrúbal (!)) e 66 não empresariais. Em 1978, a Associação Carioca de Críticos de Teatro (ACCT) publica uma listagem única, com 98 espetáculos, dos quais, para Pacheco, 56 não poderiam ser considerados empresariais. A análise aponta, portanto, para o crescimento considerável da produção alternativa no Rio de Janeiro, na segunda metade da década de 1970.*

Quando se trabalha com a divisão do campo teatral em duas vertentes – a empresarial e a alternativa –, não se compreende que as fronteiras entre elas eram completamente definidas ou intransponíveis. Pacheco trata de um teatro empresarial e de um alternativo, mas sua análise indica a existência de produções alternativas nas listagens profissionais, o que leva a questionar a precisão da divisão das tendências. O material que utiliza em sua pesquisa, os anuários de teatro, bem como os críticos com os quais dialoga, referem-se à oposição no campo de diferentes maneiras: teatro dominante e marginal, teatro experimental, profissional e não empresarial.

* O crescimento não redundou na solidificação de uma forma de produção que permanecesse ao longo da década de 1980, quando, segundo Pacheco, o teatro alternativo mudou de roupagem, dividindo-se entre os que pretendiam falar a linguagem de sua geração nos palcos e os que, nos subúrbios, continuavam buscando o engajamento e o contato com o público que não frequentava as casas de espetáculos.

A indefinição não parece ter sido apenas de nomenclatura, mas também de objeto. É possível apontar diferenças importantes entre as duas tendências, mas é fundamental salientar que as fronteiras entre elas não eram rígidas nem tampouco intransponíveis. De qualquer forma, o debate caracteriza a (re/in)definição do campo teatral nesse período, mostrando, por um lado, que ele não podia mais se delimitar pelas três tendências que marcaram a década anterior; por outro, que uma nova forma de fazer teatral se construía, híbrida, entre o engajamento e os interesses comerciais.

O engajamento em industrialização: pode ser a *Gota D'Água*

Anunciava-se um dos grandes paradoxos da produção cultural brasileira em meados da década de 1970, no processo da modernização conservadora: o engajamento cultural em processo de industrialização. Como o campo teatral iria lidar com essa situação?

Retome-se o caso de *Gota D'Água*, a fim de refletir sobre o engajamento teatral em meados da década de 1970. No que se refere à produção, o projeto alinhava-se, indubitavelmente, à categoria de teatro empresarial. Isso não significa, entretanto, que fosse uma produção puramente comercial, com propósitos políticos inexistentes. Todas as suas montagens, entre 1975 e 1980, foram marcadas pelo hibridismo entre o teatro comercial e o político, mas parecem ter tido traços mais acentuadamente políticos no início e mais comerciais no fim do período. Na primeira temporada, as tonalidades políticas do espetáculo eram muito fortes, não apenas do ponto de vista da postura dos autores e da equipe profissional a seu redor, mas também no que se referia às opções cênicas. Dali até 1980, a montagem foi se tornando cada vez mais comercial, mais autônoma em relação aos princípios de construção de um tipo de teatro engajado, anunciados e efetivamente intentados cinco anos antes.

Alguns leitores do texto de *Gota D'Água* lembram-se de ter tomado contato com a peça pelo livro,[19] antes de ir ao espetáculo ou mesmo sem tê-lo visto. A leitura era também uma experiência marcante. O roteiro propriamente dito, uma adaptação de *Medeia*, de Eurípedes, trazia a vida do subúrbio carioca para a cena em mais de 12 mil versos dodecassilábicos e com rimas em linguagem popular. Além do drama universal da mulher abandonada, apresentava uma tragédia popular ligada explicitamente à questão da habitação urbana; implicitamente, à situação do povo no capitalismo brasileiro pós-milagre econômico.

Contudo, impressionante também, e talvez ainda mais, era a leitura do prefácio, um ensaio sobre a realidade contemporânea que, a um só tempo, fazia uma crítica a ela e era uma carta de intenções sobre o papel do teatro naquele contexto. Nesse sentido, o texto propunha-se: a analisar o "trágico dinamismo" da experiência capitalista brasileira, que cooptava a classe média e a opunha às classes populares; a promover o retorno do "povo" aos palcos; e a recuperar a centralidade da "palavra" no acontecimento dramático. Muitos jornais da época chegaram a reproduzir trechos do texto, do prefácio e do roteiro, além de veicular propagandas e avaliações sobre a obra.

O espetáculo era uma superprodução, com cerca de meia centena de profissionais envolvidos, que surgia com tonalidades de obra coletiva e artistas ligados a diferentes tendências: o teatro comercial, o teatro engajado de tradição comunista e o teatro alternativo não profissional. Ao longo dos cinco anos em que esteve em cartaz, o espetáculo viveu uma despolitização crescente do texto, derivada da concepção dos diretores, com foco na protagonista, e da opção por um musical com cores "da Broadway", cada vez mais acentuadas. E também em decorrência do contexto político de uma abertura promovida paulatinamente, com a diminuição do controle por parte dos órgãos de censura e da pressão social no sentido da produção de obras de resistência.

Assim, o texto encenado perdeu parte da força de crítica social e política, concentrado mais nas soluções cenográficas e na manutenção de trechos com metáforas próprias da cultura política comunista no roteiro, que, no entanto, não parecem ter sido apropriadas dessa maneira pelos órgãos de censura nem pelo público.

O sucesso da peça e do livro gerou ainda um terceiro produto derivado do texto: o registro sonoro em disco de vinil não convencional.[20] Eram doze faixas, com oito recitações de Bibi Ferreira e quatro canções, três delas também interpretadas pela atriz. O produto dava voz quase exclusiva à Medeia brasileira e silenciava as demais personagens da trama, apagando, em grande medida, os elementos de crítica social. *Gota D'Água* foi representada mais sob o ponto de vista do drama individual, de caráter romântico e universal, que da tragédia coletiva historicamente contextualizada. Era uma leitura feita por uma diva para durar, repetindo-se nas vitrolas dos ouvintes – ao contrário do espetáculo, efêmero por natureza.

Essa breve análise do evento *Gota D'Água* permite sistematizar algumas conclusões. As duas primeiras mais gerais, de cunho epistemológico, que não se relacionam diretamente ao contexto da ditadura militar: uma história do teatro não pode se restringir à análise das intenções do texto, o que tem sido a ênfase da maioria dos trabalhos produzidos pela historiografia. Ela deve ser uma história do espetáculo no sentido *lato* que lhe é atribuído por Tania Brandão, qual seja, "um extremo desafio, a abordagem da variação do sentido, das vozes, desejos e percepções, uma alquimia transgressiva".[21]

A terceira conclusão está mais diretamente relacionada a nossos propósitos aqui: fazer uma história do espetáculo, qualquer que ele seja, implica pensar não apenas em suas relações com a sociedade em que foi produzido, porém, mais especificamente, em suas relações com as configurações do "campo teatral" que lhe era contemporâneo. Ou seja, a análise histórica do fenômeno teatral vai além do texto e do contexto – porque entre a intenção e o gesto há "mais do que sonha a vã filosofia".

Concebido como um projeto híbrido, mescla de engajamento político e estratégias comerciais, *Gota D'Água* foi a um só tempo o refluxo das propostas engajadas das produções coletivas que se organizaram entre o final dos anos 1950 e meados dos anos 1960 e a realização da releitura "pessedista" de Vianinha para essas propostas. Como sua encenação durou praticamente cinco anos – duas temporadas no Rio de Janeiro (1975 e 1976-1977), uma em São Paulo (1977) e uma turnê nacional (1980) –, a análise de sua trajetória permite identificar importantes transformações em curso no período analisado. Se inicialmente a dimensão política e a comercial pareciam equilibradas, paulatinamente a dimensão comercial foi se tornando mais forte no projeto, e a despolitização, uma marca.

José Arrabal, ao apontar o pessedismo do projeto *Gota D'Água*, afirma: "A palavra de Paulo Pontes não é uma simples peroração, criação ou só uma proposta pessoal de seus anseios e compromissos. Não é uma palavra só dele. É filha da conjuntura daqueles anos 70."[22] Em alguma medida, ele parece ter razão, pois em *Gota* a aproximação entre as funções políticas do teatro e a composição de um espetáculo tradicional e grandioso, em termos cênicos, dramáticos e de mercado, realizava a junção entre os chamados teatro engajado e teatro comercial. O afastamento dessa montagem em relação às experimentações de vanguarda também parecia realizar os propósitos anunciados no fim da década anterior – apesar de Arrabal não concordar. E mais: a retomada de valores nacional-populares* e o diálogo com os organismos estatais responsáveis pela cultura, bem como a busca de inserção do teatro na esfera produtiva, vão ao encontro das propostas realizadas no artigo clássico de Vianinha.

Menos por seu ineditismo efêmero, mais pelas possibilidades de articular elementos estruturais do campo com inovações que se tornariam nele duradouras, o projeto *Gota D'Água* pode ser considerado um evento. Porque, ao mesmo tempo que sintetizou uma série de acontecimentos de sua época, representações das experiências ali vividas, transformou as configurações do campo e engendrou novas formas de representação, de práticas e apropriações culturais que perdurariam nos anos subsequentes. O projeto articulou *espaços de experiência* prévios e construiu novos *horizontes de expectativa*,** aglutinando, em cinco anos, passado, presente e futuro.

* *Gota D'Água* compôs, nesse contexto, um projeto mais amplo de retomada e revisão de uma dramaturgia inserida na tradição combativa do nacional-popular, em viés menos idealista que na década anterior. Cardenuto (2012, p.311-32) faz um exame minucioso desse movimento, no qual destacam-se outros textos teatrais, como *O último carro* (João das Neves) e *Muro de arrimo* (Carlos Queiroz Telles). Nesse cenário, entretanto, a trajetória de *Gota D'Água* destacou-se pelo acentuado hibridismo aqui examinado.

** R. Koselleck (op.cit., p.309-11) concebe "experiência" e "expectativa" como categorias históricas fundamentais para a compreensão da ação dos sujeitos no tempo e para o entendimento do tempo histórico, visto que sua articulação permite a percepção de como passado (experiência) e futuro (expectativa) constroem as ações concretas (presente).

13. Política externa do Brasil: continuidade em meio à descontinuidade, de 1961 a 2011

Miriam Gomes Saraiva
Tullo Vigevani

A bibliografia relativa ao golpe de Estado de 1964 no Brasil, quando trata das relações externas do país, debate dois temas principais: as responsabilidades norte-americanas e as grandes mudanças na inserção internacional do país, passando de posições nacionalistas, no período anterior ao golpe – simpáticas ao não alinhamento, na época em ascensão –, e, logo depois de abril de 1964, ao estreitamento das relações com os Estados Unidos. Iremos debater aqui alguns dos fundamentos da Política Externa Independente (PEI) dos períodos Jânio Quadros e João Goulart, situando-os numa perspectiva comparada com políticas desenvolvidas décadas depois, em particular o Pragmatismo Responsável (PR) do governo Ernesto Geisel e a autonomia pela diversificação do período Luiz Inácio Lula da Silva. Além da descrição das características dos três períodos, destacando convergências e diferenças, iremos sugerir formas de identificar as posições brasileiras em relação ao exterior e focalizar os elementos estruturais da política externa, que, em governos ideologicamente opostos, não deixaram de condicionar a ação do Estado.

Continuidades e descontinuidades na inserção internacional do Brasil

Muitas vezes, correta ou incorretamente, a política externa brasileira é identificada pelos *partners* externos por sua continuidade. Como cenário para isso detectamos, por um lado, um discurso da diplomacia brasileira que defende essa continuidade e, por outro, algumas crenças que há muito orientam sua evolução: a autonomia e o universalismo. A posição externa do Brasil deve ser vista à luz desses dois fatores constitutivos, enraizados na sociedade e no Estado brasileiros.[1] Subjacente às ideias de universalismo e autonomia está uma convicção histórica de que o país viria a se tornar um *player* global, ocupando lugar de destaque no cenário internacional.

Essas duas ideias perpassam a sociedade brasileira, mas podem ser mais bem identificadas na diplomacia. A presença do Itamaraty no arranjo institucional, vis-à-vis a política exterior, com seu poder de burocracia especializada, contribuiu para que nele se concentrasse a formulação da política externa e para que se desenvolvesse no país um comportamento estável, pautado em princípios de longo prazo. Essa concentração torna a política externa, a priori, menos vulnerável a ingerências da política interna. Sabemos, no entanto, que no governo de Lula a ideia de invulnerabilidade foi posta em debate.

Quando examinamos, porém, o que se esconde por trás do discurso de continuidade, encontramos descontinuidades, diferenças de prioridade e de estratégias. O conceito de autonomia assumiu abordagens diversas no decorrer dos anos.* Alternativas foram definidas a partir do contexto internacional, da estratégia de desenvolvimento e de cálculos por parte dos formuladores de política externa, que variaram de acordo com a visão política e a percepção que teriam dos interesses nacionais, da conjuntura internacional etc. As opções alternaram-se entre estratégias de viés multipolar e tentativas de ganhos relativos no cenário internacional, entre atuações mais autônomas ou alinhamentos a parceiros externos.

A diversidade de aspectos motivadores tem influência sobre a escolha das estratégias adotadas pela diplomacia brasileira. Letícia Pinheiro aponta dois paradigmas de ação no século XX: o americanismo e o globalismo.[2] Estes não só constituíram as formas como as elites brasileiras viam seu papel na política internacional, como também teriam sustentado a procura de objetivos de longo prazo, como a autonomia e a projeção internacional. O americanismo vê numa aliança com os Estados Unidos

* Autonomia pela distância, autonomia pela participação, autonomia pela integração, autonomia pela diversificação.

os recursos para a economia do país e um meio de conquistar poder no sistema internacional. A parceria entre os dois países seria pragmática e permitiria ganhos mútuos. Ao contrário, o globalismo sugere, para o Brasil alcançar sua autonomia, a busca de recursos de poder e insumos para o desenvolvimento por meio da diversificação de parceiros. Letícia Pinheiro indica uma mudança de paradigma durante o governo de Fernando Henrique Cardoso, com a ascensão do institucionalismo pragmático, que, sem abandonar o globalismo, procura a adesão a regimes e instituições internacionais.

Identificamos o institucionalismo pragmático como uma corrente de pensamento favorável à relativa liberalização da economia e defensora do apoio do Brasil aos regimes internacionais em vigência, identificando-os como cenário favorável ao desenvolvimento brasileiro.[3] Ele sugere a inserção externa do país a partir da autonomia pela integração, que corresponderia a um país incorporado à ordem global, que empreenderia suas iniciativas nos marcos das instituições internacionais.

Federico Merke aponta duas tradições da política externa brasileira, a realista-liberal e a realista-desenvolvimentista, que partilhariam a percepção de um sistema internacional anárquico, o anseio por um papel de potência regional e mesmo global, e os esforços para manter a política externa acima de divergências domésticas.[4] A primeira tradição buscaria uma aliança com os Estados Unidos como recurso para atingir seus objetivos, enquanto a segunda procuraria mais insumos para o desenvolvimento no comportamento internacional autônomo. Esta última se aproximaria da ideia de diversificação das relações externas e, portanto, do universalismo. Podemos afirmar que as políticas de João Goulart, de Ernesto Geisel e de Lula se identificam com a segunda tradição, sem desconsiderar, contudo, as grandes diferenças entre esses governos.

Amado Luís Cervo identifica a consolidação, desde 1930, de dois discursos sobre o uso da política externa a fim de obter insumos para o desenvolvimento: o americanista e o independentista ou nacionalista.[5] O americanista defenderia uma aliança estratégica com os Estados Unidos como mecanismo de garantir capitais para o país, no modelo associado.

O nacionalista teria preferência pela diversificação de parceiros e por um desenvolvimento autônomo.

Nos anos 1990, a crise do paradigma globalista deixou patente uma divisão no interior da diplomacia – autonomistas e institucionalistas pragmáticos –, com visões diferentes sobre a dinâmica da ordem internacional e sobre a melhor estratégia para atingir os objetivos de autonomia e crescimento do país.[6] Os autonomistas seriam tributários do desenvolvimentismo no campo econômico e defenderiam uma projeção autônoma e proativa do Brasil.

É nesse quadro de referência da política externa que iremos debater os três períodos inseridos no paradigma que alguns classificam como globalista, outros como realista-desenvolvimentista e outros, ainda, como nacionalista: a Política Externa Independente, o Pragmatismo Responsável e a autonomia pela diversificação.

A política externa independente

A mudança de governo no Brasil, no início de 1961, teve um impacto forte na política externa. A adoção do que viria a ser conhecido como PEI, no governo Jânio Quadros, significou uma mudança de paradigma: o abandono do americanismo e o início do globalismo. O presidente orientou-se pelo universalismo, tendo como perspectiva abrir o país para relações com todos os demais, como instrumento para obter a própria projeção internacional. Isso significava buscar a independência de comportamento em relação aos Estados Unidos, uma vez que o poder de barganha viria sobretudo da diversificação de parceiros.[7] O pensamento dos formuladores da política externa de então foi influenciado pelas ideias da Comissão Econômica para a América Latina (Cepal) e pela tradução desse pensamento para a realidade brasileira, conduzida por alguns intelectuais, entre outros os do Instituto Superior de Estudos Brasileiros (Iseb). Atores políticos com formações diferentes tiveram papel relevante: Afonso Arinos de Melo Franco, ministro de Relações Exteriores de Quadros; Francisco San Tiago

Dantas, chanceler de Goulart; João Augusto de Araújo Castro, também chanceler de Goulart. O fortalecimento do Movimento dos Não Alinhados forneceu sustentação a essa evolução até 1964.

A PEI foi uma política que não rompeu abruptamente com as políticas passadas, de Getúlio Vargas a Juscelino Kubitschek. Manteve algumas das ideias básicas que constituem o cenário da ação brasileira, sendo, portanto, uma reconfiguração das propostas de ações e metas. A introdução do universalismo como base de atuação do país e a ideia de construir a autonomia nacional a partir da diversificação de parceiros tornaram essa política um marco do Brasil daquele período. No início do governo Quadros, o Brasil rompeu com o governo fascista de Oliveira Salazar em Portugal e foi cordial nas relações com Cuba, no momento em que se aguçavam as tensões do governo de Fidel Castro com os Estados Unidos. O ministro Melo Franco verbalizava a perspectiva, mesmo quando reafirmava que o Brasil não era um país neutro. Em 1961, falando na Câmara dos Deputados sobre Cuba, dizia: "Temos o dever de respeitar, de pugnar, de defender e de cooperar na defesa da autodeterminação dos povos. Nisso temos o dever de cooperar com o princípio da não intervenção."[8] O governo Goulart buscou entendimento com os não alinhados, mas sem tomar parte formal da nova organização.

A formulação da PEI foi entrelaçando-se com ideias oriundas do nacional-desenvolvimentismo do período. Segundo Fonseca Jr.,[9] a PEI teria nascido de um projeto político. Para San Tiago Dantas,[10] ela visava "à consideração exclusiva do interesse do Brasil, visto como um país que aspira ao desenvolvimento e à emancipação econômica, e à conciliação histórica entre o regime democrático representativo e uma reforma social capaz de suprimir a opressão".

As motivações para as mudanças foram de ordem tanto externa quanto interna. Na segunda metade dos anos 1950, o sistema internacional passou por modificações importantes, com a ascensão do Terceiro Mundo. No âmbito doméstico, os governos Jânio Quadros e João Goulart levaram ao poder uma geração de políticos menos comprometida com as práticas tradicionais. O reordenamento e a modernização nos quadros da diplomacia, iniciada com Kubitschek, a concepção nacional-desenvolvimentista e o modelo de industrialização por substituição de importações fortaleceram ideias previamente existentes. Em relação aos Estados Unidos, o movimento inicial de Goulart foi de aproximação, havendo contrapartida do governo John Kennedy, que dava início à Aliança para o Progresso. A mensagem de Goulart ao Congresso Nacional, em março de 1962, exemplifica a busca de manter uma posição de equilíbrio, sem rupturas. No entanto, temas historicamente acumulados e não resolvidos, como distribuição da terra, direitos trabalhistas, democratização de estruturas do Estado, colocaram as questões sociais no centro do palco, levando ao crescimento da mobilização de camadas populares e ao questionamento da presença do capital estrangeiro no Brasil. Esses problemas ligavam-se aos temas de política internacional, o que resultou no crescente antagonismo em relação aos interesses americanos.

Os princípios básicos da PEI, tornados orientação de governo, eram: ampliação do mercado interno; formulação autônoma dos planos de desenvolvimento; manutenção da paz com coexistência pacífica; desarmamento geral e progressivo; não intervenção em assuntos internos de outros países; autodeterminação dos povos; respeito ao direito internacional; e apoio à emancipação dos territórios não autônomos.[11] Alguns desses princípios já estavam presentes na política externa, outros eram novos, como o apoio brasileiro à emancipação dos territórios não autônomos. Fonseca Jr. considera que "o período é de abertura universalista da política externa e de coleção de um acervo de relações bilaterais de amplo alcance, ... são estabelecidos ou renovados vínculos com os países africanos, amplia-se a presença no Oriente Médio e, mais importante, os laços com a América Latina ganham nova densidade".[12]

A PEI tinha um componente terceiro-mundista e de crítica às políticas das potências dominantes, ao "congelamento do poder mundial". Seu objetivo era posicionar-se de modo contrário às exigências de alinhamento e assumir posição autônoma diante dos dois polos de poder da Guerra Fria. Houve certa ambiguidade, como a defesa do alinhamento do Brasil ao Ocidente e a simpatia pelo não alinhamento, mas sem plena adesão a ele. Procurava-se afirmar os interesses brasileiros, que seriam diferentes daqueles das potências, e explorar convergências com países que partilhavam a condição de subdesenvolvimento.

No que diz respeito à América Latina, a PEI fazia referência ao entorno da região, mas a tentativa de desenvolvimento orientava-se para os esforços nacionais, sem ênfase na dimensão regional. Mas foi durante sua vigência no Brasil que a Associação Latino-Americana de Livre Comércio (Alalc) conseguiu reduzir tarifas, e aprofundaram-se as relações bilaterais com a Argentina, criando-se o "espírito de Uruguaiana". Em 1961, os presidentes dos dois países se encontraram nessa cidade para a assinatura do Convênio de Amizade e Consulta. O "espírito de Uruguaiana" significava o reconhecimento de que, juntos, poderiam dar passos importantes rumo ao desenvolvimento e também superar (de forma temporária) as motivações que levavam os dois países a disputar silenciosamente a hegemonia regional. A partir da queda de Arturo Frondizi, em 1962, a política brasileira para a Argentina sofreu retrocessos, mantendo-se as tensões até quase o final dos anos 1970. Nesse mesmo ano, a diplomacia brasileira se opôs às sanções contra Cuba propostas pelos Estados Unidos. O posicionamento relativo a Cuba – que fora suspensa na Organização dos Estados Americanos em 1962, com a abstenção brasileira e de outros Estados – revelou-se um marco importante para a caracterização da PEI: ele mostrava que a América Latina era vista como parte da construção de um mundo onde as hegemonias deveriam se enfraquecer.

Apesar dos avanços experimentados na perspectiva da PEI, o agravamento da crise política e econômica durante o governo Goulart dificultou a implementação de suas propostas. O governo Kennedy agiu no sentido de robustecer forças políticas opositoras, sendo a política externa do presidente brasileiro um dos focos de conflito. Em 1964, com o golpe e a ascensão do governo militar, a PEI foi descontinuada, substituída pela estratégia do governo Castello Branco, sinalizando uma decidida inserção no mundo ocidental e o estreitamento das relações com os Estados Unidos. Ao mesmo tempo, mantinha-se, inclusive em áreas militares, certa ideia de autonomia e de fortalecimento do poder nacional. É importante considerar este último aspecto para entender a evolução dos sucessivos governos militares, em particular o de Ernesto Geisel, que levou ao Pragmatismo Responsável.

O pragmatismo responsável de Geisel

A política externa brasileira implementada durante o governo de Ernesto Geisel, de 1974 a 1978, significou uma mudança de prioridades em relação à política externa adotada no período anterior. Foi abandonada a expressão "Brasil potência", utilizada durante o governo de Emílio Garrastazu Médici. Mas a ideia teve continuidade com o mote "Brasil potência emergente". O chamado "pragmatismo responsável e ecumênico" representou uma forma de adaptação à nova realidade da ordem internacional e à necessidade de diversificar os recursos para o desenvolvimento interno.

A percepção e o entendimento da dinâmica internacional por parte da diplomacia brasileira tinham fundamento fortemente realista. Baseada nas teses de Araújo Castro,[13] que fora chanceler no governo Goulart e era embaixador em Washington no período do PR, essa percepção apontava para uma ordem em permanente mudança. Ele afirmava que "poucos países no mundo detêm as possibilidades de irradiação diplomática do Brasil".[14] Isso permitiu a superação quase completa da ideia de "fronteiras ideológicas" instituída por Castello Branco. Abriu-se lugar a uma nova formulação do que seriam os "interesses nacionais". Para viabilizá-los, seria preciso uma diversificação das relações econômicas externas independentemente de questões de cunho ideológico. A especificidade do PR foi a forma agressiva como essa diversificação foi perseguida, com relações de tipo novo com países muito diferentes, da República Federal da Alemanha a Angola e Iraque.

A tradição realista-desenvolvimentista recuperou sua centralidade, e o objetivo de autonomia, entendida como autonomia pela distância, na definição de Fonseca Jr.,[15] veio ocupar lugar fundamental. O PR representou uma rejeição do alinhamento com os Estados Unidos. Suas manifestações concretas se deram nos campos político e econômico, sob a condução do chanceler Antônio Azeredo da Silveira.

Segundo Letícia Pinheiro,[16] a política teria recuperado o paradigma globalista como ordenador de seu comportamento, visando a se tornar meio de fortalecimento do poder de barganha do Brasil. Analisando o PR e comparando-o à PEI, Fonseca Jr. afirma que ambos pautaram a busca da autonomia "pelo contraste com o que preconizam os hegemônicos".[17] A diplomacia brasileira, nos dois momentos, distanciava-se dos embates da disputa leste-oeste e pleiteava propostas reformistas da ordem mundial. Ela tentaria enfraquecer hegemonias, na perspectiva de debilitar os diretórios dominantes. O projeto do PR foi fruto de expectativas de formuladores influenciados pelo crescimento econômico brasileiro do início dos anos 1970, por uma conjuntura internacional de instabilidade e pela crença na capacidade do país de tornar-se uma potência média global.

O PR coincidiu com o início do processo de abertura do regime militar. Em virtude dos contenciosos, em particular com os Estados Unidos, ele assumiu caráter nacionalista, servindo de mecanismo aglutinador de setores militares favoráveis à abertura e da oposição em torno de alguns pontos dessa política, mas não de todos. O projeto de reconfiguração da base industrial implicava amplas relações com outras regiões. No campo energético, concretizou-se um acordo com a Alemanha para a implantação de usinas nucleares no Brasil. Como consequência da crise do petróleo, em 1973, o governo estimulou as relações com alguns países árabes, como o Iraque. O PR buscou ampliar o número de parceiros, sobretudo na Europa, entre os países árabes e na África.

O período Geisel representou um momento de confluência entre política externa e política interna, com o início efetivo da abertura. Seria prematuro dizer que o crescimento da oposição política, representada pelo MDB, contribuiu para o fortalecimento do PR. Setores da sociedade e parlamentares criticavam aspectos específicos: o acordo nuclear com a Alemanha, as relações com o Iraque, o voto sobre o sionismo, a recusa ao diálogo sobre direitos humanos. Outros pontos encontraram maior consenso, como a ruptura do acordo militar com os Estados Unidos e o incremento de posições anti-hegemônicas nos fóruns internacionais.

Há diferenças importantes entre o projeto da PEI e o do PR, principalmente no que se refere aos países vizinhos. Em relação à América Latina, não houve avanços, mantendo-se a preferência por relações bilaterais, com ênfase nas necessidades do desenvolvimento brasileiro, desvinculado de qualquer perspectiva regionalista. Nessa área, o conteúdo ideológico assumido desde 1964 perdurou. O governo Geisel impôs limites às ações dos aparelhos repressivos, mas não impediu modos de cooperação formal e informal com os regimes militares da região. No período, manteve-se atuante a chamada Operação Condor. Durante a PEI, com exceção do "espírito de Uruguaiana", tampouco se avançou muito, mas a forma de encarar os vizinhos ao menos foi de solidariedade, e a circunstância oferecida pela constituição da Alalc foi aproveitada parcialmente. No período do PR, a mesma concepção realista que levou a tensões com a Argentina, contribuiu afinal para abrir caminho ao Tratado Tripartite de 1979 sobre o uso das águas do rio Paraná.

No que se refere à Argentina, a visão brasileira esteve marcada pela influência do chanceler Azeredo da Silveira. Segundo Spektor,[18] o ministro tinha uma perspectiva estruturada da Argentina e era cético quanto à capacidade desse país de manter, como no passado, influência sobre os outros da região. No entender de Azeredo da Silveira, "o declínio argentino abria caminho para um novo arranjo regional em que o Brasil abandonaria sua posição acuada".[19] Sua ideia de uma Argentina não mais desafiadora do espaço brasileiro e com menos recursos de poder não era consensual no Itamaraty, mas foi predominante até o final de seu mandato.

Com essa percepção, entre 1974 e 1978, houve um acirramento das divergências entre os dois países, sem iniciativas no sentido de diluir o clima de contencioso em torno da questão do uso das águas da bacia do Prata. Segundo Gardini,[20] a reconstrução das relações baseou-se nos interesses de grupos do aparelho de Estado vinculados à política energética e ao planejamento econômico estratégico, atuantes durante o governo Geisel, mas não em harmonia com o Itamaraty.

Na formulação do PR, o Brasil deveria ter papel de protagonista na América Latina. Mas a inserção brasileira não seria restrita à região, o país buscaria projetar-se no mundo. A política de avizinhamento com a região não perdia de vista o âmbito global. Segundo Azeredo da Silveira,[21] "elevado nas dimensões da sua economia e do seu poder nacional, projetando-se num mundo onde se estreita a convivência entre as nações, não será possível ao Brasil alhear-se do que ocorre em outras áreas". Numa perspectiva crítica de alguns conceitos e ideias orientadoras do PR, Ferreira, considerando a posição regional do Brasil, afirma:

> As denúncias sobre o congelamento do poder mundial e as reiteradas afirmações de que a política de poder deve ceder lugar a um ordenamento jurídico internacional justo, ... tudo soa como tentativa de autoafirmação de um país que se ressente da posição menor em que se encontra, embora a partir dela exerça, em seu âmbito específico de ação, a mesma política que condena nos demais.[22]

Para o PR, o poder do país na região seria suficiente para justificar sua maior influência. Nesse caso, o PR diferencia-se da PEI.

Segundo San Tiago Dantas e Araújo Castro, o universalismo brasileiro não se contrapunha à busca de cooperação com o entorno geográfico. Quando a aproximação não acontecia, devia-se a razões específicas, concretas, à instabilidade. A região seria considerada parte dos países subdesenvolvidos, portanto estaria entre aqueles com os quais haveria uma comunidade de destino.

Por outro lado, o PR coincide com a PEI ao situar o universalismo e o combate ao congelamento de poder no centro das preocupações, visando à própria projeção de poder. Porém, nessa fórmula, a região não ocupou lugar prioritário. Em contraste com a formulação "fim das fronteiras ideológicas", anunciada como ferramenta do universalismo para a América do Sul, permaneceram ideias de geopolítica e o pressuposto realista de utilização da assimetria real ou potencial em seu próprio favor. As necessidades do desenvolvimento, as mudanças no sistema internacional, o custo da manutenção das hipóteses de conflito abriram caminho para novas atitudes.

A autonomia pela diversificação de Lula

A posse de Luiz Inácio Lula da Silva, em janeiro de 2003, 24 anos depois do fim do governo Geisel e no marco do regime democrático, representou mudanças na política externa. Reforçou a atuação da corrente autonomista e universalista no interior do Itamaraty, interrompendo oito anos de predomínio dos institucionalistas pragmáticos. O traço marcante dos autonomistas seria a defesa de uma projeção autônoma, guardando, nesse sentido, semelhanças tanto com a PEI quanto com o PR. O corolário seria o enfraquecimento do americanismo, ou da ideia de que a plena adesão aos regimes internacionais seria instrumento útil para o Brasil.

Com comportamento baseado em reformismo moderado da ordem internacional, a corrente formuladora da política externa do governo Lula defendeu a reforma das instituições internacionais, buscando mais espaço para a atuação do país. Identificou situações em que essas instituições não deveriam contar com a adesão brasileira, em que a elas seria necessário se opor. Este foi o caso da negociação a respeito da Área de Livre Comércio das Américas (Alca), para cujo fracasso o Brasil contribuiu, enquanto procurava se aproximar dos países emergentes.

O governo de Lula apresentou como novidade no processo de formulação de política externa a emergência de um grupo não originado na diplomacia, mas que, durante os dois mandatos, estabeleceu interfaces com o Itamaraty. Essa corrente, cuja origem está na academia e em lideranças políticas do PT, exerceu influência em decisões de política externa. Os diplomatas provenientes da escola desenvolvimentista, como Celso Amorim e Samuel Pinheiro Guimarães, ganharam o primeiro plano na formulação.

As diretrizes e ações de política externa não significaram rupturas e foram implementadas progressivamente no decorrer dos dois mandatos. Houve continuidade e revalorização das ideias de autonomia, universalismo e ascensão como potência, entendida como maior protagonismo em assuntos internacionais, para além da própria esfera de interesse regional. A sinalização foi visível desde o primeiro momento. Em 2003, Lula participou do III Fórum Social Mundial e, logo em seguida, da reunião do Fórum

Econômico Mundial. Algumas mudanças de metas foram efetivadas, mas sem ações bruscas. Houve modificações na política externa, mudança de tonalidade e de ênfase visando a novas formas de inserção internacional para o país. Essa orientação teve como pressuposto a ideia de que o poder norte-americano se enfraquecia, a China aumentava seu peso e, consequentemente, haveria espaço maior para o Brasil.[23]

O paralelismo com a PEI e com o PR é encontrado na forte valorização das ideias de autonomia e universalismo, assim como na prática de uma política oposta à hegemonia. A utilização da política externa como recurso para o crescimento econômico foi atualizada. No campo internacional, o governo de Lula encontrou um cenário favorável para afirmar sua visão. Em contraste com a ordem dos anos 1990, quando o fim da Guerra Fria fez com que alguns acreditassem na possibilidade de os Estados Unidos manterem diferencial de poder em todos os campos, os anos 2000 conviveram com uma ordem global fragmentada e plural em termos de ideias e comportamentos, e com a emergência de novos atores, que procuraram modificar o equilíbrio anterior. Em termos internos, essa fase coincidiu com a estabilidade política e o crescimento da economia, reforçando a legitimidade do governo e sua capacidade de ação internacional, particularmente nas iniciativas de construção de instituições na América do Sul, em tabuleiros de diferentes níveis.

A ascensão dos autonomistas diminuiu a convicção da diplomacia nos regimes internacionais, substituída por comportamento proativo, com vistas a modificar a posição desses regimes em favor dos países do sul ou em benefício próprio. A ideia de buscar o apoio de tais países e fazer acordos políticos com outros emergentes, no sentido de contrabalançar o poder das potências tradicionais do Ocidente, serviu de base para a atuação internacional do Brasil. Por outro lado, o país participou de forma ativa no Grupo dos 20 financeiro (G-20), juntamente com as potências tradicionais, revigorado para procurar soluções para a crise econômica de 2008.

Em relação aos Estados Unidos, o governo brasileiro manteve autonomia em suas ações, embora sem assumi-la como um desafio, como fez o PR de Geisel – em que a ruptura havia sido considerada importante para afirmar sua posição internacional. Durante o governo Lula houve divergências com os países ricos quanto às normas do comércio internacional, ainda que o Brasil apoiasse, em parte, a posição norte-americana na Conferência da Organização Mundial do Comércio (OMC) de 2008, que poderia ter concluído a Rodada Doha. Houve divergências em relação aos processos de integração nas Américas. O governo brasileiro obstaculizou definitivamente as negociações para a formação da Alca na Cúpula das Américas de 2005. A participação autônoma e assertiva do Brasil na política internacional criou áreas de atrito com os Estados Unidos – conflitos que, no entanto, foram tratados com baixo perfil, exceto, talvez, na intervenção relativa ao Irã, juntamente com a Turquia, em 2010. Na ocasião, buscou-se articular uma atitude de negociação para o programa nuclear iraniano, não oposta, mas autônoma da preconizada pelos Estados Unidos.

A diplomacia autonomista deu novo impulso à cooperação com países emergentes. Foi criado o Fórum de Diálogo Ibsa (Índia, Brasil e África do Sul) para tratar de questões relacionadas à ordem internacional, às Nações Unidas e ao intercâmbio tecnológico. O país participou ativamente do G-20 comercial, formado para defender as posições de países do sul nas negociações da OMC. Procurou aproveitar os espaços abertos pela classificação do Brasil como um dos Bric (Brasil, Rússia, Índia e China) por meio de iniciativas para fortalecer uma parceria tendo em mira a revisão das instituições da ordem internacional, inclusive o Fundo Monetário Internacional (FMI) e o Banco Mundial. As coalizões com parceiros emergentes contribuíram para reforçar as ações globais do país. Ao mesmo tempo, a diplomacia desempenhou um tipo de liderança internacional de caráter individual. O papel do país como *player* global fundamentou-se nas ideias de autonomia e universalismo que também haviam tido destaque com a PEI e o PR.

A cooperação com regiões mais pobres avançou, embora com características diferentes. Em relação ao continente africano, as iniciativas começaram já no primeiro mandato de Lula, com prioridade para a cooperação técnica e financeira, erigindo-se como elemento norteador o combate à fome e à pobreza no continente. Apoiar o Brasil em fóruns multilaterais, por parte dos países africanos, tornou-se uma contrapartida importante na agenda da política externa brasileira. Classificamos essa nova orientação centrada na busca de parceiros não tradicionais como "autonomia pela diversificação", diferente da chamada "autonomia pela integração" dos institucionalistas pragmáticos do governo anterior.[24] A diversificação incluiu tentativa de acordos com países desenvolvidos, como a França, e o fortalecimento de relações com diferentes Estados, com destaque para a China, não excluídas as relações com os Estados Unidos, mantidas em bom nível durante todo o período.

A política brasileira para a América do Sul experimentou mudanças: o governo investiu na construção não declarada e nem sempre aceita de uma liderança regional por meio de mecanismos de cooperação. Papel destacado para isso tiveram a cooperação técnica bilateral e os investimentos. A atitude diante da região foi mais assertiva que durante a PEI e diferente da adotada no período do PR. Na PEI, vimos que a preocupação esteve voltada para o Terceiro Mundo, e como parte dele a América Latina e a do Sul, mas não estava em debate a integração, além dos termos genéricos da Alalc. Durante o governo Lula, o Brasil passou a assumir alguns custos da integração, da cooperação e da governança regional. Essas ações foram objeto de controvérsias na sociedade e mesmo no governo.[25]

A projeção do país nas arenas global e regional foram iniciativas simultâneas e, da perspectiva brasileira, complementares. Ao contrário da percepção de Azeredo da Silveira, a aproximação com os países vizinhos foi vista como instrumento para a realização do potencial do Brasil, como apoio ao desenvolvimento do país e indispensável para a formação de um bloco capaz de exercer influência internacional. Segundo Burges,[26] o Brasil teria necessidade do peso regional nas barganhas globais, embora sem se ater a uma institucionalização que limitasse sua autonomia. A continuidade das iniciativas regionais sugere que, embora sem se comportar plenamente como um *paymaster*, o governo brasileiro conseguiu fortalecer a estabilidade regional e dar continuidade a seus objetivos. A prioridade da integração comercial e produtiva – fundamental a partir de 1985, e até a desvalorização do real em 1999 e a crise argentina de 2001 – deu lugar a projetos visando à integração física da área, reforçando-se a Iniciativa para a Integração da Infraestrutura Regional Sul-Americana (Iirsa). Nesse período foi criada uma estrutura de cooperação com países da região. Os investimentos e as obras de infraestrutura financiadas pelo Banco Nacional de Desenvolvimento Econômico e Social (BNDES) cresceram. Essas iniciativas contribuíram para o avanço da articulação com os países vizinhos em áreas não comerciais e reforçaram o processo de estabilização do continente.

A consolidação da Comunidade Sul-Americana de Nações – e sua passagem para a União de Nações Sul-Americanas (Unasul) – foi importante para o Brasil. O projeto teve origem no governo de Itamar Franco e foi ampliado no de Fernando Henrique Cardoso. Mas, a partir da eleição de Lula, concentraram-se esforços para sua institucionalização, incluindo-se novos temas como segurança, diálogo político, integração energética, mecanismos financeiros e assimetrias. A organização tornou-se, para o governo, um importante caminho de ação multilateral.

Sinalizou-se com um novo padrão nas relações regionais por ocasião da nacionalização de reservas de gás da Petrobras pelo governo boliviano e com a solicitação, por parte do governo de Fernando Lugo, do Paraguai, de um reajuste do preço da energia de Itaipu. Nos dois casos, desenhou-se a disposição brasileira de arcar com custos do processo de integração sul-americana. Instituíram-se também formas de aproximação com governos empenhados em políticas de desenvolvimento apoiadas em ações distributivas.

Para os autonomistas, o Mercosul e o bloco sul-americano são objetivos fundamentais da política externa. Pinheiro Guimarães afirma ser necessário assumir os custos da responsabilidade, em virtude das assimetrias de poder.[27] Na mesma linha, Amorim refere-se à América do Sul, concentrando-se no papel do Mercosul, como elemento nevrálgico.[28] Procurando compreender as especificidades do governo Lula comparativamente à PEI e ao PR, pode-se dizer que a ação regional se afasta em termos concretos dessas outras experiências.

O governo implementou ações visando ao equilíbrio no interior do Mercosul, favorecendo o desenvolvimento da infraestrutura e da projeção industrial, e apostou na ampliação do bloco com acordos de associação com países da Comunidade Andina e com a viabilização do ingresso da Venezuela na aliança.* A criação do Fundo de Convergência Estrutural (Focem), com cotas de participação aumentadas ao longo do tempo, representou um avanço conceitual no campo da cooperação, tendo em vista reduzir as assimetrias regionais.[29] As dificuldades persistentes relacionam-se aos obstáculos estruturais das economias, resultantes de sistemas produtivos voltados para a produção de commodities e dependentes de capitais e tecnologia externa.

Assim, em relação à PEI, identificamos elementos de continuidade. Podemos dizer que no governo Lula prevaleceram afinidades com a PEI no tocante à visão de mundo, à autonomia e à afirmação do universalismo materializado no apoio ao multilateralismo. As condições diferentes dos anos 2000 em relação aos anos 1960 fizeram com que o tema da integração se tornasse central. Em relação ao PR, há afinidade na crítica ao unilateralismo, em particular dos Estados Unidos, mas distanciamento na forma de condução das relações, preservando o diálogo, ainda que na divergência. No período Lula, o governo e a sociedade parecem mais cientes do peso do país no sistema internacional, portanto, mais propensos à utilização dos canais de diálogo existentes. As relações com a América Latina diferenciam esse governo dos outros períodos aqui considerados.

Conclusões

Em termos gerais, mesmo com regimes políticos diferentes, identificamos traços de continuidade – ou recorrência – na política externa brasileira entre os três períodos examinados. Há algumas características e princípios semelhantes nos três momentos.

Entre a PEI e o PR, embora tenha havido adaptações à realidade internacional dos anos 1970, encontramos pontos em comum. Os dois períodos têm como referência o globalismo ou o realismo desenvolvimentista. Há ideias que se identificam: o afastamento dos Estados Unidos, o desenvol-

* Consolidado no governo de Dilma Rousseff.

vimentismo, o interesse pela fragilização da hegemonia, a tentativa de atenuar as assimetrias, a não aceitação do congelamento do poder mundial. A fase da PEI conviveu com instabilidade política interna e distinguiu-se parcialmente da política externa anterior. Os períodos de Quadros e Goulart distanciaram-se do americanismo, voltaram-se para uma política anticolonial e vincularam-se, ainda que não plenamente, ao nascente Terceiro Mundo.

O governo Geisel, com o PR, apesar das dificuldades econômicas, conseguiu levar parcialmente adiante o II Plano Nacional de Desenvolvimento e, sobretudo, o início da abertura política. O PR caracterizou-se por um forte antiamericanismo, que decorria de escolhas ligadas a políticas econômicas e energéticas. O acordo para a construção das usinas nucleares e a aproximação com alguns países árabes, em particular o Iraque, levaram ao aguçamento das tensões com os Estados Unidos.

No tocante ao entorno sul-americano, o PR foi muito diferente da PEI. Na fase de Quadros e Goulart, ainda que as relações com os vizinhos, incluindo a Argentina, não tenham evoluído substantivamente, o ambiente era de aproximação. O realismo pragmático do período Geisel estimulou tensões. Apenas no final do governo houve mudança dessa tendência, abrindo-se caminho para os acordos consolidados no governo Figueiredo.

O período de Lula corresponde a uma fase histórica em que prevalece uma ordem internacional diferente, na qual os Estados Unidos continuam a ser a potência hegemônica, mas crescem as tendências ao multipolarismo e à fragmentação. Ao longo dessa etapa, a situação econômica do país caracterizou-se pela estabilidade, com expansão do mercado interno. Em comum com a PEI e o PR, os anos de governo Lula representaram uma fase de não alinhamento aos Estados Unidos e de crítica às lógicas hegemônicas no sistema internacional. Não houve uma política antinorte-americana, as relações com esse país foram intensificadas, mas num quadro de busca de multilateralismo. A política externa de Lula teria forte conteúdo pragmático; prevaleceu uma concepção de mundo na qual o Brasil tem capacidade de desenvolver um papel ativo, não apenas regional, mas como ator global.

A diversificação de parceiros é considerada prioritária nos três períodos examinados. No caso de Lula, a percepção de que o mundo caminha para novas formas de equilíbrio foi um estímulo propositivo nas questões econômicas e políticas. Embora mais presente no PR e no período Lula, a busca de maior projeção do país na política internacional foi característica relevante. Na fase da PEI, os instrumentos de poder do Brasil não permitiam uma ação ostensiva nesse sentido. O projeto de Brasil potência emergente do governo Geisel não teve continuidade, em função da crise econômica e de mudanças na própria política internacional, enquanto durante o governo de Lula, em cenário nacional e internacional mais favorável, a iniciativa obteve melhores resultados. Os conceitos geopolíticos mantidos por Geisel em relação aos países vizinhos contribuíram para os limites de sua projeção externa.

Nos três momentos analisados, houve ajustes e diferenças de prioridades. O contraste em relação aos Estados Unidos – sobretudo a crítica do congelamento do poder, ideia central de Araújo Castro[30] presente na PEI e no PR –, a ideia do multipolarismo e a busca de inserção autônoma e diversificada na ordem internacional foram elementos comuns. Houve diferenças de metas em um tema importante: o relacionamento com os países vizinhos. A PEI manteve relativa distância, apesar dos esforços de Uruguaiana e de uma posição solidária em relação a eles. O PR adotou uma postura de rejeição e afastamento, com base nos princípios da geopolítica e acreditando que o fortalecimento do Brasil deveria se dar pela consolidação da própria primazia regional. O governo Lula robusteceu a tendência de priorizar a América do Sul em sua política externa. Procurou construir um novo ordenamento regional em torno de uma liderança brasileira não ostensiva. A projeção do país nas arenas global e regional foram iniciativas simultâneas e complementares.

É importante ressaltar que houve alguns marcos de continuidade, o que torna os três períodos legitimamente comparáveis. Nos três casos, adotou-se ou retomou-se uma visão classificada como globalista, realista-desenvolvimentista, autonomista ou nacionalista. Como esperamos ter demonstrado, também há diferenças importantes.

Notas

1. A ditadura faz cinquenta anos: história e cultura política nacional-estatista (p.11-29)

1. "A ditadura e as transformações sociais" e "Transformações econômicas no período militar", ambos de Francisco Luna e Herbert S. Klein, nesta coletânea, elencam e analisam minuciosamente as transformações econômicas e sociais ocorridas no período ditatorial.
2. Alusão a dois livros de Marc Ferro (1983 e 1987).
3. Cf. Denise Rollemberg, 2008; Lucia Grinberg, 2004; Rodrigo Patto Sá Motta, 2008; Francisco Carlos Teixeira da Silva, 2012; Samantha Viz Quadrat, 2009; Beatriz Kushnir, 2004; Janaína Martins Cordeiro, 2009 e 2012; Gustavo Alonso, 2011; Aline Presot, 2004. Para um estudo sobre as relações complexas entre ditaduras e sociedades em várias partes do mundo, cf. Denise Rollemberg e Samantha Viz Quadrat, 2010, 3 v. René Dreifuss (1981) e Jacob Gorender (1987) já haviam registrado a participação dos civis na preparação do golpe, mas limitaram a análise às elites sociais e políticas.
4. Com outra perspectiva, Florestan Fernandes (1974) inseriu, pioneiramente, a ditadura no tempo longo, como ápice da revolução burguesa no Brasil.
5. Cf. Serge Berstein, 2009.
6. Cf. Jean-François Sirinelli, 1992.
7. Cf. Philippe Joutard, 2009.
8. Cf. Berstein, 1992, 1996 e 1996a.
9. Getúlio Vargas (GV), Proclamação ao povo brasileiro, Biblioteca da Presidência da República (BPR). Getúlio Vargas, Discursos; disponível em: http://www.biblioteca.presidencia.gov.br.
10. GV, Discurso de 11 jun 1940, BPR.
11. GV, Problemas e realizações do Estado Novo, entrevistas dadas à imprensa do país, em Petrópolis e em São Lourenço, fev e abr 1938, BPR.
12. GV, Discurso na inauguração, em Goiânia, da Associação Cívica Cruzada rumo ao Oeste, BPR. Cf., igualmente, Gabriela C. Berskow, 2007.
13. GV, Discurso pronunciado no estádio do Vasco da Gama por ocasião das comemorações do Dia do Trabalho, 1º mai 1941, BPR.
14. GV, Discurso na Associação Brasileira de Imprensa (ABI), out 1939, BPR.
15. Cf. João Almino, 1980.
16. Cf. Leôncio Martins Rodrigues, 1990.

17. Juscelino Kubitschek (JK), Discurso proferido no Clube Ideal, em Manaus, sobre o Plano de Valorização Econômica da Amazônia, 18 abr 1956, BPR.
18. JK, Discurso proferido na Associação Comercial de Santos, 28 jan 1957, BPR.
19. JK, Discurso síntese do governo, proferido em rede de rádio e TV, 31 dez 1960, BPR.
20. JK, Discurso à Comissão Brasileira da Operação Pan-Americana, 6 dez 1959, BPR.
21. Idem.
22. JK, Discurso aos representantes diplomáticos dos Estados Americanos, 20 jun 1958, BPR.
23. JK, Discurso aos membros do Conselho da OPA, 19 abr 1960, BPR.
24. JK, Discurso síntese do governo, 31 dez 1960, BPR.
25. Emílio Garrastazu Médici (EGM), "A sociedade a reconstruir", aula inaugural proferida na Escola Superior de Guerra, mar 1987, BPR.
26. Idem.
27. Idem.
28. Idem.
29. EGM, Discurso para os parlamentares da Arena, 1º fev 1971, BPR.
30. EGM, Discurso feito na passagem do ano de 1970, 1º jan 1970, BPR.
31. Cf. Janaína M. Cordeiro, 2012.
32. Luiz Inácio Lula da Silva (Lula), Discurso de posse, jan 2003, BPR.
33. Lula, Mensagem ao Congresso Nacional, fev 2003, BPR.
34. Lula, Mensagem ao Congresso Nacional na abertura da quarta sessão legislativa ordinária da 53ª legislatura, mar 2010, BRP.
35. Lula, Discurso de posse, jan 2003, BRP.

2. As oposições à ditadura: resistência e integração (p.30-47)

1. Cf. Max Weber, 1999 [1922].
2. Cf. Antonio Gramsci, 2004 [1948].
3. Num capítulo de coletânea pioneira sobre o tempo da ditadura, Cruz e Martins (1983) já apontavam que a "a oposição é parte integrante do sistema político", p.15. Bibliografia mais detalhada sobre os temas aqui tratados encontra-se nas recentes reedições de meus livros *O fantasma da revolução brasileira* (2010) e *Em busca do povo brasileiro* (2014). Para um amplo levantamento bibliográfico sobre o tempo da ditadura, ver a obra de Carlos Fico (2004).
4. Já foi produzida extensa bibliografia sobre a oposição clandestina à ditadura, tema analisado nos livros pioneiros de Jacob Gorender (1987) e Daniel Aarão Reis (1991).
5. Sobre o MDB, ver as obras de Maria Dalva Kinzo (1987); Rodrigo Motta (1997); Ana Beatriz Nader (1998). A Arena foi tema para Lucia Grinberg (2009). Sobre as relações indissociáveis entre Estado e oposição, ver Maria Helena Moreira Alves (1985). Acerca da oposição no exílio, as obras de Denise Rollemberg (1999) e James Green (2009).

6. Cf. Ken Serbin, 2008.
7. Cf. João Roberto Martins, 1987; Victoria Langland, 2013.
8. Marcos Napolitano (2011) propôs uma tipologia para compreender a "resistência cultural" de comunistas, liberais, cristãos e a nova esquerda dos anos 1970. Este último tema foi tratado também por Maria Paula Araújo (2000). Napolitano buscou dialogar criticamente com a interpretação clássica de Roberto Schwarz (1970).
9. Cf. René Dreifuss, 1981.
10. Cf. Elio Gaspari, 2002a, 2002b, 2003, 2004.
11. Pode-se também falar em modernização autoritária, mas prefiro manter o termo inspirado na obra de Moore Jr. (1967). É pertinente analisar as ações políticas diversificadas dos vários indivíduos, grupos e classes envolvidos em diferentes conjunturas ao longo da ditadura, tanto do lado da situação como da oposição, conforme fizeram autores tão diferentes como Fernando Henrique Cardoso (1972, 1975), Carlos Castello Branco (1977, 1978, 1979), Thomas Skidmore (1988, 2010), Alfred Stepan (1975), Ronaldo Costa Couto (1998), e ainda Argelina Figueiredo (1993) e Wanderley Guilherme dos Santos (2003), estes ao tratar da dinâmica política que levou ao golpe de 1964. Mas tampouco caberia perder de vista a existência de um eixo estruturante do regime, apontado ainda no calor dos acontecimentos por estudiosos como Octavio Ianni (1971), Francisco de Oliveira (1972) e Paul Singer (1972). Os próprios militares caracterizaram sinteticamente suas ações como voltadas à garantia de "segurança e desenvolvimento", envolvendo restrições à participação política popular e à redistribuição de riquezas, tidas como propostas populistas ou comunistas. Em suma, a ditadura em suas diferentes fases foi indissociável de certa modernização conservadora da economia e da sociedade, ainda que houvesse autonomia relativa dos fatores políticos.
12. Cf. Denise Rollemberg, 2008 e 2010.
13. Cf. Beatriz Kushnir (2004), Maria Aparecida de Aquino (1999) e o livro sobre a imprensa de Bernardo Kucinski (1991).
14. Cf. Eder Sader, 1988; Marco Perruso, 2009.
15. Sobre o movimento estudantil dos anos 1970, ver as obras de Renato Cancian (2010) e Mirza Pellicciotta (2012), entre outras.
16. Cf. Armando Boito, 1991, p.177-81.
17. Ver a respeito, neste volume, "Para onde foi o 'novo sindicalismo'? Caminhos e descaminhos de uma prática sindical", de Ricardo Antunes e Marco Aurélio Santana.
18. Há extensa bibliografia sobre o PT, particularmente sobre seus primeiros anos; cf., por exemplo, Margaret Keck, 1991; Rachel Meneguello, 1989; Lincoln Secco, 2011.
19. Cf. Janaína Teles, 2005.
20. A entrevista de Oliveira foi publicada na revista *Margem Esquerda* (apud Jinkings et al., 2007).
21. Cf., por exemplo, o livro *O que resta da ditadura*, organizado por Edson Teles e Vladimir Safatle (2010).

22. Cf. Jarbas Passarinho, 1996.
23. Cf. Florestan Fernandes, 1974.

3. A modernização autoritário-conservadora nas universidades e a influência da cultura política (p.48-65)

1. Carlos Meira Matos, Discurso proferido em abril de 1969, para grupo de oficiais norte-americanos em visita à Escola Superior de Guerra (RG 286, cx.18, pasta 3, National Archives and Records Administration, College Park, Maryland).
2. Sobre a falta de unidade ideológica do regime militar, cf. Sebastião C. Velasco Cruz e Carlos Estevam Martins in Bernard Sorj e Maria Hermínia T. Almeida, 1983.
3. Notadamente o arquiteto comunista Villanova Artigas, aposentado compulsoriamente da USP em 1969. Sobre as relações paradoxais entre o Estado autoritário e produtores culturais e artistas de esquerda, ver Marcelo Ridenti, 2010, p.103-6; Marcos Napolitano, 2010, p.145-74.
4. Sobre o apoio civil ao regime militar, ver Daniel Aarão Reis, 2005 [2000].
5. A partir desse ponto, o artigo se baseia em pesquisa do autor sobre as políticas universitárias do regime militar, que resultou em livro atualmente no prelo (*As universidades e o regime militar: cultura política brasileira e modernização autoritária*). Os argumentos desenvolvidos no livro tiveram de ser simplificados para adaptação à forma de artigo.
6. Infelizmente, por questão de espaço, é impossível citar os exemplos localizados no decorrer da pesquisa. Recomendo aos interessados a leitura de meu livro já mencionado na nota 7.
7. Cf. Rodrigo Patto Sá Motta, 2008, p.32-50.

4. Mudanças sociais no período militar (1964-1985) (p.66-91)

1. Cf. Sonia Draibe, 1993.
2. Cf. Adalberto Cardoso, 2008.
3. Cf. Carlos A. da Costa Ribeiro, 2007.
4. Cf. José Guilherme Pastore, 1979.
5. Cf. S. Ribeiro, op.cit.
6. Cf. Felícia Picanço, 2007.
7. Ibid.
8. Cf. Sergio G. Ferreira e F.A. Veloso, 2006.
9. Cf. S. Ribeiro, op.cit.
10. Cf. Simon Schwartzman, 2001.
11. *Anuário estatístico do Brasil*, 1964, 1986.

12. Cf. S. Ribeiro, op.cit.
13. Cf. S. Schwartzman, op.cit.
14. Idem.
15. Cf. Carlos Benedito Martins, 2000.
16. Cf. S. Schwartzman, op.cit.
17. Cf. S. Ribeiro, op.cit.
18. Cf. IBGE, 1981.
19. Cf. IBGE, 1965.
20. Cf. Fausto Brito, 2000; Fausto Brito, Ricardo Garcia e Renata Vieira de Souza, 2004.
21. Cf. IBGE, 1963.
22. Cf. ibid., 1981a.
23. Cf. Alejandro Portes, 1979; Janice Perlman, 1980.
24. Cf. Marcelo Lopes de Souza, 2001.
25. Cf. Ayse Palmulk e Paulo Fernando A. Cavallieri, 1998; Adauto Lucio Cardoso, 2002.
26. Cf. Jean-Claude Chesnay, 1991.
27. Cf. Pedro Reginaldo Prata, 1992.
28. Cf. Elza Berquó, 2008.
29. Cf. Greice Menezes e Estela M.L. Aquino, 2009; Susheela Singh e Gilda Dedgh, 1997; Débora Diniz e Marcelo Medeiros, 2010.
30. Cf.E. Berquó e Suzana Cavenagh, 2005.
31. Cf. E. Berquó e S. Cavenagh, op.cit.
32. Cf. Maurício C. Coutinho e Cláudio Salm, 1989.
33. Cf. Jairnilson Paim, Claudia Travassos et al., 2011.
34. Cf. Hésio Cordeiro, 2004.
35. Cf. Antonio Prates Caldeira et al., 2005.
36. Cf. Maria da Conceição N. Costa et al., 2003.
37. Cf. Celade, 2004; Arnaldo A.F. Siqueira et al., 1984.
38. Cf. IBGE, 1956.
39. Cf. Edmar Bacha e Herbert S. Klein, 1989.
40. Cf. Charles H. Wood e José Alberto M. de Carvalho, 1988.
41. Cf. IBGE, 1981b.

5. Transformações econômicas no período militar (1964-1985) (p.92-111)

1. Cf. Roberto B.M. Macedo, 2001; Carlos Lessa, 1975; Marcelo de Paiva Abreu 1992; Thomas Skidmore, 2010.
2. Cf. Celso Martone, 2001.
3. Cf. André Lara Resende, 1992; Mario Henrique Simonsen e Roberto Campos, 1979; M.H. Simonsen, 1970; Celso Furtado, 1968; Albert Fishlow, 1974 e 1975.
4. Cf. Carlos Langoni, 1973; A. Fishlow, 1975; E. Bacha e Lance Taylor, 1980; Lauro Ramos e José Guilherme de A. Reis, 2000.

5. Cf. Antonio Delfim Netto, 1967; M.H. Simonsen, 1972; Regis Bonelli e Pedro Malan, 1976; Maria da Conceição Tavares e José Serra, 1973; M.C. Tavares, 1982; Luiz A.C. Lago, 1992; Paul Singer, 1977.
6. Cf. Antonio Barros de Castro e Francisco E.P. de Souza, 1985; Dionísio D. Carneiro, 1992; Rogério Werneck, 1987.
7. Cf. José G. Pastore, L. Silva Dias e Manuel Castro, 1976; Charles Mueller e George Martine, 1997; Rodolfo Hoffmann, 1982; Carlos N. Coelho, 2001; Afonso C. Pastore, 1969; S.P. Guimarães, 1977; Ruy M. Paiva, 1968.
8. Cf. Guilherme L.S. Dias e Cicely M. Amaral, 2000; Guilherme Delgado, 2001; Eliseu Alves, 1983; Fernando Homem de Melo, 1979 e 1985.
9. Cf. José Garcia Gasques et al., 2004; E. Alves, 1980.
10. Cf. R. Werneck, 1986.
11. Cf. Adroaldo Silva et al., 1977.
12. Cf. Dionísio Carneiro e Eduardo Modiano, 1992; M.H. Simonsen, 1985; A. Fritsch, 1988; R. Werneck, 1986.
13. Cf. Pérsio Arida e André Lara Resende, 1985; Francisco Lopes, 1986.

6. Revisitando o tempo dos militares (p.112-27)

1. O livro de Carlos Fico (2004) oferece um panorama interessante e exaustivo da bibliografia em questão.
2. Cf. Octavio Ianni, 1971.
3. Consultar as obras de Maria Celina d'Araujo e Celso Castro, 2000; Boris Fausto e Fernando Devoto, 2004.
4. Cf. Barrington Moore Jr., 1969.
5. Cf. José Mauricio Domingues, 2002.
6. Cf. Barrington Moore Jr., op.cit., p.137.
7. Cf. Carlos Fico, 2001.
8. Cf. Rodrigo Czajka, 2009.
9. Cf. Alexandre Stephanou, 2001.
10. Cf. Beatriz Kushnir, 2004; Sandra Reimão, 2011; Paulo Cesar de Araújo, 2002.
11. *Manual básico da Escola Superior de Guerra*, 1975.
12. Retomo a argumentação desenvolvida no capítulo "Estado autoritário e cultura", in Ortiz, 1985.
13. Cf. Joseph Comblin, 1980.
14. Cf. Carlos Fico, 1997.
15. Apud Fico, 1997, p.172.
16. Cf. Ortiz, Borelli e Ramos, 1989.
17. Depoimento de Octavio Frias Filho, in Gisela Goldenstein, 1986, p.156.
18. Cf. Roberto Schwarz, 1978, p.62.
19. Cf. Marcelo Ridenti, 2000.

20. Cf. Márcia Tosta Dias, 2000.
21. Cf. Marcos Napolitano, 1999.
22. Cf. Eric Hobsbawm, 2011.
23. Remeto o leitor a meu livro *Um outro território: ensaios sobre a mundialização* (Ortiz, 1996).
24. Cf. Daniel Aarão Reis, 1986.

7. Para onde foi o "novo sindicalismo"? Caminhos e descaminhos de uma prática sindical (p.128-41)

1. Cf. Luiz Werneck Vianna, 1976.
2. Cf. Marco Aurélio Santana e Ricardo Antunes, 2007.
3. Cf. L.W. Vianna, op.cit., Angela Araújo, 1998.
4. Cf. M.A. Santana, 2001.
5. Cf. Daniel Aarão Reis et al., 2004.
6. Cf. M.A. Santana e R. Antunes, op.cit.
7. Cf. M.A. Santana, op.cit.
8. Cf. R. Antunes, 1988, e Celso Frederico, 1979.
9. Cf. R. Antunes, 1988, e 1995.
10. Cf. Leôncio Martins Rodrigues, 1990; Arnaldo Nogueira, 1998; Iram J. Rodrigues, 1997.
11. Cf. R. Antunes, 1995; I.J. Rodrigues, 1997.
12. Cf. I.J. Rodrigues, 1997; A. Nogueira, 1998.
13. Cf. Giovanni Alves, 2000; Maria das G. Druck, 1999; Adalberto Cardoso, 2003.
14. Cf. M.G. Druck, op.cit.; A. Cardoso, op.cit.; G. Alves, op.cit.
15. Cf. José R. Ramalho e Heloisa Martins, 1994; Druck, op.cit.
16. Cf. L.M. Rodrigues; A. Cardoso, 1993.

8. A grande rebelião: os marinheiros de 1964 por outros faróis (p.142-57)

1. Este artigo é a versão resumida e modificada do primeiro capítulo de minha dissertação de mestrado, defendida no Programa de Pós-Graduação em História da Universidade Federal Fluminense, em 2010, e publicada em 2012, pelo Arquivo Nacional, no âmbito do Prêmio Memórias Reveladas; cf. Anderson S. Almeida, 2012.
2. Cf. Flávio Luís Rodrigues, 2004.
3. Cf. Luiz Alberto Moniz Bandeira, 2012.
4. Cf. Elio Gaspari, 2002, p.56.
5. "Dragão do Mar. Francisco José do Nascimento (1839-1914)"; disponível em: www.acordacultura.org.br; acesso em 10 jan 2013.

6. Unidade de Mobilização Nacional pela Anistia (UMNA), Exposição de motivos 138, 21 ago 1964, do ministro da Marinha, Ernesto de Mello Baptista.
7. Entrevista de Raimundo Porfírio Costa ao autor, Rio de Janeiro, 8 dez 2008.
8. Cf. Antônio Duarte, 2005.
9. Cf. Paulo Conserva, 1991, p.66.
10. Cf. F.L. Rodrigues, op.cit., p.106.
11. Para a Revolta da Chibata, cf. Edmar Morel, 2009; Álvaro P. Nascimento, 2008.
12. Na década de 1960 estavam em funcionamento cinco dessas escolas, situadas nos seguintes estados: Pernambuco, Ceará, Santa Catarina, Bahia e Espírito Santo; cf. Anderson Almeida, op.cit., p.29.
13. Cf. F.L. Rodrigues, op.cit., p.179.
14. Entrevista de Raimundo Porfírio Costa ao autor.
15. Cf. Sílvia C. Almeida, 2011, p.70.
16. Cf. F.L. Rodrigues, op.cit., p.175-8.
17. Cf. João Carlos G. Caminha, 2001, p.87.
18. Arquivo Público do Estado do Rio de Janeiro (Aperj), Fundo Polícia Política, prontuário 1.183, Depoimento de José Anselmo dos Santos.
19. Jornal *O Globo*, 27 mar 2004, Caderno Prosa e Verso, p.3.
20. Idem.
21. Brasil, Decreto-Lei n.9.698, 2 set 1946, Estatuto dos Militares.
22. Cf. Júlio S. Bierrenbach, 1996, p.38, grifos meus.
23. Cf. Abelardo Jurema, 1964, p.155.
24. Brasil, Decreto n.51.613, 3 dez 1962. Altera a tabela do salário mínimo aprovada pelo Decreto n.51.336, de 13 de outubro de 1961, e dá outras providências.
25. Cf. P. Conserva, 1991, p.46.
26. Ibid., p.42; Hélio Silva, 1988, p.111-2.
27. Cf. Pedro Viegas, 2004, p.46-7.
28. Aperj, Fundo Polícia Política, prontuário 1.183, Depoimento de José Anselmo dos Santos; *Jornal do Brasil*, 14 fev 1964, 1ª página.
29. Cf. F.L. Rodrigues, op.cit,, p.48.
30. Ata da Assembleia-Geral Extraordinária de 1º fev 1963, Brasil: Nunca Mais, Anexos, Arquivo Edgard Leuenroth (AEL), Unicamp.
31. Cf. Antônio Duarte, 2005, p.43.
32. AEL, Unicamp. Depoimento do almirante Sílvio Motta, Brasil: Nunca Mais, 149, cx.2, v.4.
33. *Jornal do Brasil*, 24 jan 1964, p.5. O *Diário Carioca* destacou como intermediário o general Assis Brasil (*Diário Carioca*, 24 jan 1964, p.3).
34. *Jornal do Brasil*, 26 jan 1964, p.20.
35. Ibid., 28 jan 1964, p.5.
36. *Diário Carioca*, 1º fev 1964, 1ª página e p.3.
37. *Jornal do Brasil*, 7 fev 1964, p.38.
38. Ibid., 6 fev 1964, 1ª página.

39. Ibid., 8 fev 1964, p.8.
40. Aperj, Fundo Polícia Política, prontuário GB, 2.247, Depoimento de Marcos Antônio da Silva Lima.
41. *Jornal do Brasil*, 24 jan 1964, p.5.
42. Cf. A. Jurema, op.cit., p.152.
43. Jornal *Última Hora*, 24 mar 1964, p.2.
44. AEL, Unicamp, BNM, 149, cx.1, v.1, Depoimento do marinheiro Agamenon dos Santos Filho.
45. Brasil: Nunca Mais, 2007, p.100.
46. *Correio da Manhã*, 26 mar 1964, p.2.
47. Cf. F.L. Rodrigues, op.cit., p.108.
48. Cf. S.C. Almeida, op.cit., p.67-9.
49. Cf. F.L. Rodrigues, op.cit., p.172-4.
50. Entrevista de Otacílio dos Anjos Santos ao autor, Rio de Janeiro, 3 dez 2008.
51. Cf. A. Duarte, op.cit., p.55.
52. Cf. Denis de Moraes, 1989, p.103.
53. AEL, Unicamp, BNM, 149, cx.2, v.4, Depoimento do capitão de fragata Antônio Leopoldo Amaral Sabóia.
54. AEL, Unicamp, BNM, 149, cx.2, v.4, Depoimento do almirante Sílvio Motta.
55. Cf. Paulo M. Bastos, 2006, p.219.
56. AEL, Unicamp, BNM, 149, cx.2, v.4, Depoimento do tenente Jair Baptista Lopes.
57. Cf. F.L. Rodrigues, op.cit., p.112, nota do autor. No BNM, 149, encontramos vários depoimentos dos soldados fuzileiros que aderiram ao movimento. Tivemos acesso também aos depoimentos dos oficiais e sargentos que comandavam a tropa. A importância de se cantar o hino nacional é destacada em vários testemunhos, como também a não reação dos superiores (Cf. AEL, BNM, 149, cx.1, v.1; cx.2, v.4).
58. Imagens dessa adesão dos fuzileiros podem ser vistas no documentário *Jango*, de Sílvio Tendler, de 1984.
59. Cf. Paulo Schilling, 1981, v.2, p.62.
60. *Última Hora*, 27 mar 1964, p.3.
61. AEL, Unicamp, BNM, 149, cx.2, v.4, Depoimento do ministro Sílvio Motta.
62. Ibid.
63. AEL, Unicamp, BNM, 149, cx.1, v.1, Depoimento do marinheiro Paulo da Silva Bastos.
64. AEL, Unicamp, BNM, 045, cx.1, v.1 Depoimento do capitão de fragata Rafael de Azevedo Branco.
65. AEL, Unicamp, BNM, 045, cx.1, v.1, Depoimentos do tenente Antônio Paulo de Moura Castro e do soldado Osvaldo Inácio Cunha.
66. Foram feridos o cabo Luiz Gonzaga da Silva, o grumete José Adeildo Ramos e o soldado fuzileiro naval Osiel Costa Araújo; AEL, Unicamp, BNM, 045, cx.1.
67. AEL, Unicamp, BNM, 045, cx.1, v.1, Depoimentos do capitão-tenente João de Oliveira e do soldado Manoel Nazareno Fernandes.

68. AEL, Unicamp, BNM, 149, cx.1, v.1, fl.108, Depoimento de Raul José Levanhagem. O choro de Anselmo, assim como a comoção dos marinheiros, também foi relatado no depoimento do marinheiro Manoel Batista Simões; AEL, Unicamp, BNM, 149, cx.1, v.1, p.187.
69. AEL, Unicamp, BNM, 639, Anexo B, fl.278.
70. AEL, Unicamp, BNM, 639, fl.262, Depoimento do capitão de corveta Heraldo Messeder de Souza.
71. AEL, Unicamp, BNM, 639, fls.398-9.
72. AEL, Unicamp, BNM, 138, fls.827-8, Denúncia oferecida pela 1ª Auditoria de Marinha.
73. Idem.
74. AEL, Unicamp, BNM, 506, fls.19-21, Depoimento de Ronaldo Saldanha.
75. AEL, Unicamp, BNM, 506, v.2, Depoimento do capitão de corveta Luis Carlos Cordeiro Guerra.
76. Apud J. Bierrenbach, op.cit., p.159.
77. Respectivamente, *Jornal do Brasil*, 30 mar 1964; *Correio da Manhã*, 31 mar 1964; *Correio da Manhã*, 1º abr 1964.
78. AEL, Unicamp, col. Brasil: Nunca Mais, processo 323, Denúncia do promotor Eraldo Gueiros Leite.

9. O aparato repressivo: da arquitetura ao desmantelamento (p.158-71)

1. Cf. Maria Celina D'Araujo et al., 1994, p.75.
2. Cf. Arquidiocese de São Paulo, 1988, p.11.
3. Cf. Arquidiocese de São Paulo, 1985, p.122.
4. Cf. Ana Carneiro e Marta Cioccari, 2011, p.27-32.
5. Cf. Vivien Ishaq, s.d., p. 68-75.
6. Cf. M.C. D'Araujo et al., op.cit., p.13.

10. A Anistia de 1979 e seus significados, ontem e hoje (p.172-85)

1. Este artigo é resultado de pesquisa realizada no estágio de pós-doutorado, em 2012, no CPDoc da Fundação Getulio Vargas, sob a supervisão da professora Ângela de Castro Gomes.

11. Por que lembrar? A memória coletiva sobre o governo Médici e a ditadura em Bagé (p.186-202)

1. Este artigo é resultado parcial da pesquisa mais ampla de pós-doutoramento júnior que realizo com apoio do CNPq, intitulada *Eu sou a ditadura: a trajetória do general*

Emílio Médici entre consenso, consentimento, memória e silêncios (1969-1985). Agradeço a todas as pessoas que entrevistei em Bagé, no Rio Grande do Sul, e particularmente aos funcionários do Museu Dom Diogo.

2. Cf. Elio Gaspari, 2002, p.103.
3. Cf. A.C. Scartezini, 1985, p.25.
4. Ibid., p.24.
5. E.G. Médici, *Revista Manchete*, ago 1976, p.32.
6. Cf. Janaína M. Cordeiro, 2012, p.316.
7. Cf. Henry Rousso, 1999.
8. Cf. Daniel Aarão Reis, 2005.
9. Cf. João Roberto Martins Filho, 2002.
10. Cf. A.C. Scartezini, op.cit., p.21.
11. Cf. *Veja*, 3 nov 1982, p.103.
12. Acervo da Casa de Cultura Pedro Wayne, "Breve histórico da Casa de Cultura 'Pedro Wayne'", Casa de Cultura Pedro Wayne, Bagé, RS, 1999.
13. Entrevista concedida à autora por Cláudio de Leão Lemieszek, Bagé, 11 out 2012.
14. Idem.
15. Lei n.5.449, de 4 jun 1968; disponível em: http://www2.camara.leg.br/legin/fed/lei/1960-1969/lei-5449-4-junho-1968-359221-normaatualizada-pl.html; acesso em 20 fev 2013.
16. Cf. Portal da Câmara dos Deputados; disponível em: http://www2.camara.leg.br/deputados/pesquisa/layouts_deputados_biografia?pk=105306&tipo=0; acesso em 27 fev 2013.
17. Museu Dom Diogo de Bagé (MDDB), RS. Coleção Emílio Garrastazu Médici. Recorte de jornal. *Correio do Povo*, 31 out 1969.
18. Entrevista concedida à autora por João Bosco Abero, Bagé, 11 out 2012.
19. MDDB, Col. Emílio Garrastazu Médici, recorte de jornal não identificado.
20. Cf. *Correio do Sul*, 24 out 1976.
21. MDDB, Col. Emílio Garrastazu Médici, recorte de jornal, *Correio do Sul*, s/d.
22. Ibid., 26 out 1976.
23. Cf. A.C. Scartezini, op.cit., p.31.
24. Cf. D. Aarão Reis, op.cit., p.9.
25. *O Minuano*, 31 mar 2008.
26. Entrevista concedida à autora por Cláudio de Leão Lemieszek, op.cit.
27. Idem.
28. Acervo da Casa de Cultura Pedro Wayne, "Breve histórico da Casa de Cultura 'Pedro Wayne'", op.cit.
29. Entrevista concedida à autora por Cláudio de Leão Lemieszek, op.cit.
30. Entrevista concedida à autora por João Bosco Abero, op.cit.
31. Entrevista concedida à autora pela diretora da Fundação Bradesco, Colégio Emílio Médici, Bagé, 10 out 2012.

32. *O Minuano*, 27 nov 2010.
33. Entrevista concedida à autora por João Bosco Abero, op.cit.
34. Cf. Alessandro Portelli, 2005, p.106.
35. Cf. Pierre Laborie, 2010, p.35.
36. Cf. P. Laborie, 1994, p.42-3.
37. Cf. A. Portelli, 1997, p.9.
38. Foi o que disse um coronel reformado do Exército a seu amigo, velho jornalista local, que me apresentava, entusiasmado, seu acervo de recortes de jornais, revistas e artigos sobre o governo Médici.
39. Cf. Marc Bloch, 2001, p.126.
40. Cf. Maria Celina D'Araujo e Celso Castro, 1997, p.214.
41. Cf. *Veja*, 17 dez 1986, p.115.

12. O engajamento, entre a intenção e o gesto: o campo teatral brasileiro durante a ditadura militar (p.203-15)

1. Cf. Oduvaldo Vianna Filho, 1968, p.69-78.
2. Fernando Peixoto, 2004, p.238.
3. Macksen Luiz, 1976, p.21.
4. Dados obtidos em entrevistas temáticas realizadas com o público consumidor do texto de *Gota D'Água* (2007-2010). Resultados mais abrangentes desta análise, bem como sobre aspectos da produção das diferentes modalidades de circulação desse texto dramático, podem ser encontrados in Miriam Hermeto, 2013.
5. O conceito foi mobilizado a partir das reflexões de R. Koselleck, 2006, e Paul Ricoeur, 2007.
6. Em relação ao panorama pessimista, cf., por exemplo, Y. Michalski, 1975, p.34.
7. Cf. O. Vianna Filho, op.cit.
8. Cf. T. Brandão, 2009, p.135-42.
9. Cf. ibid., p.125-30. Além do próprio TEB, várias companhias compõem esse grupo, tais como Os Comediantes, Cia. Bibi Ferreira, Cia. Maria Della Costa, Cia. Dramática Nacional, Teatro dos Sete, entre outras. O quadro elaborado por Tania Brandão para essa categoria contempla 41 companhias formadas em São Paulo entre 1938 e 1966.
10. Cf. Ibid., p.124.
11. Cf. O. Vianna Filho, op.cit., p.70.
12. Cf. Luiz Carlos Maciel, 2005, p.105-9.
13. Cf. Marcos Napolitano, 2001.
14. A coleção de estudos sobre as trajetórias das artes na década de 1970, publicada em pequenos volumes entre 1979 e 1980 (e depois republicada em livro), oferece algumas análises nessa direção, considerando as transformações da produção artística no período, e não a estagnação; cf. Adauto Novaes, 2005.

15. Cf. Renato Ortiz, 2001; Marcelo Ridenti, 2000 e 2010; M. Napolitano, 2004, p.309-20.
16. Cf. entrevista de Paulo Pontes a José Arrabal, recorte do *Jornal do Commercio*, 23 out 1973, Biblioteca do Cedoc-Funarte, INST/Associação Carioca de Empresários Teatrais, Acet, Dossiê de Instituições; há anotação manuscrita indicando a data de publicação como 1983; entretanto, em 1983, já haviam se passado sete anos da morte de Paulo Pontes, o que mostra a incorreção da anotação no documento; em função de informações prestadas acerca da atuação de Paulo Pontes na Acet, por Arrabal (cf. J. Arrabal e M.A. Lima, 1983), aqui foi corrigida a data da entrevista respeitando-se dia e mês da indicação manuscrita.
17. Cf. T. Pacheco, op.cit.
18. Conselho Estadual de Cultura, em 1973; Associação Carioca de Empresários Teatrais, em 1975; Associação Carioca de Críticos de Teatro (ACCT) em 1976, 1977 e 1978.
19. Cf. C. Buarque e P. Pontes, 1975.
20. Cf. Bibi Ferreira, 1977.
21. T. Brandão, "O diabo louro, o corpo iletrado".
22. Cf. J. Arrabal, op.cit., p.61-2.

13. Política externa do Brasil: continuidade em meio à descontinuidade, de 1961 a 2011 (p.216-34)

1. Cf., a esse respeito, T. Vigevani e G. Cepaluni, 2008.
2. Cf. Letícia Pinheiro, 2004.
3. Cf. M.G. Saraiva, 2010.
4. Cf. Federico Merke, 2008.
5. Cf. A.L. Cervo, 2008.
6. Cf. M.G. Saraiva, op.cit.
7. Cf. L. Pinheiro, op.cit., p.34-5.
8. Cf. A.A. de Melo Franco, 2007, p.85.
9. Cf. G. Fonseca Jr., 1998, p.302.
10. Cf. F.C. San Tiago Dantas, 1962, p.5.
11. Ibid., p.62.
12. G. Fonseca Jr., op.cit., p.363.
13. Cf. J.A. de Araújo Castro, 1972.
14. Ibid., p.9.
15. Cf. G. Fonseca Jr., 1999.
16. Cf. L. Pinheiro, op.cit., p.44.
17. Cf. G. Fonseca Jr., 1999, p.329-30.
18. Cf. M. Spektor, 2004.
19. A.F. Azeredo da Silveira, apud M. Spektor, op.cit., p.208.
20. Cf. G.L. Gardini, 2010.

21. Cf. A.F. Azeredo da Silveira, 1984.
22. Cf. Oliveiros S. Ferreira, 1975, p.63.
23. Cf. T. Vigevani e G. Cepaluni, op.cit.
24. Idem.
25. Cf. S. Pinheiro Guimarães, 2012.
26. Cf. S. Burges, 2005.
27. Cf. S. Pinheiro Guimarães, op.cit.
28. Cf. Celso Amorim, 2005.
29. O montante anual a ser destinado inicialmente ao Focem foi de US$ 100 milhões, sendo a contribuição brasileira de 70%. As cotas foram sucessivamente aumentadas, até US$ 300 milhões, em 2012; disponível em: http://www.mercosur.int/focem/.
30. Cf. Rodrigo Amado, 1982.

Referências bibliográficas

Aarão Reis, Daniel. "Questões históricas". In M.A.Garcia (org.). *As esquerdas e a democracia.* Rio de Janeiro, Paz e Terra, 1986.

______. *A revolução faltou ao encontro.* São Paulo, Brasiliense, 1990.

______. *Ditadura militar, esquerdas e sociedade*, 3ª ed. Rio de Janeiro, Zahar, 2005 [2000].

______, Marcelo Ridenti e Rodrigo Patto Sá Motta (orgs.). *O golpe e a ditadura militar: quarenta anos depois (1964-2004).* Bauru, Edusc, 2004.

Abreu, Alzira Alves (org.). *Dicionário histórico-biográfico brasileiro pós-1930.* Ed. atualizada e revisada. Rio de Janeiro, Editora da FGV, CPDoc, 2001 (verbetes "Anistia" e "Peri Bevilacqua").

Abreu, Marcelo de Paiva. "Inflação, estagnação e ruptura: 1961-1964". In ______ (org.). *A ordem do progresso.* Rio de Janeiro, Campus, 1992, p.105-22.

Almeida, Anderson S. *Todo o leme a bombordo. Marinheiros e ditadura civil-militar no Brasil: da rebelião de 1964 à anistia.* Rio de Janeiro, Arquivo Nacional, 2012.

Almeida, Sílvia Capanema. "Do marinheiro João Cândido ao almirante negro: conflitos memoriais na construção do herói de uma revolta centenária". *Revista Brasileira de História*, v.31, n.61, 2011, p.61-84.

Almino, João. *Os democratas autoritários.* São Paulo, Brasiliense, 1980.

Alonso, Gustavo. *Cowboys do asfalto: música sertaneja e modernização brasileira.* Tese de doutorado apresentada ao Programa de Pós-Graduação em História. Niterói, UFF, 2011.

Alves, Eliseu. *A Embrapa e a pesquisa agropecuária no Brasil.* Brasília, Embrapa, 1980.

______. *Dilema da política agrícola brasileira: produtividade ou expansão da área agricultável.* Brasília, Embrapa, 1983.

Alves, Giovanni. *O novo (e precário) mundo do trabalho.* São Paulo, Boitempo, 2000.

Alves, Maria Helena Moreira. *Estado e oposição no Brasil (1964-1984)*, 3ª ed. Petrópolis, Vozes, 1985.

Amado, Rodrigo. *Araújo Castro.* Brasília, Editora da UnB, 1982.

Amorim, Celso. "Política externa do governo Lula: os dois primeiros anos". *Análise de Conjuntura OPSA*, n.4, 2005.

Antunes, Ricardo. *A rebeldia do trabalho.* Campinas, Editora da Unicamp/Ensaio, 1988.

______. *O novo sindicalismo no Brasil.* Campinas, Pontes, 1995.

Aquino, Maria Aparecida de. *Censura, imprensa, Estado autoritário (1968-1978).* Bauru, Edusc, 1999.

Aquino, Rubim Santos Leão de. *Um tempo para não esquecer, 1964-1985.* Rio de Janeiro, Coletivo Achiamé, 2010.

Araújo, Angela. *A construção do consentimento: corporativismo e trabalhadores nos anos 30*. São Paulo, Scritta, 1998.

Araújo, Maria Paula do Nascimento. "Lutas democráticas contra a ditadura". In Daniel Aarão Reis e Jorge Ferreira (orgs.). *As esquerdas no Brasil*, v.3. Rio de Janeiro, Civilização Brasileira, 2007.

______. *A utopia fragmentada: as novas esquerdas no Brasil e no mundo na década de 1970*. Rio de Janeiro, Editora da FGV, 2000.

Araújo, Paulo Cesar de. *Eu não sou cachorro não: música popular cafona e ditadura militar*. Rio de Janeiro, Record, 2002.

Araújo Castro, J.A. de. "O congelamento do poder mundial". *Revista Brasileira de Estudos Políticos*, n.33, jan 1972, p.7-30.

Arida, Pérsio e André Lara Resende. "Inertial inflation and monetary reform in Brazil". In J. Williamson (org.). *Inflation and Indexation: Argentina, Brazil and Israel*. Cambridge, Mass., MIT Press, 1985.

Arns, Paulo E. "Prefácio". *Brasil Nunca Mais*, 35ª ed. Rio de Janeiro, Vozes, 2007.

Arrabal, José e Mariangela A. Lima. *O nacional e o popular na cultura brasileira. Teatro*. São Paulo, Brasiliense, 1983.

Azeredo da Silveira, Antônio F. "Discurso de posse". *Resenha de Política Exterior do Brasil*, ano I, n.1. Brasília, Departamento de Comunicação e Documentação do MRE, 1974, p.21.

Bacha, Edmar e Lance Taylor. "Brazilian income distribution in the 1960s: 'Facts', model results and the controversy". In Lance Taylor et al. (orgs.). *Models of Growth and Distribution for Brazil*. Nova York, Oxford University Press, 1980.

______ e Herbert S. Klein (orgs.). *A transição incompleta: Brasil desde 1945*, 2 v. Rio de Janeiro, Paz e Terra, 1986.

Barbosa, Rui. *Anistia inversa: caso de teratologia jurídica*. Rio de Janeiro, Oficina de Obras do Jornal do Brasil, 1896.

Bastos, Paulo M. *A caixa-preta do golpe de 1964*. Rio de Janeiro, Família Bastos, 2006.

Berquó, Elza. "Brasil, um caso exemplar – anticoncepção e parto cirúrgicos – à espera de uma ação exemplar". *Estudos Feministas*, v.1, n.2, 2008.

______ e Suzana Cavenagh. "Mapeamento socioeconômico e demográfico dos regimes de fecundidade no Brasil e sua variação entre 1991 e 2000". Trabalho apresentado no XIV Encontro Nacional de Estudos Populacionais (Abep). Caxambu, 20-24 set 2004.

______. "Increasing adolescent and youth fertility in Brazil: a new trend or a one-time event?". Artigo apresentado no Annual Meeting of the Population Association of America, 2005; disponível em: http://www.abep.nepo.unicamp.br/docs/PopPobreza/BerquoelzaeCavenaghiSuzana.pdf.

Berskow, Gabriela Carames. "Marchando para o Oeste, discursos sobre políticas varguistas de integração nacional". Anais do XXIV Simpósio Nacional de História, 2007.

Berstein, Serge. "L'Historien et la culture politique". *Vingtième Siècle, Revue d'Histoire*, n.35, jul-set 1992, p.67-77.

______. "La culture politique". In Jean-Pierre Rioux e Jean-François Sirinelli (orgs.). *Pour une histoire culturelle.* Paris, Seuil, 1996, p.371-86.

______. "Os partidos". In René Rémond (org.). *Por uma história política.* Rio de Janeiro, Editora da FGV, 1996a, p.57-98.

______. "Culturas políticas e historiografia". In Cecília Azevedo, Denise Rollemberg et al. (orgs.). *Cultura política, memória e historiografia.* Rio de Janeiro, Editora da FGV, 2009, p.29-46.

Bierrenbach, Júlio S. *1954-1964: uma década política.* Rio de Janeiro, Domínio Público, 1996.

Bloch, Marc. *Une étrange défaite.* Paris, Gallimard, 1990 [1940].

Boito, Armando. *O sindicalismo de Estado no Brasil.* Campinas/São Paulo, Editora da Unicamp, Hucitec, 1991.

Bonelli, Regis e Pedro Malan. "Os limites do possível: notas sobre balanço de pagamento e indústria nos anos 70". *Pesquisa e Planejamento Econômico,* v.6, n.2, 1976.

Bourdieu, Pierre. *Os usos sociais da ciência: por uma sociologia clínica do campo científico.* São Paulo, Editora Unesp, 2004.

Branco, Carlos Castello. *Os militares no poder: Castelo Branco.* 3ª ed. Rio de Janeiro, Nova Fronteira, 1977.

______. *Os militares no poder: o ato 5.* Rio de Janeiro, Nova Fronteira, 1978.

______. *Os militares no poder: o baile das solteironas.* Rio de Janeiro, Nova Fronteira, 1979.

Brandão, Tania. "O teatro brasileiro do século 20". *Revista do Patrimônio Histórico e Artístico Nacional,* n.29, Olhar o Brasil, 2001, p.300.

______. *Uma empresa e seus segredos: Maria Della Costa.* São Paulo/Rio de Janeiro, Perspectiva/Petrobras, 2009, p.135-42.

______. "O diabo louro, o corpo iletrado. A historiografia em uma alquimia arbitrária: o teatro e as damas do Alcazar Lyrique"; disponível em: http://portalabrace.org/portal/encontros/v-congresso/anais-do-v-congresso-da-abrace.html; acesso em 20 fev 2013.

Brito, Fausto. "Final de século: a transição para um novo padrão migratório?". Trabalho apresentado no XII Encontro Nacional de Estudos Populacionais (Abep), 2000.

______, Ricardo Alexandrino Garcia e Renata G. Vieira de Souza. "As tendências recentes das migrações interestaduais e o padrão migratório". Trabalho apresentado no XIV Encontro Nacional de Estudos Populacionais (Abep), 2004.

Buarque de Holanda, Chico e Paulo Pontes. *Gota d'água.* Rio de Janeiro, Civilização Brasileira, Coleção Teatro Hoje 28, 1975.

Burges, S. "Bounded by the reality of trade: practical limits to a South American region". *Cambridge Review of International Affairs,* v.18, n.3, out 2005, p.437-54.

Caldeira, Antônio Prates et al. "Evolução da mortalidade infantil por causas evitáveis, Belo Horizonte, 1984-1998". *Revista de Saúde Pública,* v.39, n.1, 2005.

Caminha, (almirante) João Carlos G. "Recordações e reflexões políticas de um militar apolítico". *Revista Marítima Brasileira,* v.121, jan-mar 2001, p.87.

CANCIAN, Renato. *Movimento estudantil e repressão política: o ato público da PUC-SP e o destino de uma geração de estudantes*. São Carlos, Editora da UFSCar, 2010.

CARDENUTO, Reinaldo. "Dramaturgia de avaliação: o teatro político dos anos 1970". *Estudos Avançados*, v.26, n.76, 2012, p.311-32.

CARDOSO, Adalberto. *A década neoliberal e a crise dos sindicatos no Brasil*. São Paulo, Boitempo, 2003.

______. "Transições da escola para o trabalho no Brasil: persistência da desigualdade e frustração de expectativas". *Dados, Revista de Ciências Sociais*, v.51, n.3, 2008.

CARDOSO, Adauto Lucio. "O Programa Favela-Bairro: uma avaliação (Habitação e meio ambiente: assentamentos urbanos precários)". Instituto de Pesquisas Tecnológicas, Programa Tecnologia de Habitação. São Paulo, Habitare, 2002.

CARDOSO, Fernando Henrique. *O modelo político brasileiro*. São Paulo, Difel, 1972.

______. *Autoritarismo e democratização*. 3ª ed. Rio de Janeiro, Paz e Terra, 1975.

CARNEIRO, Ana e Marta Cioccari. *Retrato da repressão política no campo*. Brasília, Ministério do Desenvolvimento Agrário, 2011.

CARNEIRO, Dionísio Dias. "Crise e esperança: 1974-1980". In Marcelo de Paiva Abreu, (org.). *A ordem do progresso*. Rio de Janeiro, Campus, 1992, p.295-322.

CARNEIRO, Dionísio e Eduardo Modiano. "Ajuste externo e desequilíbrio interno: 1980-1984". In Marcelo Paiva Abreu (org.). A ordem do progresso: cem anos de política econômica republicana, 1889-1989. Rio de Janeiro, Campus, 1989.

CASTRO, Antonio Barros de e Francisco Eduardo Pires de Souza. *A economia brasileira em marcha forçada*. Rio de Janeiro, Paz e Terra, 1985.

CELADE. *Boletín demográfico*, XXXIV, n.74, jul, 2004.

CERVO, Amado Luís. *Inserção internacional: formação dos conceitos brasileiros*. São Paulo, Saraiva, 2008.

CHESNAIS, Jean-Claude. *The Demographic Transition, Stages, Patterns and Economic Implications*. Oxford, Clarendon Press, 1991.

COELHO, Carlos Nayro. "70 anos de política agrícola no Brasil, 1931-2001". *Revista de Política Agrícola*, v.10, n.3, jul-set 2001, p.695-726.

COMBLIN, Joseph. *A ideologia da segurança nacional*. Rio de Janeiro, Civilização Brasileira, 1980.

CONSERVA, Paulo. *Navegando no exílio*. Itaporanga, Empresa Gráfica do Nordeste, 1991.

CORDEIRO, Hesio. "Instituto de Medicina Social e a luta pela reforma sanitária: contribuição à história do SUS". *Physis*, v.14, n.2, 2004, p.343-62.

CORDEIRO, Janaína Martins. *Direitas em movimento: a Campanha da Mulher pela Democracia e a ditadura no Brasil*. Rio de Janeiro, Editora da FGV, 2009.

______. *Lembrar o passado, festejar o presente: as comemorações do Sesquicentenário da Independência entre consenso e consentimento*. Tese de doutorado apresentada ao Programa de Pós-Graduação em História. Niterói, UFF, 2012.

COSTA, Maria da Conceição Nascimento et al. "Mortalidade infantil no Brasil em períodos recentes de crise econômica". *Revista de Saúde Pública*, v.37, n.6, 2003.

COUTINHO, Mauricio C. e Cláudio Salm. "Previdência Social". In Edmar L. Bacha e Herbert S. Klein (orgs.). *A transição incompleta*. Rio de Janeiro, Paz e Terra, v.1, 1986, p.211-42.

COUTO, Ronaldo Costa. *História indiscreta da ditadura e da abertura. Brasil: 1964-1985*. Rio de Janeiro, Record, 1998.

CRUZ, Sebastião C. Velasco e Carlos Estevam Martins. "De Castello a Figueiredo: uma incursão na pré-história da 'Abertura'". In Bernardo Sorj e Maria Hermínia Tavares Almeida. *Sociedade e política no Brasil pós-64*. São Paulo, Brasiliense, 1983.

CZAJKA, Rodrigo. *Praticando delitos, formando opinião: intelectuais, comunismo e repressão no Brasil (1958-1968)*. Tese de doutorado apresentada ao Programa de Pós-Graduação em Sociologia. Campinas, Unicamp, 2009.

D'ARAUJO, Maria Celina et al. *Os anos de chumbo*. Rio de Janeiro, Relume Dumará, 1994.

______ e Celso Castro (orgs.). *Democracia e Forças Armadas no Cone Sul*. Rio de Janeiro, Editora da FGV, 2000.

DELFIM NETTO, Antonio. "Análise do comportamento recente da economia brasileira: diagnóstico". São Paulo, 1967 (mimeo.).

DELGADO, Guilherme. "Expansão e modernização do setor agropecuário no pós-guerra: um estudo da reflexão agrária". *Estudos Avançados USP*, v.15, n.43, set-dez 2001, p.157-72.

DIAS, Guilherme Leite da Silva e Cicely Moutinho Amaral. "Mudanças estruturais na agricultura brasileira, 1980-1998". In Renato Baumann (org.). *Uma década de transição*. Rio de Janeiro, Campus/Cepal, 2000.

DIAS, Márcia Tosta. *Os donos da voz: indústria fonográfica brasileira e mundialização da cultura*. São Paulo, Boitempo, 2000.

DIENSTMANN, Gabriel. *Os usos do passado e a disputa pela memória no questionamento da Lei de Anistia de 1979, no STF*. Monografia de conclusão do curso de história. Porto Alegre, UFRGS, 2010.

DINIZ, Débora e Marcelo Medeiros. "Aborto no Brasil: uma pesquisa domiciliar com técnica de urna". *Ciência & Saúde Coletiva*, n.15, supl.1, p.959-66, 2010.

DOMINGUES, José Mauricio. "A dialética da modernização conservadora e a nova história no Brasil". *Dados, Revista de Ciências Sociais*, v.45, n.3, 2002.

DRAIBE, Sônia Miriam. "O *welfare state in Brazil*: características e perspectivas". *Caderno de Pesquisa*, n.8, Campinas, Unicamp/Nepp, 1993.

DREIFUSS, René A. *1964: a conquista do Estado*, 2ª ed. Petrópolis, Vozes, 1981.

DRUCK, Maria das G. *Terceirização: (des)fordizando a fábrica – um estudo crítico do complexo petroquímico*. São Paulo, Boitempo, 1999.

DUARTE, Ana Rita Fonteles. *Memórias em disputa e jogos de gênero: o movimento feminista pela anistia no Ceará (1976-1979)*. Tese de doutorado apresentada ao Departamento de História. Florianópolis, UFSC, 2009.

DUARTE, Antônio. *A luta dos marinheiros*. Rio de Janeiro, Inverta, 2005.

FAUSTO, Boris e Fernando Devoto. *Brasil e Argentina: um ensaio de história comparada*. São Paulo, Editora 34, 2004.

FERNANDES, Florestan. *A revolução burguesa no Brasil*, 2ª ed. Rio de Janeiro, Zahar, 1976 [1974].

FERREIRA, Bibi. *Gota d'água*. São Paulo, RCA, 1977 (33rpm. Um vinil. Doze faixas).

FERREIRA, Jorge. *O populismo e sua história: debate e crítica*. Rio de Janeiro, Civilização Brasileira, 2001.

FERREIRA, Oliveiros S. "Evolução da política internacional do Brasil". Palestra proferida na Comissão de Relações Exteriores da Câmara dos Deputados, 17 out 1975. In R. Nasser (org.). *A crise na política externa: autonomia ou subordinação?*. Rio de Janeiro, Revan, 2001.

FERREIRA, Sergio Guimarães e Fernando A. Veloso. "Intergenerational mobility of wages in Brazil". *Brazilian Review of Econometrics*, v.26, n.2, nov 2006, p.181-211.

FERRO, Marc. *Comment on raconte l'histoire aux enfants à travers le monde*. Paris, Payot, 1983.

______. *L'Histoire sous surveillance: science et conscience de l'histoire*. Paris, Calmann-Lévy, 1985.

FICO, Carlos. *Reinventando o otimismo: ditadura, propaganda e imaginário social no Brasil*. Rio de Janeiro, Editora da FGV, 1997.

______. *Como eles agiam: os subterrâneos da ditadura militar, espionagem e polícia política*. Rio de Janeiro, Record, 2001.

______. *Além do golpe: versões e controvérsias sobre 1964 e a ditadura militar*. Rio de Janeiro, Record, 2004.

FIGUEIREDO, Argelina. *Democracia ou reformas? Alternativas democráticas à crise política, 1961-1964*. Rio de Janeiro, Paz e Terra, 1993.

FISHLOW, Albert. "Algumas reflexões sobre a política brasileira após 1964". *Estudos Cebrap*, n.6, jan-mar 1974.

______. "A distribuição de renda no Brasil". In Ricardo Tolipan e A.C. Tinelli (orgs.). *A controvérsia sobre a distribuição de renda e desenvolvimento*. Rio de Janeiro, Zahar, 1975.

FONSECA JR., G. "Mundos diversos, argumentos afins: notas sobre aspectos doutrinários da política externa independente e do pragmatismo responsável". In J.A.G. de Albuquerque (org.). *Sessenta anos de política externa brasileira (1930-1990): crescimento, modernização e política externa*. São Paulo, Nupri/USP, 1996, p.299-336.

______. "A legitimidade e outras questões internacionais". São Paulo, Paz e Terra, 1998.

______. "Anotações sobre as condições do sistema internacional no limiar do século XXI: a distribuição dos polos de poder e a inserção internacional do Brasil". In G. Dupas e T. Vigevani (orgs.). *O Brasil e as novas dimensões da segurança internacional*. São Paulo, Alfa-Omega/Fapesp, 1999, p.17-42.

FREDERICO, Celso. *A vanguarda operária*. São Paulo, Símbolos, 1979.

______. "A política cultural dos comunistas". In João Quartim de Moraes (org.). *História do marxismo no Brasil*, v.3, *Teorias. Interpretações*. Campinas, Editora da Unicamp, 2007, p.337-72.

FRITSCH, Winston. "A crise cambial de 1982-83 no Brasil: origens e respostas". In C.A. Plastino e R. Bouzas (orgs.). *A América Latina e a crise internacional*. Rio de Janeiro, Graal, 1988.

FURTADO, Celso. *Um projeto para o Brasil*. Rio de Janeiro, Saga, 1968.

______. *Análise do modelo brasileiro*. Rio de Janeiro, Civilização Brasileira, 1972.

GABEIRA, Fernando. *Carta sobre anistia, A entrevista do "Pasquim", Conversações sobre 1968*. Rio de Janeiro, Codecri, 1979.

GARCIA, Miliandre. *Do teatro militante à música engajada: a experiência do CPC da UNE (1958-1964)*. São Paulo, Fundação Perseu Abramo, 2007

GARDINI, G.L. *The Origins of Mercosur: Democracy and Regionalization in South America*. Nova York, Palgrave MacMillan, 2010.

GASPARI, Elio. *A ditadura envergonhada*. São Paulo, Companhia das Letras, 2002a.

______. *A ditadura escancarada*. São Paulo, Companhia das Letras, 2002b.

______. *A ditadura derrotada*. São Paulo, Companhia das Letras, 2003.

______. *A ditadura encurralada*. São Paulo, Companhia das Letras, 2004.

GASQUES, José Garcia et al. *Desempenho e crescimento do agronegócio no Brasil*. Texto para Discussão 1.009. Brasília, Ipea, fev 2004.

GOLDENSTEIN, Gisela. *Folhas ao vento: contribuição para o estudo da indústria cultural no Brasil*. Tese de doutorado apresentada à Faculdade de Filosofia, Letras e Ciências Humanas. São Paulo, USP, 1986, 156p.

GOMES, Ângela de Castro. "Estado Novo: ambiguidades e heranças do autoritarismo no Brasil". In Denise Rollemberg e Samantha V. Quadrat (orgs.). *A construção social dos regimes autoritários: legitimidade, consenso, consentimento no século XX*, v.2. Rio de Janeiro, Civilização Brasileira, 2010, p.35-70.

GORENDER, Jacob. *Combate nas trevas. A esquerda brasileira: das ilusões perdidas à luta armada*. São Paulo, Ática, 1987.

GRAMSCI, Antonio. *Cadernos do cárcere*, 6 v. Rio de Janeiro, Civilização Brasileira, 2004 [1948].

GRECO, Heloísa. *Dimensões fundacionais da luta pela anistia*. Belo Horizonte, Editora da UFMG, 2003 (tese de doutorado em história).

GREEN, James. *Apesar de você: oposição à ditadura brasileira nos Estados Unidos, 1964-1985*. São Paulo, Companhia das Letras, 2009.

GRINBERG, Lucia. *Partido político ou bode expiatório: um estudo sobre a Aliança Renovadora Nacional (Arena), 1965-1979*. Rio de Janeiro, Maud X, 2009.

HERMETO, Miriam. *"Olha a gota que falta": um evento no campo artístico-intelectual brasileiro*. São Paulo, Alameda, 2013.

HOBSBAWM, Eric. "O marxismo em recessão: 1983-2000". In ______. *Como mudar o mundo*. São Paulo, Companhia das Letras, 2011.

HOFFMAN, Rodolfo. "Evolução da distribuição da posse de terra no Brasil no período 1960-80". *Reforma Agrária*, v.12, n.6, nov-dez 1982, p.17-34.

HOMEM DE MELO, Fernando B. *Agricultura de exportação e o problema da produção de alimentos*. Texto para Discussão n.30. São Paulo, FEA-USP, 1979.

______. "Composição da produção no processo de expansão da fronteira agrícola brasileira". *Revista de Economia Política*, v.5, n.1, jan-mar 1985, p.86-111.

HORTA, Cláudia J.G. et al. "Recomposição da fecundidade por geração para o Brasil e regiões". XII Encontro Nacional de Estudos Populacionais. Caxambu, Anep, 200.

HUGGINS, Martha. *Polícia e política*. São Paulo, Cortez, 1998.

IANNI, Octavio. *Estado e planejamento econômico no Brasil*. Rio de Janeiro, Civilização Brasileira, 1971.

Instituto de Geografia e Estatística (IBGE). "Estatísticas do século XX, Tabela "pop_1956aeb-042", 1956; disponível em: http://www.ibge.gov.br/seculoxx/arquivos_xls/populacao.shtm.

______. "Estatísticas do século XX", Tabela "pop_1965aeb-06.2", 1965; disponível em: http://www.ibge.gov.br/seculoxx/arquivos_xls/populacao.shtm.

______. "Estatísticas do século XX", Tabela "População1981aeb-002", 1981; disponível em: http://www.ibge.gov.br/seculoxx/arquivos_xls/populacao.shtm.

______. "Estatísticas do século XX", Tabela "População1981aeb-043.1", 1981b; disponível em: http://www.ibge.gov.br/seculoxx/arquivos_xls/populacao.shtm.

______. "Estatísticas do Século XX", Tabelas "População1983aeb-024" e "População 1983aeb-025", 1983; disponível em: http://www.ibge.gov.br/seculoxx/arquivos_xls/populacao.shtm.

______. *Anuário estatístico do Brasil*, 1964.

______. *Anuário estatístico do Brasil*, 1986.

______. *Sinopse preliminar do Censo Demográfico, IX recenseamento geral, 1980*, v.I, t.I, 1981a.

______. Censo 2010; disponível em: http://censo2010.ibge.gov.br/.

Ishaq, Vivien. "O serviço secreto da ditadura". *História Viva*, ano IX, n.101, s.d., p.68-75.

Jinkings, Ivana, Wolfgang Leo Maar e Marcelo Ridenti. "Entrevista: Francisco de Oliveira". *Revista Margem Esquerda*, n.10. São Paulo, Boitempo, nov 2007.

Joffily, Mariana. *No centro da engrenagem*. Rio de Janeiro/São Paulo, Arquivo Nacional/Edusp, 2012.

Jornal do Commercio. "Entrevista de Paulo Pontes a José Arrabal", 23 out 1973. Rio de Janeiro, Biblioteca do Cedoc / Funarte, INST / Associação Carioca de Empresários Teatrais.

Joutard, Philippe. "Memória e identidade nacional: o exemplo dos Estados Unidos e da França". In Cecília Azevedo, Denise Rollemberg et al. (orgs.). *Cultura política, memória e historiografia*. Rio de Janeiro, Editora da FGV, 2009, p.59-77.

Jurema, Abelardo. *Sexta-feira 13: os últimos dias do governo João Goulart*. Rio de Janeiro, O Cruzeiro, 1964.

Keck, Margaret. *PT: a lógica da diferença*. São Paulo, Ática, 1991.

Kinzo, Maria Dalva Gil. *Oposição e autoritarismo, gênese e trajetória do MDB, 1966-1979*. São Paulo, Sumaré, 1990.

Koselleck, R. *Futuro passado: contribuição à semântica dos tempos históricos*. Rio de Janeiro, Contraponto/Editora da PUC-Rio, 2006.

Kucinski, Bernardo. *Jornalistas e revolucionários: nos tempos da imprensa alternativa*. São Paulo, Scritta, 1991.

Kushnir, Beatriz. *Cães de guarda: jornalistas e censores, do AI-5 à Constituição de 1988*. São Paulo, Boitempo, 2004.

Laborie, Pierre. "Historiens sous haute surveillance". *Esprit*, n.198, jan 1994.

______. "1940-1944. Os franceses do pensar-duplo". In Denise Rollemberg e Samantha Quadrat (orgs.). *A construção social dos regimes autoritários: legitimidade, consenso e consentimento no século XX*, v.1. Rio de Janeiro, Civilização Brasileira, 2010.

LAFER, Celso. *A reconstrução dos direitos humanos: um diálogo com o pensamento de Hanna Arendt*. São Paulo, Companhia das Letras, 1988.

LAGO, Luiz Aranha Correa do. "A retomada do crescimento e as distorções do 'milagre': 1967-1973". In Marcelo de Paiva Abreu (org.). *A ordem do progresso*. Rio de Janeiro, Campus, 1992, p.233-94.

LANGLAND, Victoria. *Speaking of Flowers: Student Movements and the Making and Remembering of 1968 in Military Brazil*. Durham, Duke University Press, 2013.

LANGONI, Carlos G. *Distribuição de renda e desenvolvimento econômico no Brasil*. Rio de Janeiro, Expressão e Cultura, 1973.

LARA RESENDE, André. "Estabilização e reforma". In Marcelo de Paiva Abreu (org.). *A ordem do progresso*. Rio de Janeiro, Campus, 1992, p.213-32.

LESSA, Carlos. *Quinze anos de política econômica*. São Paulo, Brasiliense/Unicamp, 1975.

LOPES DE SOUZA, Marcelo. "Metropolitan deconcentration, socio-political fragmentation and extended suburbanisation: Brazilian urbanisation in the 1980s and 1990s". *Geoforum*, v.32, n.4, 2001.

LOPES, Francisco L. *O choque heterodoxo: combate à inflação e reforma monetária*. Rio de Janeiro, Campus, 1986.

LUIZ, Macksen. "Voltar a querer". *Opinião*, n.165, Teatro 75, 2 jan 1976, p.21.

MACEDO, Roberto B.M. "Plano Trienal de Desenvolvimento Econômico e Social". In Betty Mindlin. *Planejamento no Brasil*. São Paulo, Perspectiva, 2001, p.51-68.

MACIEL, Luiz Carlos. "Teatro Anos 70". In Vários autores. *Anos 70: trajetórias*. São Paulo, Iluminuras/Itaú Cultural, 2005, p.105-9.

MANUAL BÁSICO DA ESCOLA SUPERIOR DE GUERRA. Departamento de Estudos MB-75, ESG, 1975.

MARTINS FILHO, João Roberto. *Movimento estudantil e ditadura militar, 1964-1968*. Campinas, Papirus, 1987.

______. *O palácio e a caserna*. São Carlos, Editora da UFSCar, 1995.

______. "A guerra da memória: a ditadura militar no depoimento de militantes e militares". *Vária História*, n.28, dez 2002.

______. "Tortura e ideologia: os militares brasileiros e a doutrina da *guerre révolutionnaire* (1959-1974)". In Cecília MacDowell Santos et al. *Desarquivando a ditadura*, v.1. São Paulo, Hucitec, 2009, p.179-202.

MARTINS, Carlos Benedito. "O ensino superior brasileiro nos anos 90". *São Paulo em Perspectiva*, v.14, n.1, 2000.

MARTINS, Roberto Ribeiro. *Liberdade para os brasileiros: anistia ontem e hoje*. Rio de Janeiro, Civilização Brasileira, 1978.

MARTONE, Celso. "Análise do Plano de Ação Econômica e Social (1963-1965)". In Betty Mindlin (org.). *Planejamento no Brasil*. São Paulo, Perspectiva, 2001, p.69-90.

MELO FRANCO, A.A. de. "Documento 10". Trechos de audiência do ministro Afonso Arinos na Comissão de Relações Exteriores da Câmara dos Deputados, 17 mai 1961. In A. da C. Franco (org.). *Documentos da política externa independente*, v.1. Brasília, Funag, 2007.

MENEGUELLO, Rachel. *PT: a formação de um partido*. Rio de Janeiro, Paz e Terra, 1989.

MENEZES, Greice e Estela M.L. Aquino. "Pesquisa sobre o aborto no Brasil: avanços e desafios para o campo da saúde coletiva". *Cadernos de Saúde Pública*, n.25, supl.2, 2009, p.193-204.

MERKE, Federico. *Identidad y política exterior en la Argentina y en Brasil*. Tese de doutorado. Buenos Aires, Flacso, 2008.

MICHALSKI, Yan. "Em 1974 o melhor foram os cenários". *Cadernos de Teatro*, n.64, jan-mar 1975.

MILZA, Pierre (org.). *Axes et méthodes de l'histoire politique*. Paris, PUF, 1998.

______. *Mussolini*. Rio de Janeiro, Nova Fronteira, 2011.

MONIZ BANDEIRA, Luiz Alberto. *O governo João Goulart: as lutas sociais no Brasil, 1961-1964*, 8ª ed. São Paulo, Editora Unesp, 2010.

MOORE JR., Barrington. *Social Origins of Dictatorship and Democracy: Lords and Peasants in the Making of Modern World*. Boston, Beacon Press, 1967 (ed. francesa: *Les origins de la dictadure et de la démocratie*. Paris, Maspero, 1969).

MORAES, Denis de. *A esquerda e o golpe de 64*, 2ª ed. Rio de Janeiro, Espaço e Tempo, 1989.

MOREL, Edmar. *A Revolta da Chibata*, 5ª ed. Rio de Janeiro, Paz e Terra, 2009.

MOSTAÇO, Edélcio. *Teatro e política: Arena, Oficina e Opinião*. São Paulo, Proposta Editorial Ltda., 1982.

MOTTA, Rodrigo Patto Sá. *Partido e sociedade: a trajetória do MDB*. Ouro Preto, Ufop, 1997.

______. "O ofício das sombras". *Revista do Arquivo Público Mineiro*, ano XLII, n.1, jun 2006, p.52-69.

______. "Os olhos do regime militar brasileiro nos campi: as Assessorias de Segurança e Informações das universidades". *Topoi*, v.9, n.16, jan-jun 2008, p.30-67.

______. "Incômoda memória: os arquivos das ASI universitárias". *Acervo*, n.16. Rio de Janeiro, Arquivo Nacional, 2008a, p.32-50.

______. "As universidades e o regime militar: cultura política brasileira e modernização autoritária" (no prelo).

MUELLER, Charles e George Martine. "Modernização agropecuária, emprego agrícola e êxodo rural no Brasil: a década de 1980". *Revista de Economia Política*, v.17, n.3, jul-set 1997, p.85-104.

NADER, Ana Beatriz. *Autênticos do MDB: história oral de vida política*. São Paulo, Paz e Terra, 1998.

NAPOLITANO, Marcos. "A arte engajada e seus públicos". *Estudos Históricos*, n.28, Rio de Janeiro, Editora da FGV, 2001.

______. *"Seguindo a canção": engajamento político e indústria cultural na MPB (1959-1969)*. São Paulo, Annablume/Fapesp, 2001a.

______. "Engenheiros de alma ou vendedores de utopias?". In Vários autores. *1964-2004: 40 anos do golpe*. Rio de Janeiro, Faperj/7Letras, 2004, p.309-20.

______. "'Vencer Satã só com orações': políticas culturais e cultura de oposição no Brasil dos anos 1970". In Denise Rollemberg e Samantha Quadrat (orgs.). *A construção social dos regimes autoritários*. Rio de Janeiro, Civilização Brasileira, 2010, p.145-74.

______. *Coração civil: arte resistência e lutas culturais durante o regime militar brasileiro (1964-1980)*. Livre Docência em História do Brasil Independente, FFLCH da Universidade de São Paulo, 2011.

NASCIMENTO, Álvaro P. *Cidadania, cor e disciplina na Revolta dos Marinheiros de 1910*. Rio de Janeiro, Mauad X/Faperj, 2008.

NASSER, David. *Falta alguém em Nuremberg*, 4ª ed. Rio de Janeiro, O Cruzeiro, 1966.

NOGUEIRA, Arnaldo. *A modernização conservadora do sindicalismo brasileiro*. São Paulo, Educ/Fapesp, 1998.

NOVAES, Adauto (org.). *Anos 70*. Rio de Janeiro, Aeroplano/Senac, 2005

OLIVEIRA, Francisco de. "*Economia brasileira: crítica à razão dualista*". *Estudos Cebrap* n.2, 1972 (reed.: *Crítica à razão dualista e O ornitorrinco*, São Paulo, Boitempo, 2003).

ORTIZ, Renato. "Estado autoritário e cultura". In ______. *Cultura brasileira e identidade nacional*. São Paulo, Brasiliense, 1985.

______. *Um outro território: ensaios sobre a mundialização*. São Paulo, Olho d'Água, 1996.

______. *A moderna tradição brasileira: cultura brasileira e indústria cultural*. São Paulo, Brasiliense, 2001.

______, Silvia Borelli e José Mário Ortiz Ramos. *Telenovela: história e produção*. São Paulo, Brasiliense, 1989.

PACHECO, T. "Teatro alternativo em 70: a luz no final do túnel". In Maria Amélia Mello (org.). *20 anos de resistência: alternativas da cultura no regime militar*. Rio de Janeiro, Espaço e Tempo, 1986, p.95-106.

PAIM, Jairnilson, Claudia Travassos et al. "The Brazilian health system: history, advances, and challenges". *The Lancet*, v.377, n.9.779, 2011.

PAIVA, Ruy Muller. "Reflexões sobre as tendências da produção, da produtividade e dos preços do setor agrícola no Brasil". In F. Sá (org.). *Agricultura subdesenvolvida*. Petrópolis, Vozes, 1968.

PAMUK, Ayse e Paulo Fernando A. Cavallieri. "Alleviating urban poverty in a global city: new trends in upgrading Rio de Janeiro's Favelas". *Habitat International*, v.22, n.4, 1998, p.449-62.

PASSARINHO, Jarbas. *Um híbrido fértil: memórias*. Rio de Janeiro, Expressão e Cultura, 1996.

PASSOS GUIMARÃES, Alberto. *Quatro séculos de latifúndio*. Rio de Janeiro, Paz e Terra, 1977.

PASTORE, Affonso Celso. *A resposta da produção agrícola aos preços no Brasil*. São Paulo, Editora São Paulo, 1969.

PASTORE, José Guilherme. *Desigualdade e mobilidade social no Brasil*. São Paulo, T.A. Queiroz/Edusp, 1979.

______, L. Silva Dias e Manoel C. Castro. "Condicionantes da produtividade da pesquisa agrícola no Brasil". *Estudos Econômicos*, v.6, n.3, 1976, p.147-81.

PATRIOTA, Rosângela. "O teatro e o historiador: interlocuções entre linguagem artística e pesquisa histórica". In A.F. Ramos et al. (orgs.). *A história invade a cena*. São Paulo, Aderaldo & Rothschild, 2008, p.26-58.

PEIXOTO, Fernando (org.). *Reflexões sobre o teatro brasileiro*. Rio de Janeiro, Funarte, 2004.

Pelicciotta, Mirza Maria Baffi. *Liberdade e luta: considerações sobre uma trajetória política (anos 1970)*. Tese de doutorado apresentada ao Programa de Pós-Graduação em História Social. Campinas, Unicamp, 2012.

Perlman, Janice. *The Myth of Marginality: Urban Poverty and Politics in Rio de Janeiro*. Berkeley, University of California Press, 1980.

Perruso, Marco Antonio. *Em busca do "novo": intelectuais brasileiros e movimentos populares nos anos 1970/80*. São Paulo, Annablume, 2009.

Picanço, Felícia. "O Brasil que sobe e desce: uma análise da mobilidade sócio-ocupacional e realização de êxito no mercado de trabalho urbano". *Dados, Revista de Ciências Sociais*, v.50, n.2, 2007.

Pinheiro, L. *Política externa brasileira*. Rio de Janeiro, Zahar, 2004.

Pinheiro Guimarães, S. "Documento apresentado na 43ª Reunião do Conselho de Mercado Comum e Cúpula de Presidentes do Mercosul". Mendoza, 29 jun 2012.

Portelli, Alessandro. "Forma e significado na história oral. A pesquisa como um experimento em igualdade". *Projeto História*, n.14, fev 1997.

______. "O massacre de Civitella Val di Chiana (Toscana, 29 de julho de 1944): mito e política, luto e senso comum". In Marieta Ferreira e Janaina Amado (orgs.). *Usos e abusos da história oral*, 7ª ed. Rio de Janeiro, Editora da FGV, 2005.

Portes, Alejandro. "Housing policy, urban poverty, and the state: the favelas of Rio de Janeiro, 1972-1976". *Latin American Research Review*, v.14, n.2, 1979, p.3-24.

Prata, Pedro Reginaldo. "A transição epidemiológica no Brasil". *Cadernos de Saúde Pública*, v.8, n.2, abr-jun, 1992, p.168-75.

Pressot, Aline. *As marchas da Família com Deus pela Liberdade e o golpe de 1964*. Dissertação de mestrado apresentada ao Programa de Pós-Graduação em História Social. Rio de Janeiro, UFRJ, 2004.

Projeto Brasil: Nunca Mais. In *Brasil: Nunca Mais*, t.V, v.1, *A tortura*. São Paulo, Arquidiocese de São Paulo, 1985.

Quadrat, Samantha Viz. "'Para Tatá, com carinho!': a boa memória do pinochetismo". In Cecília Azevedo, Denise Rollemberg et al. (orgs.). *Cultura política, memória e historiografia*. Rio de Janeiro, Editora da FGV, 2009, p.399-418.

Ramalho, José R. e Martins, Heloísa (org.). *Terceirização: diversidade e negociação no mundo do trabalho*. São Paulo, Hucitec, 1994.

Ramos, Lauro R.A. e José Guilherme Almeida Reis. "Distribuição da renda: aspectos teóricos e o debate no Brasil". In José Marcio Camargo e Fabio Giambiagi (orgs.). *Distribuição de renda no Brasil*. Rio de Janeiro, Paz e Terra, 2000, p.21-45.

Reimão, Sandra. *Repressão e resistência: censura a livros na ditadura militar*. São Paulo, Edusp, 2011.

Resende, Maria José. *A transição como forma de dominação política*. Londrina, UEL, 1996.

Ribeiro, Carlos Antonio Costa. *Estrutura de classe e mobilidade social no Brasil*. Bauru, Educ, 2007.

Ribeiro, Denise Felipe. *A anistia brasileira: antecedentes, limites e desdobramentos da ditadura civil-militar à redemocratização*. Dissertação de mestrado apresentada ao Programa de Pós-Graduação em História Social. Rio de Janeiro, UFRJ, 2012.

Ricoeur, Paul. *A história, a memória, o esquecimento*. Campinas, Editora da Unicamp, 2007.

Ridenti, Marcelo. *Em busca do povo brasileiro: artistas da revolução, do CPC à era da TV*. Rio de Janeiro, Record, 2000 [2ª ed. revista e ampliada, São Paulo, Editora da Unesp, 2014].

______. *Brasilidade revolucionária: um século de cultura e política*. São Paulo, Editora da Unesp, 2010, p.103-6.

______. *O fantasma da revolução brasileira*, 2ª ed. revista e ampliada. São Paulo, Editora da Unesp, 2010a.

Rioux, Jean-Pierre e Jean-François Sirinelli (orgs.). *Pour une histoire culturelle*. Paris, Seuil, 1996.

Rodeghero, Carla S., Antônio Montenegro e Maria Paula Araújo (orgs.). *Marcas da memória: história oral da anistia no Brasil*. Recife, Editora Universitária da UFPE, 2012.

______, G. Dienstmann e T. Trindade. *Anistia ampla, geral e irrestrita: história de uma luta inconclusa*, 1ª ed., v.1. Santa Cruz do Sul, Editora da Unisc, 2011, 368 p.

Rodrigues, Flávio Luís. *Vozes do mar: o movimento dos marinheiros e o golpe de 1964*. São Paulo, Cortez, 2004.

Rodrigues, Iram J. *Sindicalismo e política: a trajetória da CUT*. São Paulo, Scritta/Fapesp, 1997.

Rodrigues, Leôncio Martins. *CUT: os militantes e a ideologia*. Rio de Janeiro, Paz e Terra, 1990.

______. *Partidos e sindicatos*. São Paulo, Ática, 1990a.

______ e Adalberto Cardoso. *Força Sindical: uma análise sociopolítica*. Rio de Janeiro, Paz e Terra, 1993.

Rollemberg, Denise. "Memória, opinião e cultura política: a Ordem dos Advogados do Brasil sob a ditadura, 1964-1974". In Daniel Aarão Reis e Denis Rolland (orgs.). *Modernidades alternativas*. Rio de Janeiro, Editora da FGV, 2008, p.57-96.

______. *Exílio: entre raízes e radares*. Rio de Janeiro, Record, 1999.

______. "As trincheiras da memória. A Associação Brasileira de Imprensa e a ditadura (1964-1974)". In Denise Rollemberg e Samantha Viz Quadrat (orgs.). *A construção social dos regimes autoritários*, v.2. Rio de Janeiro, Civilização Brasileira, 2010.

______ e Samantha Viz Quadrat. *A construção social dos regimes autoritários: legimitidade, consenso e consentimento no século XX*, 3 v. Rio de Janeiro, Civilização Brasileira, 2010.

Rousso, Henry. "Le statut de l'oubli". In François Barret-Ducrocq (org.). *Pourquoi se souvenir?*. Paris, Bernard Grasset, 1999.

Sader, Eder. *Quando novos personagens entram em cena*. Rio de Janeiro, Paz e Terra, 1988.

______ (org.). *Movimentos sociais na transição democrática*. São Paulo, Cortez, 1986.

______. *A transição no Brasil: da ditadura à democracia?*. São Paulo, História Viva, 1990.

Sallum, Brasílio. *Labirintos dos generais à Nova República*. São Paulo, Hucitec, 1996.

SAN TIAGO DANTAS, F.C. *Política externa independente*. Rio de Janeiro, Civilização Brasileira, 1962.

SANTANA, Marco A. "Entre a ruptura e a continuidade: visões da história do movimento sindical brasileiro". *Revista Brasileira de Ciências Sociais*, n.41, São Paulo, Anpocs, 1999.

______. *Homens partidos: comunistas e sindicatos no Brasil*. São Paulo/Rio de Janeiro, Boitempo/UniRio, 2001.

______ e Ricardo Antunes. "O PCB, os trabalhadores e o sindicalismo na história recente do Brasil". In Marcelo Ridenti e Daniel Aarão Reis (orgs.). *História do marxismo no Brasil*, v.6, *Partidos e movimentos após os anos 1960*. Campinas, Editora da Unicamp, 2007.

SANTOS, Wanderley Guilherme dos. *O cálculo do conflito: estabilidade e crise na política brasileira*. Belo Horizonte, Editora da UFMG, 2003.

SARAIVA, M.G. "A diplomacia brasileira e a visão sobre a inserção externa do Brasil: institucionalistas pragmáticos × autonomistas". *Mural Internacional*, ano 1, n.1, jan-jun 2010, p.45-52.

SCALON, Maria Celi. *Mobilidade social no Brasil, padrões e tendências*. Rio de Janeiro, Rena/Iuperj-Ucam, 1999.

SCARTEZINI, A.C. *Segredos de Médici*. São Paulo, Marco Zero, 1985.

SCHILLING, Paulo. *Como se coloca a direita no poder: os acontecimentos*, v.2. São Paulo, Global, 1981.

SCHWARTZMAN, Simon. *Um espaço para a ciência: a formação da comunidade científica no Brasil*. Brasília, Ministério de Ciência e Tecnologia, 2001.

SCHWARZ, Roberto. "Cultura e política, 1964-1969". In ______. *O pai de família e outros estudos*. Rio de Janeiro, Paz e Terra, 1978, p.61-92 ["Remarques sur la culture et la politique au Brésil, 1964-1969", *Les Temps Modernes*, n.288, Paris, jul 1970].

SECCO, Lincoln. *História do PT*. São Paulo, Ateliê Editorial, 2011.

SEDGH, Gilda, Stanley Henshaw, Susheela Singh et al. "Induced abortion: estimated rates and trends worldwide". *Lancet*, n.370, 13 out 2007, p.1338-45.

SERBIN, K.P. *Diálogos na sombra. Bispos e militares: tortura e justiça social na ditadura*. São Paulo, Companhia das Letras, 2001.

SILVA, Adroaldo Moura da et al. *Inflação e mercado de capitais: São Paulo*. São Paulo, Bovespa, 1977.

SILVA, Francisco Carlos Teixeira da. *A história na primeira página*. Rio de Janeiro, Multifoco, 2012.

______. *Vox, Voces (re)memorar*. Rio de Janeiro, Multifoco, 2012a.

SILVA, Hélio. *A vez e a voz dos vencidos*. Petrópolis, Vozes, 1988.

SILVA FILHO, José Carlos Moreira da. "As dimensões da justiça de transição no Brasil, a eficácia da Lei da Anistia e as alternativas para a verdade e a justiça". In Paulo Abrão et al. (orgs.). *A anistia na era da responsabilização: o Brasil em perspectiva internacional e comparada*. Brasília/Oxford, Ministério da Justiça, Comissão de Anistia/ Oxford University, Latin American Center, 2011.

SIMONSEN, Mario Henrique. *Inflação, gradualismo × tratamento de choque*. Rio de Janeiro, Apec, 1970.

______. "Inflação brasileira: lições e perspectivas". *Revista Brasileira de Economia*, v.5, n.4, out-dez 1985, p.15-31.

______ e Roberto Campos. *A nova economia brasileira*. Rio de Janeiro, José Olympio, 1979.

SINGER, Paul. *O milagre brasileiro: causas e consequências. Cadernos Cebrap*, v.6, São Paulo, 1972.

______. *A crise do "milagre"*. Rio de Janeiro, Paz e Terra, 1977.

SINGH, Susheela e Gilda Sedgh. "The relationship of abortion to trends in contraception and fertility in Brazil, Colombia and Mexico". *International Family Planning Perspectives*, v.23, n.1, mar 1997.

SIQUEIRA, Arnaldo Augusto Franco de et al. "Mortalidade materna no Brasil, 1980". *Revista de Saúde Pública*, n.18, 1984, p.448-65.

SIRINELLI, Jean-François. *Histoire des droites*. Paris, Gallimard, 1992.

______. "Os intelectuais do final do século XX: abordagens históricas e configurações historiográficas". In Cecília Azevedo, Denise Rollemberg et al. (orgs.). *Cultura política, memória e historiografia*. Rio de Janeiro, Editora da FGV, 2009, p.47-57.

SKIDMORE, Thomas. *Brasil: de Castelo a Tancredo*. Rio de Janeiro, Paz e Terra, 1988.

______. *Brasil: de Getúlio a Castello Branco (1930-64)*. São Paulo, Companhia das Letras, 2010.

SOUSA, Jessie Jane Vieira de. "Anistia no Brasil: um processo político em disputa". In Paulo Abrão et al. (orgs.). *A anistia na era da responsabilização: o Brasil em perspectiva internacional e comparada*. Brasília/Oxford. Ministério da Justiça, Comissão de Anistia, Oxford University, Latin American Center, 2011.

SPEKTOR, Matias. "Origens e direção do pragmatismo ecumênico e responsável (1974-1979)". *Revista Brasileira de Política Internacional*, v.47, n.2, 2004, p.191-222.

STEPAN, Alfred. *Os militares na política: mudanças de padrões na vida brasileira*. Rio de Janeiro, Arte Nova, 1975.

STEPHANOU, Alexandre. *Censura no regime militar e militarização das artes*. Porto Alegre, Edipucrs, 2001.

TAVARES, Maria da Conceição. "Sistema financeiro e o ciclo de expansão recente". In Luís Belluzzo e Renata Coutinho (orgs.). *Desenvolvimento capitalista no Brasil: ensaios sobre a crise*. São Paulo, Brasiliense, 1982, v.1.

______ e José Serra. "Mais além da estagnação". In Maria da Conceição Tavares. *Da substituição de importações ao capitalismo financeiro*. Rio de Janeiro, Zahar, 1973, p.155-207.

TELES, Edson e Vladimir Safatle (orgs.). *O que resta da ditadura: a exceção brasileira*. São Paulo, Boitempo, 2010.

TELES, Janaína. *Os herdeiros da memória: a luta de familiares de mortos e desaparecidos políticos por verdade e justiça no Brasil*. Dissertação de mestrado em história social. São Paulo, USP, 2005.

VARGAS, Mariluci Cardoso. *Deslocamentos, vínculos afetivos e políticos: a trajetória do Movimento Feminino pela Anistia no RS (1975-1979)*. Dissertação de mestrado apresentada ao Departamento de História. São Leopoldo, Unisinos, 2010.

VIANNA, Luiz Werneck. *Liberalismo e sindicato no Brasil*. Rio de Janeiro, Paz e Terra, 1976.

VIANNA FILHO, Oduvaldo. "Um pouco de pessedismo não faz mal a ninguém". *Revista Civilização Brasileira*, Caderno Especial de Teatro e Realidade Brasileira. Rio de Janeiro, Civilização Brasileira, ano IV, jul 1968, p.69-78.

VIEGAS, Pedro. *Trajetória rebelde*. São Paulo, Cortez, 2004.

VIGEVANI, Tullo e Gabriel Cepaluni. *A política externa brasileira: a busca de autonomia, de Sarney a Lula*. São Paulo, Editora da Unesp, 2011, p.27-155.

______ e Haroldo Ramanzini Jr. "Pensamento brasileiro e integração regional". *Contexto Internacional*, v.32, n.2, 2010, p.437-87.

______, Haroldo Ramanzini Jr. et al. "O papel da integração regional para o Brasil: universalismo, soberania e percepção das elites". *Revista Brasileira de Política Internacional*, ano 51, n.1, 2008, p.5-27.

WEBER, Max. *Economia e sociedade*, v.2. Brasília, Editora da UnB, 1999 [1922].

WERNECK, Rogério. "Poupança estatal, dívida externa e crise financeira do setor público". *Pesquisa e Planejamento Econômico*, v.16, n.3, dez 1986.

______. *Empresas estatais e política macroeconômica*. Rio de Janeiro, Campus, 1987.

WOOD, Charles H. e José Alberto Magno de Carvalho. *A demografia da desigualdade no Brasil*. Rio de Janeiro, Ipea, 1994.

ZERBINE, Therezinha. *Anistia: a semente da liberdade*. São Paulo, Gráfica das Escolas Profissionais Salesianas, 1979.

Sobre os autores

Anderson da Silva Almeida. Doutorando em história social pela Universidade Federal Fluminense (UFF), com bolsa de estudos do Conselho Nacional de Pesquisa (CNPq). É autor de *Todo o leme a bombordo: marinheiros e ditadura civil-militar no Brasil, da rebelião de 1964 à Anistia*, que recebeu o Prêmio Memórias Reveladas de 2010 do Arquivo Nacional.

Carla Simone Rodeghero. Professora do Departamento de História da Universidade Federal do Rio Grande do Sul (UFRGS). É autora de *O diabo é vermelho: imaginário anticomunista e Igreja católica no Rio Grande do Sul*; *Capítulos da Guerra Fria: o anticomunismo brasileiro sob o olhar norte-americano*; e coautora de *Anistia ampla, geral e irrestrita: história de uma luta inconclusa*; e *Não calo, grito: memória visual da ditadura civil-militar no Rio Grande do Sul.*

Daniel Aarão Reis. Professor titular de história contemporânea da UFF e pesquisador do CNPq. É autor, entre outros livros, de *A revolução faltou ao encontro*; *Ditadura militar, esquerdas e sociedade* (Zahar, 2000); *O golpe e a ditadura militar* (com Marcelo Ridenti e Rodrigo Patto Sá Motta); *Intelectuais e modernidades* (com Denis Rolland); e *Ditadura e democracia no Brasil* (Zahar, 2014).

Francisco Vidal Luna. Doutor em economia, professor da Faculdade de Economia e Administração da Universidade de São Paulo (USP), foi secretário de Economia e Planejamento do Estado de São Paulo e secretário de Planejamento da Cidade de São Paulo. É coautor de *Slavery and Economy of São Paulo, 1750-1850*; *Brazil since 1980*; *Slavery in Brazil*; e *Escravismo em São Paulo e Minas Gerais.*

Herbert S. Klein. Professor emérito da Universidade Columbia, pesquisador e curador da Hoover Institution, da Universidade de Stanford. É coautor de *Evolução da sociedade e economia escravista de São Paulo, 1750-1850*; *Brasil desde 1980*; *Escravidão no Brasil*; e *Transição incompleta: Brasil desde 1945.*

Janaína Martins Cordeiro. Doutora em história pela UFF, pesquisadora vinculada ao Núcleo de Estudos Contemporâneos da mesma universidade e bolsista do programa Pós-Doutorado Nota 10 da Fundação Carlos Chagas Filho de Amparo à Pesquisa do Estado do Rio de Janeiro (Faperj). É autora de *Direitas em movimento: a Campanha da Mulher pela Democracia e a ditadura no Brasil.*

Marcelo Ridenti. Professor titular de sociologia no Instituto de Filosofia e Ciências Humanas da Universidade de Campinas (IFCH/Unicamp) e pesquisador do CNPq. É autor de *Brasilidade revolucionária: um século de cultura e política*; *Em busca do povo brasileiro: artistas da revolução*; *O fantasma da revolução brasileira* – entre outros livros, capítulos e artigos publicados no Brasil e no exterior.

Marco Aurélio Santana. Professor do Departamento de Sociologia e do Programa de Pós-Graduação em Sociologia e Antropologia da Universidade Federal do Rio de Janeiro (UFRJ), onde também coordena o Núcleo de Estudos Trabalho e Sociedade, e pesquisador do CNPq. É autor, entre outros livros, de *Homens partidos: comunistas e sindicatos no Brasil*; e *Bravos companheiros: comunistas e metalúrgicos no Rio de Janeiro (1945-1964)*.

Mariana Joffily. Doutora em história social pela USP e professora do Departamento de História da Universidade do Estado de Santa Catarina (Udesc). É autora de *No centro da engrenagem: os interrogatórios na Operação Bandeirante e no DOI de São Paulo (1969-1975)*; e *O socialismo na França e no Brasil durante a II Internacional Socialista (1889-1918)*.

Miriam Gomes Saraiva. Doutora em ciência política pela Universidade Complutense de Madri, com pós-doutorado no Instituto Universitário Europeu, professora associada de Relações Internacionais na Universidade do Estado do Rio de Janeiro (Uerj) e pesquisadora do CNPq. É autora, entre outros livros, de *Encontros e desencontros: o lugar da Argentina na política externa brasileira*.

Miriam Hermeto. Professora do Departamento de História da UFMG e pesquisadora do grupo de pesquisa História Política – Culturas Políticas na História e do Núcleo de História Oral da Fafich, da Universidade Federal de Minas Gerais (UFMG). É autora de *Canção popular brasileira e ensino de história: palavras, sons e tantos sentidos*; e *"Olha a gota que falta": um evento no campo artístico-intelectual brasileiro (1975-1980)*.

Renato Ortiz. Professor titular de sociologia do IFCH/Unicamp e pesquisador do CNPq. É autor de *Trajetos e memórias*; *La supremacia del inglés en las ciencias sociales*; *Mundialização: saberes e crenças*; e *A moderna tradição brasileira* – entre outros livros, capítulos e artigos publicados no Brasil e no exterior.

Ricardo Antunes. Professor titular de sociologia no IFCH/Unicamp e pesquisador do CNPq. Coordena as coleções Mundo do Trabalho (Boitempo Editorial) e Trabalho e Emancipação (Expressão Popular). Colabora regularmente em revistas e jornais nacionais e estrangeiros. É autor, entre outros livros, de *O continente do labor*; *Adeus ao trabalho?* (publicado também na Itália, na Espanha, na Argentina, na Colômbia e na Venezuela); e *Os sentidos do trabalho* (publicado também na Argentina, na Itália, na Inglaterra/EUA e em Portugal).

Rodrigo Patto Sá Motta. Professor do Departamento de História da UFMG e coordenador do grupo de pesquisa História Política – Culturas Políticas na História. É autor de *Em guarda contra o perigo vermelho: o anticomunismo no Brasil (1917-1964)*; *Jango e o golpe de 1964 na caricatura* (Zahar, 2006); *Partido e sociedade: a trajetória do MDB*; *As universidades e o regime militar* (Zahar, 2014); e organizador da coletânea *Culturas políticas na história: novos estudos*.

Tullo Vigevani. Professor de ciência política e relações internacionais da Universidade Estadual Paulista (Unesp), pesquisador do Cedec, do CNPq e coordenador do INCT-Ineu. Tem publicações no Brasil e no exterior, particularmente na área de relações internacionais e política exterior do Brasil. É autor de *A política externa brasileira: a busca da autonomia, de Sarney a Lula* (com Gabriel Cepaluni, publicado também nos Estados Unidos).

FSC
www.fsc.org
MISTO
Papel produzido a partir de fontes responsáveis
FSC® C019498

A marca FSC é a garantia de que a madeira utilizada na fabricação do papel deste livro provém de florestas de origem controlada e que foram gerenciadas de maneira ambientalmente correta, socialmente justa e economicamente viável.

Este livro foi composto por Letra e Imagem em Dante Pro 11,5/16 e impresso em papel offwhite 70g/m² e cartão triplex 250g/m² por Geográfica Editora em janeiro de 2014.